戴國煇全集　

採訪與對談卷‧四

◎未結集2：談日本與亞洲（一）

目次
contents

未結集2：談日本與亞洲（一）

輯一　亞洲局勢與世界

圍繞越南戰爭／林彩美譯　　　　　　　　　　005
——亞洲人談亞洲座談會

為誰的「開發中國家援助」／林彩美譯　　　　051
——今後的亞洲與日本座談會

追尋民俗學大師之路／李毓昭譯　　　　　　　087
——柳田國男與柳宗悅座談會
　　一、未開發的遺產、大正時期　　　　　　087
　　二、學術研究上的不同氣質　　　　　　　109
　　三、時局與學問　　　　　　　　　　　　131
　　四、柳田—澀澤—柳　　　　　　　　　　152

輯二　盱衡東南亞

探索醫療協力推行至亞洲的困境／林彩美譯　　179
——思考JOCS座談會

忠於真相，提升東南亞研究水準／陳仁端・林彩美譯　　187
——亞洲報導的課題座談會
田中出訪東南亞效應與日韓未來／劉淑如譯　　213
——傾聽亞洲的心聲座談會
「亞洲」論的前提／陳仁端譯　　255
——青木保vs.戴國煇
中日關係之回顧與展望／李毓昭譯　　287
——恢復邦交兩年的歷程座談會

譯者簡介　　305
日文審校者・校訂者簡介　　306

戴國煇全集 21

採訪與對談卷・四

未結集2：
談日本與亞洲(一)

翻　　譯：李毓昭・林彩美・陳仁端
　　　　　劉淑如
日文審校：吳文星・林彩美・張隆志
校　　訂：許育銘

亞洲局勢與世界

圍繞越南戰爭
── 亞洲人談亞洲座談會

◎ 林彩美譯

時間：1973年12月10日、1973年1月23日
與會：田中宏（愛知縣立大學）
　　　安宇植（評論家）
　　　姜（Chan Din Tuon，東大生技術研究所）
　　　賴（Lai Chan Gain，一橋大學大學院）
　　　戴國煇（亞洲經濟研究所）
　　　三浦昇（前《中日新聞》文化部次長）

如何理解越南戰爭

　　田中宏（以下簡稱田中）：這個新年〔1973〕我收到以前在日本留學，目前在歐洲的亞洲學生來信。當然是《關於在越南戰爭結束、恢復和平的協定》以前所寫的信，是亞洲年輕人對最近世界情勢該如何思考，非常富有啟發性的內容。

　　在信中，他把東、西德基本條約的簽訂、尼克森訪中、訪

蘇、日中恢復邦交等一連串的動向從南北問題的視角切入。亦即美國、蘇聯、日本、德國等北方諸國,在去年引人關注的現象是已進入相互調整的時機,換句話說,就是開始做某種的大團結。所以他對世界情勢沒有樂觀的預測。毋寧是大團結的北方,今後更以整備好的戰略姿態對付南方——不必說是指新興諸國,亦即擔心全面迫近新殖民地主義時代。

在這種情勢理解之中,他給越戰高評價,亦即對進行相互調整的北方新殖民地主義踩煞車的南方,站在此亞洲最前頭的是越南民族。而除了與此越南民眾共同行動之外,不能壓住大同團結的北方,就沒有南方完成自立解放之路。

這封信主要是以黃色人種一員的感覺寫下,因此不知道把同是黃色人種的中國放在南或放在北,信中並沒有提及,但好像有不同於一直以來中國是南方全面夥伴見解的微妙差異。

北方的大團結,令人擔憂的新殖民地主義,不只是北與南的對決,也會造成南方內部指導層中有人加入北方的傾向發生。

寫信的青年下結語說,所以自己屬於南方的人,除要批評北方諸國的戰略姿態與世界政策之外,也要批評自國內部關聯到北方的部分,不然南方的問題解決不了。

雖簽訂有關「越南和平協定」的條約,不等於全面和平的實現,也不表示南方國家所存在的問題能夠解決。

我讀了這個學生的信,感到形式上已獨立,因長期受殖民地統治,殘留著殖民遺制的國家,其民眾感覺之敏銳。

他有非常嚴峻的看法,與總以為簽訂和平協定後,和平馬上來臨,愛尋找笑容的我們有著不同音色的聲音。

不理解此音色，說是與亞洲人的相互理解，也只是基於虛構願望的感覺。

安先生在日本說到同民族的分裂，常以越南和朝鮮為例。在此意義上，是否能談談與越戰有關聯的朝鮮問題。

安宇植（以下簡稱安）：的確，以處於與越南相似情況的朝鮮人來說，對於越戰我抱有特別強的關心。越南的和平交涉非常費時費事，但以通曉韓戰的人來說，費時是當然的感覺。朝鮮的情況是努力做到停戰的會談就花了兩年多的時間，朝鮮與越南其交涉的對手都同樣是美國。越南比朝鮮快些，是因為國際的種種狀況相對地對美國不利之故。

但是以朝鮮的經驗來說，戰爭結果到最近二十多年，南北雙方都認為彼此都是應該被推翻的對象。最近雖有南北的對話與握手的動作，但不一定可以樂觀。到南北統一還有相當漫長的路要走，理由說來話長就不在此提及。從而越南的和平雖然實現，有鑑於朝鮮的情況，是否能夠與朝鮮完全不同而順利促成南北統一，我認為也不能這樣想。

只是，這時我必須講的是越戰與朝鮮人的關係。這與在日朝鮮人的我是無直接關係，但我的同胞有將近五萬人出兵，讓越南人流血，而那血的代價讓韓國在經濟上有了某程度的受惠，這就是說明了有過犯罪行為。

而且，因出兵之故留下讓戰後的越南與歷史逆行的發言權——那種不安今後也有。

又從朝鮮人全體來看，據說北韓給北越很多援助，至少傳到我們耳朵是那樣。

　　如果是這樣，雖然沒有在朝鮮國內打仗，但可以說朝鮮人自己有借越南這個場所打仗的側面。

　　絕不是很久以前的戰爭。韓國出兵越南，在日朝鮮人之中的知識分子，包括自我批評在內，沒有很明確喊出抗議的聲音，我在此申明。但為了避免誤解我要加上幾句，反對派兵的集會或發言也不是完全沒有，但是做為行動也僅以此為限，決定性的事情也未能做到。對此我真是難受，感到很難過。有關韓國的派兵，日本新聞也報導「勇敢的猛虎部隊大顯身手」。我與賺了越戰的錢歸來的人談過話，那人臉上油光發亮，缺少神經，令人怒從中來。

　　姜：關於越南和平，我想講我的意見。去年12月，那時新聞報導也說越南和平是確實的，但我曾表示過懷疑。事實上我的懷疑應驗了，越南和平崩潰，而連持有懷疑的我都未能預感到那殘酷的對北越轟炸開始了。對北越轟炸我想世界上誰也預想不到的。美國什麼都敢做。尼克森的作法怎麼也無法預想。

　　所以說和平協定訂好了，但我帶有懷疑的想法一點也未改變。在東京灣〔譯註：在越南與海南島之間〕的第七艦隊南下做威嚇的行動也可預料得到。而且假如沒有那種事，我想這次的和平也不一定意味著恆久的和平。直覺的說，以17度線做為北與南的國界，美國與西貢政權也如此解釋，那麼在南越內部，西貢政權與解放戰線、臨時革命政府方之間會發生激烈的鬥爭。

　　這種政治鬥爭是伴隨著行使武力吧，那是充滿危險的。和平協定成立，越南情勢會安定是無法企盼的。關於東南亞情勢也無法想成是因越南和平而安定。特別是泰國，泰國今後是否會發生

種種問題——我對此有種很強烈的疑問。

身為加害者的自我批判

　　賴：新加坡人與越南人同是東南亞的人民。對越南的和平有著比誰都更強烈的期待。

　　所以和平協定的成立是很高興的。可是不能只是單純喊和平萬歲的心情。與姜先生一樣，我在那一點上也持有懷疑。我懷疑美國是否真正遵守和平協定。因為美國曾經撕破《日內瓦協定》。不過，對此事越南人應是看透了。

　　還有一點我想講的是安先生說朝鮮人在越南站在加害者的立場，但新加坡、馬來西亞也在越南戰爭中，藉越南人的血賺了錢。

　　各式各樣的軍需物資經由新加坡送往越南。商人很喜歡戰爭，有日本投資的企業也不例外。

　　新加坡在1971年以後，英軍逐漸撤退，留下的軍事設施由美國使用，由於地理上的位置，在越戰中是將其做為連接美軍的前線與後方的基地。在這一面，我們也對越南人做了很壞的事情。若不做自我批判，不抱有自己也是加害者的意識，越戰的教訓是不能成為亞洲人的東西。

　　安：的確是。朝鮮因受了36年的日本殖民地統治之故，被害者意識很強。殖民地體驗還未完全變成過去的東西，以前在此企畫也談過，但關於越戰，朝鮮卻站在加害者的立場，我想這必須徹底加以自我批判。

　　當然南朝鮮・韓國的文學作品也有描寫因派兵而留在鄉里家族的悲哀例子，但是做為輿論並不能促成批判的升高。也有社會狀況不容許的部分，同時因此經濟上受惠的一面也有，這是可恥的地方，可說陷入進退兩難。

　　只是，日本反對越戰的模式是把越戰的責任歸於美國、丟給美國，不怎麼碰觸日本加害的部分。我想越戰的教訓之一，還是凝視自己之中加害的部分和自我批判。

　　賴：對於越戰，不管哪一國的青年，只要是清醒的誰都會抗拒的，新加坡與馬來西亞的情形是與日本的反戰運動採取稍微不同的作法。日本的情況是比較理念性，新加坡與馬來西亞是自越戰開始就一直把反戰運動和自己的民族解放運動相連接繼續著做。作法一個是眾多的反戰者把錢匯集寄到越南，另一個是不管禁止令而進行示威遊行。或把自己的民族解放運動更加發展，發起與越南人在作法上直接連接的運動。

　　我是東南亞戰後世代的一分子，長久受殖民地統治，在戰爭受過殘酷遭遇的東南亞民眾，該如何自立，思考如何把自己解放時，更應學習的是在亞洲之中中國的抗日戰爭以及越南戰爭這場越南民族的抵抗戰。而現在我感到越南人最有「人」的氣概，這「人」的氣概是任何軍事力也絕對打不敗，透過越戰如實地顯示出來。

　　戴國煇（以下簡稱戴）：姜先生說了對越南和平，或後越戰時代有非常懷疑的想法。

　　姜先生是越南人，是越南戰爭的當事者，越南已經歷二、三十年的困難戰爭所以就算訂定和平協定也不能單純地感到歡喜，

不能不變成多疑，這我能理解。

但是，一般地說，在這和平協定的階段也能把越戰的意義在某程度結論性地來談。

這是私人的事情，我的友人畢業於台灣的大學的農學部，為了指導農業技術而赴越南。

他曾經來信這樣說，身為栽培蔬菜的專家，很賣力地為提高越南人的農業技術、提高農業生產而工作，但成果不彰。

我不懷疑他的善意，但是，在外國統治、殖民地統治的框架中，人性被毀壞，變得無氣力。說實在我的友人的善意、技術是不易滲入民眾，事實就是這樣。然而那學不會農業技術，看起來不行的越南人，站在解放戰線之時立刻發揮驚人的抵抗力，人性驟變。中國人的情況也是。被說成無氣力、骯髒，是不行的清國奴也可同樣翻身。可見殖民地體制如何摧毀人性，可是當有了民族自覺時，人是會變成如何地振作出色，我想越南人是以事實明確地告訴我們。

姜：不只是南越，第二次大戰後的開發中國家援助大概都是那樣的吧，南越的情況，如看援助的內容，完全在美國所設定架構內編制援助政策。預算是美國編制，如何使用也由美國和南越政府決定。錢不知在哪裡消失了。然而，在末端真是只做了一些形式化的事情而已。

農業技術的學習，提升生產實現的條件是：第一，由受那恩惠的人，或反映那些人意志的人們去編組政策，不然援助是連接不到民眾生活的提升，也得不到支持。

在這意義上，西貢政府並不是大多數農民意志的代表者。所

以會發生戴先生所講的事情。

今後，由於後越戰時代（post-Vietnam）到來之故，日本對南越援助也許會放到計畫表上，如不考慮到這些是不能期待成果的。

還有，有關援助，越戰持續了很久。很多國家表明反對越戰的意思，但是日本從來未曾明確表示過反對。日本人每一個人是另當別論，做為國家卻不曾反對越戰。越南人知道，所以越南人的日本觀絕對是不好的。

做為事實問題我要在此申明。

使「文明人」的傲慢崩潰的金字塔
──自我變革原理的滲透

戴：出兵越南，美軍基地或軍需品當地籌辦的提供者，也就是因軍事特需賺了錢，亞洲諸國也對越南民眾站在加害者的立場。

在此間，越南民族把此次的戰爭達成像世界史上留下的金字塔一樣。即與世界最強、最大軍事力的國家美國，和50萬以上軍隊以及最新、最先進的兵器為對手，在歷史上也必是被認定為勝利的戰爭而忍耐熬過來。

包括美國人的白人，或傲慢的「文明人」們，應是不能理解，為何會輸給那黃色的、殖民地的「落後的人」，不，是只看作是小蟲一般的人，自己為什麼會在越南吃了敗戰。人在自我變革時的強韌是計算機算不出來的。

對國土被當作戰場的越南人是非常可憐的說法，但在中國和朝鮮被擊倒的白人，那傲慢的「文明人」在越戰又被擊倒，我想這次應該是領會到侵略亞洲、統治亞洲是不可能也絕不合算吧。

長久做為中國屬國而受苦，當了法國的殖民地，又受日本侵略，越南人經歷非常悲慘，重複著不幸的歷史，但在此培養出的忍耐力，耐過風雪的強韌，變成從亞洲把侵略者、自任不凡的「文明人」擊退，建立起金字塔的力量。

安：朝鮮的30多年、台灣有50年的殖民地歷史，越南是100年，或者更長。

但是，這次的戰爭以自力推進而勝利。做為同是受過殖民地統治民族之一人，我以為越南人受了苦但有報應，我想今後會發揮民族偉大的能量。

戴：越南民族的抵抗告知傲慢的「文明人」們亦即侵略者，對亞洲的侵略與統治是不可能的。可以說為了人類全體建立金字塔。但其實還是不安，有顧慮。那是因為經常有志向於霸道的「權力」保持者們，本質上有很難汲取與不想汲取歷史教訓的體質之故。

日本帝國主義曾經侵略亞洲而失敗，這是歷史的教訓。美國未能以此為鑑，而這次又失敗。然而，美國人卻把此解釋得很狹窄，說誠然在越南是失敗了，在亞洲敵不過他們，但是非洲一帶或許就不一樣了，有這樣思考的疑慮。雖然與美國人談過，但是這種思考方式是自稱「文明人」的傲慢者共同的想法、構思之陷阱。

後越戰時代最大的問題是，應該指摘此想法的錯誤。當「文

明人」所認為的弱者覺醒之後，已不是弱者，將會比那乍見是強者的更為強韌的原理告知那些「文明人」，而包含自以為是有教養的「先進國人」的我們自身在內都要更加深此一認識。

而且越南民族的抵抗，我想在衝垮「文明人」的傲慢上有劃時代的意義，不，此意義現在也繼續著。

日本的論調是把美國總統選舉中麥高文（G. S. McGovern）的落選說成慘敗，但我不這樣看。他拿到總投票數的四成，我把這四成看得很重。交戰國，而且是侵略方的內部，四成擁護反戰運動這是不得了的事。這也是世界史上未曾見過的事件，我感覺這是美國民主主義發出的新芽。

總之第二次世界大戰後，美國的威信、美國人的自負是不可一世的。甚至有超越第一次大戰前之英帝國的威信與自負之感。世界的工廠、世界的憲兵——在戰場崩潰，在內部因有麥高文四成得票的反戰運動而崩潰。對於美國帝國主義者而言，越戰是隔著太平洋在越南與美國有兩個戰場。

在越南的戰場受到覺醒了的越南民族抵抗的同時，在美國內部黑的勢力、紅的勢力——不是共產勢力，而是美國原住民印地安人新興勢力站出來，麻藥問題、公害問題、都市問題層出不窮。弱者的越南民族變成強者，弱者的黑與紅的勢力出現也不是偶然。這種人的自我改革的原理，我想因越南民族的勝利之故，在所謂文明世界之中越發滲透過去。在美國就是夏威夷，在日本已有一部分愛奴人受到波及。當然，我想也會波及非洲為首的第三世界。

最後做為越南戰爭的教訓還有一個，就是例如西貢政權從先

進國，亦即所謂文明國拿錢用以運轉政治的作法，在後進國家是不能生存下去，也無法用於進行國家建設，也就是證明了那種作法已破產。

依附政治的破產

安：那是很大的問題。不管是美國或其他國家，後進國依附某國搞政治的時代，在越戰就將告終。在以亞洲為舞台的力量的均衡就是那種依附政治的均衡吧！當那依附無法形成力量，均衡也就會跟著變化。那麼拒絕依附，如何設定自己國家的未來，必須看執政者在越戰學到什麼而定，廣泛來說也是亞洲民眾每一人的問題。比如思考朝鮮的南北接近，以往圍繞朝鮮的力量均衡已經開始崩潰，可想見必須採取對應措施。從而不能使南北接近僅止於做做樣子，要有使之成為真實的努力。那是只有活用學到越戰教訓的民眾力量去推動吧。

戴：包含政界、財界在內，日本的政治、外交今後如何去接觸已覺醒拒絕依附的他民族，而創造出應有的關係將成為課題，日本的民眾與已覺醒的民眾如何構築不只是語言而是真的連帶關係，也將是個課題。

田中：那點非常沒把握。停戰協定生效後，日本政府須採取的對應，我認為應該縮小與西貢政權的外交關係。然後，等待被期待誕生在南越的民族和解政府之成立，與那政府樹立正式外交關係。又，承認北越，而寄望於第二階段的南北越的統一。此事不知為何在日本未做明確的主張。要從祖護支持侵略越南所背負

的反歷史性中脫離似乎還要很久，這種感覺很強。

　　安：如西貢政權的依附姿態終會失敗的越南教訓，例如在大韓民國，直截了當地說，朴大總統表面上可說是法西斯的，看起來與我們所擁有的民主主義的概念背離甚大，驅使強權的政策我認為正好反映在那裡。依附不管用的話，無論用什麼手段都要強化主體，這也是畏懼的表現吧！

　　其結果也就有對北韓的接近，同時我認為朴政權正面臨從依附美國的姿態蛻變朝自立而去此一非常困難的階段。自立的焦慮伴隨反覆摸索，搖搖晃晃走入法西斯方向的樣子，可想作這就是解放後二十多年，在美國支配下架構內的反作用。

　　所以，在跨越此困難的過程中最容易暴露破綻，要完全自立還要經過很長的陣痛期。我想這並不限於韓國，特別是對靠近越南的東南亞諸國而言是非常重大的問題。

　　戴：拒絕依附，敬而遠之的姿態也出現在台灣。中國使用的「自力更生」一詞在台灣原來是禁忌，但最近國民黨也在開始使用。主張民族經濟，反對日本資本進入的輿論也開始出現是要關注的地方。

　　一個國家唯有依賴自己的國民，這是種反省。越戰可以說是對掌權者提供了這種反省的材料。那反省能開花結果到什麼程度，或沒有結果這並不知道，也會留下政權體質的問題。但是，這個動向與日本政治、經濟體制方的人們對亞洲的態度大有關聯。

　　安：台灣也這樣啊！其實在朝鮮南北的政治用語不同，近來是與北方相同的用語南方也在使用。「自力更生」是其中之一，

其他還有「自主性」等。我所取得的資料，這是某學術機關研究並向政府提出的，那裡把統一後朝鮮的政治體制設定為社會主義，但是以人道的社會主義加以呈報，沒有觸及實在存在的哪一國是理想的……。

姜：南越也相同。阮文紹總統所結成的民主黨的旗子是紅星、背景是黃色。這與北越的旗子只是將星與背景的顏色倒過來而已。南越等於適用這種方式認可了民眾對北越所抱持的親密情感。

用語也是。以前是對同樣的現象與北方用不同的措詞，但最近卻是用相似的用語。雖是小小的現象，但耐人尋味。

戴：中國大陸使用的簡體字，國民黨對於此事在民國初期另當別論，一直以來認為這是破壞中國文化為由所以不同意。但最近為了近代化之故而開始簡化字運動。果然，新的芽也可發自舊土壤呀！

為何不接納義勇軍

三浦昇（編輯）：姜先生，越戰中北越從解放戰線方來說，沒有義勇軍或援軍等外國直接援助的情況打下來的。戴先生與安先生對這點給了很高的評價。在此，我想聽聽姜先生身為越南人的心情，在漫長困苦的戰爭中，我想或者有過在此如有義勇軍參加的期待，是否有過嗎？

姜：包含我在內是完全沒有過。

因為率直地說，一般的越南人，我想現在還殘留著對中國很

　　強的警戒心。不是說現在的中國如何，而是更傳統的東西。

　　那心理上的要素，不只胡志明，越南的領導者當然有考慮到吧！

　　另一個是這純粹是軍事上的意思，中南半島的戰爭本質上是游擊戰爭。游擊戰爭假設接納義勇軍也沒什麼用處，因為民眾是士兵，士兵融入民眾之中就是游擊戰，如果是義勇軍的話，因生活語言不同就不能融入。

　　我想這兩個因素起了很大的作用。

　　安：朝鮮戰爭的情況是美國有明確地進入到中國的意圖，所以有中國義勇軍進入的必然性，因此與越南稍微不同，越南排除了義勇軍的情形貫徹30年戰爭，總之是很了不起的事。

　　先不論實際上是否有送去義勇軍，北韓倒是有兩或三次表示出不辭派遣義勇軍的意見。

　　戴：我不曉得是否能獲得各位的同意，朝鮮義勇軍進去打仗，而越戰沒有，是因為韓戰時有共產黨和工人黨情報局〔譯註：Cominform，1947～1956年〕，越戰時卻已解散，像捷克事件的發生也有微妙的關係。

　　還有，安先生說朝鮮戰爭時美國有侵攻中國的意圖，越戰的1964、1965年時，亦即文化大革命之前的時期，侵攻中國的可能性非常大。

　　安：有這種事嗎？

　　戴：至少中國方是這麼以為而有這樣的說法。

　　田中：我從香港進入中國正好是東京灣事件剛發生後。那時中國人因為不知美國什麼時候會侵攻中國而很緊張。實際上不知

有多少可能性。

姜：只是以越南內部來說，要求派遣義勇軍的動向則從未有過。

第一次越戰發生是在1946年末，1947年有一本書，現在想起來是非常預言性的書。寫的人是長征，現在的北越國會主席，那時候好像是勞動黨第一書記。

書名是「長期抗戰一定勝利」，他在這書中非常強調抗戰的「長期」這一點，排除短期的看法和作法，完全不考慮短期勝利。

然而對義勇軍而言，這是要短期獲勝的構思。以長期做為基本的路線與義勇軍是矛盾的。

戴：如果不是長期是不能獲勝的。

安：戴先生剛才說越南民族所建立的金字塔，把統治亞洲民眾已不可能一事給「文明人」一個教訓，我對此同意，但還有一點是越戰的世界史意義，是把沒有比這場戰爭更深刻地悲慘刻進世界民眾的心。以往的戰爭是，若是侵略戰爭也有自稱其「正義」來欺騙很多人，大國間的戰爭就算是壞蛋也有其三分之理。然而，越戰的情況是連那種自稱的「正義」或三分之理都沒有。連美國都從來不加以考慮的民眾被那無法觸及的高空轟炸而成群死去。因此這次戰爭的悲慘比過去任何的戰爭來得凸顯此一事實。

將此與韓戰相比較就更清楚。在朝鮮也有很多無辜的民眾被殺害，可是日本人不怎麼把它當作悲慘的事情，嚴肅地接受。不只日本人是世界性的。頂多只有斯德哥爾摩宣言，做了和平署名

而已。

　　戴：日本廣島與長崎的民眾也受了慘痛的遭遇。本來有可以告發美國殘酷的遭遇，但是因為是日本帝國主義所開始的戰爭而引起被投下原子彈之故，使告發的邏輯變弱，因為此原因可做為投下原子彈的辯護材料。

　　然而，越南民眾沒有那負面的材料。自己沒做任何壞事為何要受到如此殘酷的對待，對誰都可直接說。在投下炸彈的當事國美國，發生大規模反戰運動的一個要素是越南民眾有可以主張正義的理由，以及對人性破壞的告發、呻吟、苦痛的共同感覺之故吧。

　　賴：我深深感受到越戰的意義是自己所屬民族的事，由自己民族來做是民族的基本權利、民族自決的力量，結果教給我們的是任何強大軍事力也不能打破的歷史事實。因那事實，給予越南站在相同立場的民族非常大的鼓勵。

　　總之，包含越南在內的東南亞的諸國，長久以來被西歐諸國以殖民地方式榨取，被日本、美國軍隊蹂躪，被認為民族自決是妄言而加以欺負。那大國統治的桎梏，越南民族以自力拆下。主張民族基本權力的人獲勝，對我們而言真是非常高興的事情。

　　可是，不能就只是這樣樂觀而已。越戰以後不知是否可以這樣說，但已在東南亞諸國出現新的動向——要求東南亞中立化的動向。此中立化是剛才諸位所說，依存大國的時代已逐漸告終，但這是要在美國、蘇聯、日本、中國等核武國家或大國的力量均衡上求安定的，我以為這還是一種依存政治。

　　可以說已往密切貼近某特定國的依存已可能破裂了，但不能

說東南亞的依存姿態沒有了。

　　此依存的外交政策，安先生擔心朝鮮國內的壓迫，與此相同國內採取對解放勢力更加壓迫的形式。新加坡、馬來西亞、菲律賓等對集會、遊行的禁止更嚴厲。

　　所以，越戰以後東南亞諸國我不認為可以走向安定，包含泰國在內，反倒變化更激烈，造成如此的要素很多。

後越戰時代與日本

　　田中：我想請教姜先生。去年底，戰後第一次從北越有兩個留學生來日本。那時候與越南和平相關的報導也說，日本外交對南北越踏出等距離外交，關於越南復興也說不分南北。做為國家不曾反對過越戰的日本，在後越戰的階段像突然變異般做兩面外交到底行不行，一方帶懷疑的眼神，而另一方也有著「或許有這樣的事」的看法。

　　姜：北越第一次有留學生來日，我不認為這是日本對越外交變化的前兆，還不能這樣說。在此之前，日本把留日的越南人以什麼樣的道理使其回去南越，對他們的期待是什麼，有關這些不看和平協定之後的變化，是不會知道的。

　　以身邊的問題來說，從越南來日本的留學生、技術研修生現在也相當多，我想來思索他們的將來。他們——我也是，除了少數人都要回越南。那時候，我擔心日本會要求他們扮演日本投資時有用的工具，或導向容易當工具的方向。

　　來日本的留學生歸國後找不到工作，於是不得不在與日本有

關聯的合辦企業就業，充當其工具的可能性很大。如果對南邊與北邊的留學生所期待的都是當其工具，形式上是「兩面外交」，但這是否是外交本質的變更呢？

當然，我要在此強調這也是越南人本身的問題。亦即南越的情況是優先將政治、經濟體制改成排除歸國留學生充當工具的可能性。但是以日本為首的諸國把越南，至少是使用南越的少數所謂「菁英」、留學經驗者的人們嘗試做為「經濟的越南化計畫」的一分子的話，長期來看會給越南引起不可測的混亂與危險。

我想越南將來變成社會主義體制是必然的，日本應做預期而準備外交、經濟的關係，這麼做對日本、對越南都好。

把歸國留學生看作工具的日本

田中：亞洲各國中特別是東南亞的諸國，與過去的殖民地宗主國之間存在很寬闊的管道。

政治上雖說是獨立了，但經濟上、文化上與舊宗主國的關聯要比日本強得多。韓國的情況多少不同，日本與東南亞諸國的關係上來說只是新來的人。所以在政府機關、公司，對於從日本歸國的留學生，沒有從日本歸國的前輩將其提攜引薦的結構。

另一方面，從日本歸國的留學生之中有相當多的人，不管你喜不喜歡，都在日本企業上班，有多少比例日本政府也還未掌握到，但三年前我在新加坡的調查是占四成多。有日本公司的分店、合辦公司、技術合作的對象以及代理店等各種各樣的公司型態。又資本與日本無關，但交易的對方是日本或經辦日本商品

等，這些人在工作上與日本密切關聯著。

　　而日系的企業給他們的待遇如何呢？還是以日本式的勞務管理——如愛社精神是一樣的。

　　在被認為是靠近歐美型能力主義的各地，令之蓄存保證金，如轉職到別的公司便予以沒收保證金，如果到日本研修，將來需要工作多少年必須寫誓約書等，以相當粗暴露骨的方法綁住留學出身者，欲使其有助日本資本。而各地的日系企業在此方面密切做好橫的聯繫，而行動一致。

　　另一方面，各國政府也掛念外國資本的外移，對在外資企業工作的自國民的不滿不一定給予十分關懷，歸國的日本留學生的實際情況就是如此。

　　戴：我也是留學生活體驗者，如姜先生所說，把留學生當工具的作法很不好，應該對日本人把要求清楚講出來比較好。特別是日本比他國更具單一民族、單一文化的構成傾向，所以與其他民族關係如何走下去，也就是不習慣與他民族對等交往，是難以了解異民族的國度，真正知道民族問題的人很少。在這個意思上，我們從外面，我的話是中國人和日本人，姜先生的話就是思考越南人與日本人應有的關係，以長遠的眼光去看並提出要求——這是對照顧留學生的日本人大眾，我們所要報答的真正之路。當然也有度量小的人，受了日本人的照顧，還要說日本人、日本的壞話，這種人當然會出現。但為民族間的百年大計、親善友好考量，這不算什麼。我想有心的日本人各位，一定肯接受我們的忠告，將之轉變為正面而好好利用的。

　　只是，我們在對自己外部的日本提出要求的同時，也應對自

己內部提出要求。

例如必須確立拒絕當工具的自立精神。當然在實際生活上會伴隨種種困難——直截了當地說是必須生活下去，所以有不能完全拒絕的部分，做為中國民族、越南民族的一員，把各自民族的將來與真正日本民族主義的發展之道相互仔細斟酌之後，創造出自己的規範而生活是必要的。

就以援助而言，日本是資本主義體制的國家，同時也是議會民主制的團體，所以援助有國家與做生意的兩個側面。對我們後進國——「開發中國家」的說法，我以為是先進國的恭維話，所以特地使用後進國——的日本援助，其實是做生意，我們知道大半是不能成為援助，但我們要一邊加以要求，並提防因援助的關係而整個民族地從屬日本，要建立自己的立場，必須確立自己的主體性做為基本不可。

從屬或被從屬的民族間的關係，這是壞的關係。所以，比如後進國的知識分子來到日本，被日本所誘惑中計而買辦化之事，對近視眼的日本方當事者造成錯覺以為是獲得可喜的工具，使之高興，但站在創立民族間應有的關係的立場，對照顧留學生的日本、日本民族而言，買辦性的生活方式是對不起人的，況且對培育我們、送我們出來的祖國的人們，也絕不是正確的生活方式。同時，留學生原來所擔負的文化交流的任務，也在買辦化之時就已不堪其任，應這樣想才是。

姜：的確如您所說。留學生對留學國有相當的認識與知識，以民族的主體性加以活用是很重要的。

特別日本是個針對後越戰時代抱著各式各樣計畫的國家。日

本是以什麼樣的考量——政府或是業界還不知道——在動，在日越南人相當了解。所以，所謂援助其實完全是做生意，為了不要成為越南自立的障礙，我們在此要提出要求。但是，在此之前，亦即在對外做要求之前，要先移向解決越南內部問題，戴先生所指出應確立內部的主體性我想這完全正確，在座的各位也是同樣思考的吧。

　　安：是啊，對外要求，例如只向日本要求問題是不能解決的。那毋寧是日本人的問題，日本人自身應從內部改變。

　　剛才戴先生、姜先生談及開發中國家援助，若民族的主體性未確立，援助將不會對自立有幫助。現在朝鮮強調「主體思想」、主體性的風氣盛行，這個「主體」是朝鮮戰爭後包括赫魯雪夫（N. S. Khrushchev）的援助，因援助全部都有附帶條件，因此都不順利。我們要從無、從零必須以自己的力量創出主體性，將其擴張成有體系的思想。所以，本來是從民族內部必然產生的想法。

　　在此與田中先生的發言相關聯而觸及的，並不是要扯後腿，從朝鮮來的留學生，到現在為止只限於韓國。而且他們的前輩，有相當多戰前的留學生，各自有橫向的聯繫。因此與東南亞的情況不大一樣，這與台灣有共同性吧。而戰前的留學生在各個領域是居於中堅或以上的地位。他們又透過出身大學的同儕等而可與日本各領域的上層有聯繫，而也有從雙方互相利用的傾向。韓國與日本關聯的背面有這種東西，更將此擴展開便產生與舊統治權力官僚密切關聯的側面。從而戰後若從韓國的留學生不切斷那種紐帶，以站在民族立場的方向為目標是很危險之故，在那意義上

主體性的確立是很需要的。

　　又，從北韓沒有留學生來，但是希望回北韓為社會主義建設貢獻的在日朝鮮人大學生不少。可是，他們要習得先進的日本科學技術機會，但在公開的場所卻未被認可。頂多以個人的關係，或教授們個人的努力，僅少地給予機會而已。從朝鮮全體來想，這種狀態還是不好。北韓的發展對我們來說是理想，所以不是只要韓國好就可以。

　　越南的情況，今後要面臨戰後建設，援助的手會伸長過來，越南人民如何應付，單獨打了越戰的越南人民，其主體性在此又要受到考驗。

再苦也要自立更生

　　賴：我不像姜先生，不願意對日本要求什麼。大概也包含日本在內，我不希望他國的經濟援助。再苦也要自力更生，以自己的力量去做要更好。

　　最近在泰國等有抵制日貨的動向。日本的財界等就把具有附帶條件的援助條件稍微放寬，把援助的利息稍微降低等來改變援助的形式。但是，我認為就算是那樣做，束縛亞洲人的基本終究是不變的。

　　出錢做援助時，出錢的一方一定以有利自己的形式出錢之故，日本的財界也一定以此邏輯運作。所以就是對援助提出要求，只是稍微改變援助的形式，但此邏輯是不會變的。所以，我以做為東南亞人民之一的立場，對此種要求完全沒有期待。

　　做為留學生立場的人也是一樣。回東南亞去的留學生大半都抱著反日情感。因為有這種情況，日本政府近來設法要對亞洲來的留學生親切些。

　　讓留學生住在日本人家庭，要讓其看到日本好的一面，比起以前想改變現狀。但是想利用留學生，與日本的公司透過管道，塑造成自動為日本搬進利益的人這個本質是不變的。我知道那本質。

　　所以，如田中先生說，留學生大半就職於日本系企業，老實說我不願意在日系企業工作。日本公司首先會特別以愛社精神來強迫社員。我說日本公司與日本國家是同樣的。日本這個國家，在新加坡看起來就仿如日本股份公司一般。對日本公司忠誠即是對日本忠誠，這種精神令人不舒服。

　　可是，在新加坡，如田中先生所說，與舊宗主國的英國、英聯邦的關係很強。不承認畢業於日本大學的學位，只承認大英聯邦的。因此在日本留學的學生回去只能就職日本系企業的情況也有。我也許也是這樣。如果是那樣，我與日本人的價值觀可能不同，我只提供從早上九點到下午五點的勞動時間，超過的我可不盡力。

　　又日系的企業對民族意識很強的留學生不會傳授經營或技術最核心的部分。所以若我們提出訴求，只怕是讓日本把我們當作工具的作法變得更加巧妙。

　　姜：我與賴先生有不同意見。做為現實問題或許如賴先生所說的。可是我還是覺得有對日本政府、日本國民提出種種訴求的義務。

　　一個是以國費留學生來日本的立場。我所接受的獎學金形式上是文部省所給，那只是形式，實質是日本的納稅者，是日本國民全體所給的。

　　所以，我沒有教導日本國民的資格，但我感覺如有機會，不能不對日本人說這樣做對日本國民好，也對越南國民好的方法。有沒有效果還是沒有自信……。

　　另一個是，剛才也談過，對越南經濟援助的問題，不管什麼樣的援助，若沒有安定的政權、反映民意的政權，援助就不成為援助，這一點一定要能讓日本人知道。不思考這個而接受援助反而令人困擾。透過現在西貢政權將不可能有有意義的援助。只有對真正代表越南國民的政權，才有援助的意義。

　　賴：那我也是──我是私費留學生（笑）──但我也希望與日本人民交流。

　　只是在要求實際問題時只針對日本政府、企業，對這樣的訴求我是否定的。

　　與那政治權力無直接關係的日本人民，我什麼都可以說。我會把自己的立場以及對日本的看法告訴他們。有關日本與東南亞的友好平等願與日本人民一起思考，絕不是忽略日本人民。

日本政府與民眾能區別嗎？

　　田中：賴先生，與日本人對話時，除了日本政府與財界之外，日本的民眾或人民之間，有存在於日本的實際感覺嗎？

　　賴：很遺憾不大感覺得到。好像日本人不管何時都是團結在

一起的樣子。日本到底真正聽亞洲人的聲音、思考亞洲人的心到什麼程度，我很擔心。在當下我們留學生說的話也會被認真聽，但是下次又遇見時已被忘得一乾二淨的情況很多。

　　我在新加坡常對朋友說，政府、企業與日本的人民應分開來看，做為原則這表現是正確的。

　　但是，好好思考日本人，我真的對此原則的正確與否沒有自信。可是看日本過去的歷史，反對戰爭的人在一旦戰爭發生時大家就轉而肯定戰爭，乃至默認。國民立刻就變成一體。那種日本人的體質還是令人擔憂。

　　還有一點是日本人不是以個人在行動，而是集體行動。而且日本人一旦成為「群眾」，立刻會幹出不得了的事。這是我有一次從菲律賓返回日本時，在日航機內所體驗的事情。從香港一團日本人旅行團坐上飛機，他們從香港到東京之間，一路上喝酒、跳舞、吼嘯浪花節歌謠，那嘈雜騷擾不可言喻。以個人是絕對不會做的事情，以團體變成群眾就無顧忌地做。對於他們而言日航機是日本的飛機，是否有領域感、安心感也不得而知，總之外國人乘客因此忍受了很大困擾。從此事來看，特別是今後日本與東南亞的關係的問題真是令我很憂慮。

　　姜：日本的政府與日本的國民要區別與否，我以為不論區別與視為同一，重要的是要分開來使用。具體來說，日本在政治上是完全自由的國家，這很難說，但某程度是有反映民眾的想法。事實上，與中國恢復邦交，國際環境的變化是主要的原因，但與此要因相比不知是大還是小，也可以說國民的聲音是要因之一吧！

　　賴：的確，中日邦交的樹立，在其底部有日本人民的要求，可評價日本政府將那聲音某程度反映出來，做為亞洲人，我也歡迎此邦交的樹立。

　　可是，由於邦交的樹立，日本國民的亞洲觀，對於亞洲人的意識改變了嗎？田中首相對中國表示，代表全國人民，向中國造成的困擾感到反省。可是，之後卻立即成立第四次防衛力整備計畫。日本國民對此抗議過於微弱。相模原的美軍戰車輸送也是，與中國樹立國交的政府，對亞洲人的中國人反省了過去的侵略戰爭的政府，卻積極地給了要殺害同樣是亞洲人的越南人戰車輸送上的方便。

　　日本人民之中當然有反對的人。對於這樣的日本人民的反戰運動應該表示敬意，做為亞洲人民的一員應該給以積極的評價。但是我以為另一個現象也不能看漏。那就是日本國民的大半可說是完全對越戰沒有任何真實感在生活的樣子。日本人是與其對「外」的事，不如眼睛只向「內」吧！

　　姜：我沒那麼悲觀。提到相模原，我也到現場看了，的確結果戰車被輸送了，或許那戰車也殺了同胞。

　　不過，那阻止輸送的運動，我對那做為日本國民的良心，以及符合良心的努力而給很高的評價。

　　而且那運動有日本人看漏的重大意義。那是對於越戰——正在日本國外的戰爭——非常有實際效果的反對運動。做為實際問題，那戰車群被阻擋了一個月。從當時越南戰爭的激烈程度看，一個月時間並不短，越南人的血不知少流了多少。

　　考慮到這一點，不能說結果戰車被輸送所以運動輸了。我把

那運動想成對國外的戰爭日本人民眾所表示的良心，不只我，越南人很受那運動鼓舞。政府與民眾須作區別指的是這一點。日本政府沒有反對越戰，但日本民眾有反對行動。越南人會這樣記著的。

戴：剛才姜先生與賴先生的談話，我要這樣理解。也就是說，近代日本在其內部有分裂的多種動向，但從我們不是日本人的亞洲人的眼睛從外面看，日本的國家與國民大致上是一致地行動過來。那樣舉國近代化的日本，比被歐美列強殖民地化的其他亞洲諸國而言是非常「幸運」的近代，那幸運的日本因侵略亞洲之故，我們亞洲人迎面蒙受日本近代化不良後果的困境。

當然，從中日甲午戰爭到1945年8月15日，仔細看日本國內情況的進展，有反戰者與反戰運動。但是日本民眾的反戰意識、戰爭反對運動十分弱小，受害亞洲民眾的眼睛幾乎看不到般的渺小。與亞洲的關係未整理好，未正確地在歷史上做定位，現在又以「日本株式會社」重現。況且，舉國一致以仿如大舉進入的姿態迫近。從這種地方才有賴先生所謂的不信任的產生，姜先生說的確有那一面，但對越戰的反對，日本大眾之中，有與以往質量都不同的新芽在茁壯，請日本大眾不要摘去此芽好好培養，強調其期待而提出的要求，我對此做出如上的解釋。不過最好這種發言不是由我，而是日本人的田中先生應做的吧！（笑）

關於留學的諸問題

田中：現在中央教育審議會在審議有關教育、學術文化的國

際交流。結論要等過些時候才會出來。日本怎麼說都對亞洲賺錢賺過了頭，援助也應改為更和緩的條件，或者援助在物質面過強，今後如技術合作、教育合作等，培養以可做為「地之鹽」〔譯註：出自《馬太傳》第五章，因鹽具有優異的特性，轉而比喻能廣為防犯社會腐敗有用的人〕的人才養成之面，顯現出援助分配的方向。只是「經濟摩擦很多，應加入些文化交流不可」的論調突然出現，1972年10月以成為1,000億財團為目標的「國際交流基金」開始活動，日本國際筆會也舉辦了「日本研究國際會議」。

　　以往幾乎不被關注的從亞洲來的留學生，也逐漸成為日本與亞洲關係的主角。剛才賴先生提出很嚴厲的意見，但我不認為替留學生建設很好的宿舍、給很多獎學金就能解決問題。改善待遇的一方，加強規定的飴與鞭政策正在被採納才是重要。以強化限制外國人為目的的《出入國法案》（當初為《出入國管理法案》，因受強烈批評而刪去管理二字），因為三度在國會成為廢案，第四次再被提案。此法案有很多問題點，例如以政治言動禁止條項的新設來看，日本政府對國費留學生早於1965年度就將「禁止政治活動」追記於與文部大臣的誓約書上，這次要被擴大適用。法務省的高官曾經寫的「對外國人要將之煮或烤來吃是隨意的」才是實際情況。妨礙在日朝鮮人建立民族學校，對民族學校的畢業生不承認其大學入學資格（從而只能經過入學資格檢定考試）以此形式唱和。然而很諷刺，對海外來的留學生卻絕不要求資格檢定考試。在這種情況的一方，卻大張旗鼓在進行「聯合國大學」的招攬。我想有必要更看清眼前情況吧。

　　做為思考問題的前提是，為什麼必須到日本留學，到日本留學的優點是什麼，我想請教各位。

　　戴：以我個人來說，沒有特別非日本不可，美國也可以。

　　只是，日本與我們同屬於亞洲季風地帶的國家，農業在方法上也相似，有在日本學習有關稻作，幫助解決自國農業所擁有的問題這種想法，所以在日本研究農業問題。

　　而在日本，例如大學對留學生的對應如何，好壞另當別論，我覺得與日本大學對待日本學生有共同的問題。與美國的比較來說，我的同班同學也有去美國的，能力得到很大的伸展。為什麼會伸展，因為大學嚴格訓練、鍛鍊個人，有能力就給機會。美國有很強的人種蔑視、民族蔑視，但是會將留學生當作自己齒輪的一部分而鍛鍊其能力。

　　日本人與之相較，雖然很親切，也會給予照顧，但在伸展個人能力上就有疑問。大概日本的大學生，極端地說，在學時全都在打麻將也可畢業，就職進入企業後學習也來得及。但是我們留學生可不行。要習得在日本可學的學問、技術、精神，有著歸國為祖國做貢獻視為使命感的意識，況且就業後可學習的企業也不多，是不能逍遙自在的。希望能幫我們考慮，最後再加一句，我們沒有要求比日本人學生更好的待遇，只是說與日本人學生一樣鍛鍊我們。

　　容我再說一些，日本的情況是沒有與亞洲舊殖民地諸國任何管道。如田中先生所說，與舊宗主國的管道相較，是細得不成問題，有的只是戰爭中不好的回憶。現在正要築構此管道吧；但是那作法，好像只是從日本把東西灌進亞洲的管道，也有期待留學

生扮演該管道功能的地方。這樣的地方也是造成賴先生不信任的根基。留學生的人格、人的尊嚴，不是僅僅口頭的，而是從心底加以重視來培育其人性，不然只是形式上的關照，是不能確立相互信賴的。在日本國內如果沒有建立以正式職員任用留學生出身者的思想準備，或制度上可以公平地僱用外國人的體制的話，去到當地國的結果還是國內的延長，疏遠留學生出身者，對其做出有差別的利用。日本人囿於眼前的利益，不自覺地在裝填反日的炸藥，真是危險。

又嘴上說的是講亞洲是一體，卻不給留學生機會，一直將之以客人對待，不給增加實力就讓他畢業。日本人學生畢業，就職後可補充實力，我們是不能的，所以歸國也不能用，因此只能有效利用日語受僱於日本的進入企業。被疏遠、被歧視，不滿鬱積最後終於爆發。還有種種情況，但先就此打住。

我們是私費留學生，所以對日本庶民大眾在各種方面造成負擔。而我們有深與淺的不同，對日本一般民眾或日本的山河是喜歡的，不然就不會在日本停留這麼久。所以我們所說的絕不是挖苦、嫉妒，我們是做為報恩的一環，為了把真實告訴日本的各位而發言，敬請能諒解。

日本再怎麼說，也不像歐洲一樣民族國家密集，未曾為民族問題這個非常困難的問題所困擾，也不習慣於與強有力的他民族的共存生活。而且未被殖民地化過，所以很難理解與他民族、異質的同格共存。有60萬的在日朝鮮人，現在出現了同格共存的構思也不奇怪，但事實上不容易出現。對朝鮮人為首的在日外國人作家的獲獎，在很多人當中存在著給予恩惠的感覺，這令人感到

悲哀。有關學習朝鮮、朝鮮語的大學講座也幾乎沒有。

然而，圍繞著日本，中國改變了。越南、朝鮮、澳洲、紐西蘭等國，都在急速地改變。以往日本的片面的作法對亞洲已逐漸行不通了。希望日本民族對此能做思考，也希望日本人能夠曉得。也就是說在國民外交的方面上，將透過由亞洲來的留學生身上學習到東西，當作是日本接受留學生的益處。但是，日本人把留學生看作是來學習，只有當作教育的對象來看待。話雖如此，日本一般的人是只有歐美人是老師的明治以來的神話至今還很強地信奉不疑，向東南亞留學生學習的姿態不會出來，在這種情況下對東南亞留學生不蔑視已很難得了。真是很遺憾……。

安：從朝鮮人的一方來考慮問題，就變成這樣。

日本的報紙， 在泰國的排日運動發生，就報導大篇幅，那排日感情或動向，韓國也有。例如去年7月1日以後對日本製品的課稅強化是與泰國運動同根源的民族主義。因有那排日、反日感情，所以日本留學不受歡迎，而且比留美難。在此中要留學日本的朝鮮人，是比較明確地說要利用日本。問他要利用什麼，他說學技術，但不出賣靈魂。

但是，做為現實問題，接納來日留學生的公司在韓國的情形不多。從日本也有不少保稅加工關係的企業進入，但那些企業積極採用留學日本的人也很少聽到。因此這帶點民族主義性的決心結果是未能十分活用。日常生活中腐蝕此決心的例子很多。期望留學生有支撐那決心主體性的一方，也希望接受方的日本給予思考的事情。就是說，日本人很親切、情緒化。你的國家無論如何不行，所以你要好好學，這種推心置腹的嚴格，我想才是真正的

親切，但是缺少這個、代之以舒舒服服的氣氛，結果是靈魂被收買了，可是靈魂的買或賣都不是一種民族之間的好關係。

我一直在講從南韓來的留學生問題。北韓方也有排日感情在其根柢的地方，這樣想應是不會錯的。只是，那是只以國際政治上的問題以政府發言的形式傳到日本。從而就以為與北朝鮮之間沒有問題存在，這樣想是不行的。因為是朝鮮全體的問題之故。

還有日本人對朝鮮人接觸方法的另一個象徵，是對在日朝鮮人學生。

他們幾乎全部是在日朝鮮人的第二代、三代，圍繞他們的環境原來不是製造出做為朝鮮人自覺的東西。以日語思考，說日語，吃日本東西，在某種意義已日本化。為了謀求民族性的回歸之故，他們學朝鮮語、朝鮮字。但是不止於此。想到將來，要在自己喜歡的領域發揮能力，這是任何一國的青年都是一樣的。朝鮮人的情形是，不管是南或北都想要學習可回去祖國有一番貢獻的事情，以此思考自己的將來。例如學日本的法律也用不上，所以不學，掌握了能力即可。

但是，所謂的實用能力之外，也有做人的能力。掌握了不能立刻派上用場能力的青年，對將來的不安比日本的青年大很多。

不管怎樣，日本的情況是，一般地說在日朝鮮人青年假如有能力，企業也不讓其有使用能力的機會，坦白說就是不錄用。說實在，這種日本對待朝鮮人的閉鎖制度喚醒在日朝鮮人的民族主義，創造出很不錯的結果。（笑）不錯但不能認為很好。在日本時給了親切待遇，回國後應會來信的這種敷衍了事的接觸，把其他民族的能力排除的這種制度，對日本的將來我想也是沒有好處

的接觸。

戴：是啊。看看日本近代化的過程，從日本去歐洲的留學生都扮演了相當的角色。所以，從亞洲來的留學生借日本的胸膛〔譯註：此喻相撲選手請上位的力士當練習的對手〕，日本不要只給予親切的氣氛，而應該在對方需要時推開，該推開時就要堅決地推開，必須具備的是發揮其能力的親切。日本的大學老師也不是很富有，把留學生請到家裡鍛鍊是不可能的，有著個別的困難。但是田中先生好像照顧得過了頭，直說留學生可愛、可愛。（笑）

買辦化是留學生自己的問題

田中：好尖酸的挖苦。（笑）讓我為大家做個分辨。把留學生在學習與生活的兩個側面來掌握時，像我這在民間團體的人，對學習是一點也碰觸不到，所以只能在生活面盡可能幫他們解決困難，在這一點上，我想還要給予很多照顧。

我自己也因日本政府的作法不好而加以批判，但我不免要懷疑自己是不是希望這個留學生將來對日本有好感，想令之為日本努力嗎？如果是這樣，那麼就是我現在所批判的政府所希望的，有時我會這樣想。

假如，因為我們的努力之故，而免於被遣返母國的留學生，因感謝、想報恩日本，結果變成買辦的可能性也有。但是最近我也想開了，假如變成了買辦，與其說是我的責任，不如說是他們自己的問題。

　　姜先生，後越戰時代的日本的動向之一是聽說要在南越設立人才養成為目的的教育機關方案，那不只限於越南也將擴展到泰國、柬埔寨、新加坡等亞洲各地，所謂以教育援助、教育協助前往當地舉辦的形式聽說會很盛行。這並非渡海來日本留學，我想還是可將其和留學做為同一層次當作問題看待。剛才戴先生、安先生說過留學生應抱有民族的主體性留學，日本方不要只是將其當作回母國時給予畢業證書的客人對待，而是做出更加以鍛鍊條件的要求。身為來自越南的留學生，您如何思考此問題？

　　姜：日本在過去數年間，在越南建設醫院，之前是以戰爭賠償的名義建造了水壩。

　　對醫院、學校、水壩等設施稍思考一下，是建造了好東西，許多人很容易會這麼想。然而這些還是需要前提。如欠缺前提，就算是醫院、學校，援助也會變成一種犯罪。

　　亦即南越的情況是：本來要建造醫院、學校，變成對南越現政權的援助，此絕不是受民眾支持政權的具體援助之故。

　　還有有關留學生接納體制的問題，我想比如與該國把什麼樣的留學生送到日本有關係。僅限於我所知的範圍來說，從東南亞來的留學生幾乎是經濟情況好的階層出身者，那種留學生數目增加，對祖國的民眾沒有多少用處，變成日本的工具，亦即買辦化也不奇怪。

　　所以必須把經濟以外的要素納入考量建立留學體制，不然有主體性的留學生是不會來的。越南的情況是，聽說從北越到蘇聯、中國、東歐留學的有數萬人。又聽說他們抱有為祖國民眾貢獻的主體性，歸國後實質上很有用處。

　　與其說日本留學的意義，不如說招待認真考慮讓日本留學附加什麼意義的留學生才是重要。

　　南越目前大概繼續會有政治鬥爭與混亂，對自己的將來沒有自信的大都市資產階級，畏懼將來南越將成立的新政治體制，我想其是在思考把子弟變成留學生使之逃出國外。對於那種人日本接納再多也沒用，對腐敗體制的援助是腐敗的同夥，反倒是在做壞事。

　　我的想法是，援助要等到代表南越民眾意志的政治體制建立後再來進行。

　　賴：我以為其中存在著留學生自身的問題與日本的留學生接納體制不完備的問題。

　　接納體制的不完善是確切的。照顧我們的只有研討課的一兩位老師。希望這點能改善。不照顧，能力不得發揮，只要在日本待四、五年就可拿到畢業證書。有人期待可以將此畢業證書去換取高薪，以此安逸的心情歸國。但是為了鍛鍊能力來日本的人因期待落空對日本失望，就會有與反日感情連接的可能。

　　但是只指摘日本接納體制的不完善是不公平的，最大的問題還是在留學生本身。

　　也就是說，從新加坡來的海外留學生，較諸認真深思留學的意義才去海外的人來說，更多的是父母有錢，留學歸國可領高薪的單純想法者。就是此種人，也有想學習更多的心情吧！

　　新加坡的情形是到日本的少，去英國、大英邦聯諸國、美國的人壓倒性地多，但是大概都以同樣安逸的心情出國。姜先生說那種有錢人家子弟留學也沒多大用處，是真的。

　　魯迅也是日本留學生，中國、朝鮮、越南到日本，往昔是非常優秀的、抱持建設祖國的意志與熱情的學生來留學。那些人與現在從東南亞來的留學生素質不一樣。當然也有例外。所以只對日本提出要求問題是不能解決的。包含我在內，留學生應該反省這一點。

　　還有，以我的經驗來說，對於東南亞的青年來說日本是什麼？為何到日本留學？有關此事我要談一些。老實說，對於有志留學的青年，日本並不是那麼有魅力的國家。恐怕只是透過漢字的親近感與地理性的近距離而已。

　　那麼為何來日本？被這樣問的話，只有回答因為不願意去英國與大英邦聯。因為出生於英國的殖民地，因此對英國或大英邦聯有很強的抗拒感。是這個原因。以這種單純的心情選擇日本，但我以為來到日本很好，因為在日本的社會體驗，讓我有相當的成長。

　　我留學日本，在日本蓄積了很多社會體驗，因此能夠使自己有相當的成長。第一便是工業化。

　　新加坡是英領殖民地，因此以歐洲的近代化為善，必然地也以工業化為善的價值觀很強。然而在日本知道公害之故，也知道把工業化與近代化以直線連接的構思法不是很好。

　　第二是我們幾乎沒有教日本的歷史，但大致學了明治維新，由於是日本近代化的原點之故而嚮往之。可是又知道明治維新是帶有蔑視亞洲、歐美第一主義不愉快的一面，而對日本也沒有帶來好的結果。說是向日本學習，實際上也知道不應該毫無批判地接納日本的東西。

　　還有是在日本看到了日大或東大的大學鬥爭。那鬥爭給了我很大的衝擊。我們沒有思考過「學問是什麼」的根源性問題。日本的年輕人對此提出問題，我想好像也提高了人的思考層次。

對日本青年的期待與批判

　　安：剛才賴先生以自己的體驗談了以主體性眼光在日本學習的過程。開發中國家有很多要向已開發國家學習的東西。連已開發國家壞的部分，只要主體性不被攪亂也會變成可學之處，也就是反面教師。在朝鮮，我們說在外國體驗異質是「喝外國的水」，擁有把外國的水變成自己的營養的主體性，來日本或任何地方，我想今後對亞洲的年輕人是很重要的。

　　還有同時對日本的年輕人我也有期待之處。日本與朝鮮的情況是明治以後有民族歧視，或因民族的不同而拘泥。現在日本的年輕人中那種偏見已逐漸消褪。這個我也承認。

　　但是經過訪談或調查，即使在中學生的階段不把民族的不同連接到歧視的少年們，到高中生的階段還是會有連接到歧視感情的傾向。不只對朝鮮人，對亞洲開發中國家國民也是，雖是變少了，但還是殘留著吧。民族歧視，這明確是與政治連接被造出的虛像。希望無論如何要由日本人的手來消泯。如不消泯，向日本學習、在日本學習之意也變得很奇怪。

　　相反地，我們在日外國人的角色在於幫助消泯歧視。日本的年輕人，對越戰這個外國戰爭，以日本歷史上未曾有過的積極性反對，我看到這越戰反戰的行動，認為日本人也受歷史波濤的沖

刷而逐漸消泯民族偏見一事感到有希望。

戴：我贊成。只是表現上，與其用「消泯」這令人聯想到同一層次作業的語詞，不如說是跨越。世界上有各種民族，把已然明白的事實正確地加以意識，然後不給予區分上下，希望成為那樣的人。

在這點上，日本方式的縱型社會的法則——把弟子、後輩編入自己的派閥形成師徒關係，然後弟子或部下不能對師長或領導者展開論爭之法則也應稍微重新思考。將此法則適用於留學生，縱型社會的規範變成看不見的心理性外壓，很難形成主體性。今後很需要各個民族各擁有民族的平等、同格的主體性。

田中：此涉及年輕人的問題了。在此我要直率地請問戴先生、姜先生、賴先生，外國人留學生到日本來最深入接觸的是與各位同年代，亦即日本的年輕人。剛才安先生說日本年輕人有與以前的世代不同的一面，有民族差別與反越戰為例的發言，各位所接觸的日本人如何？

戴：我們所接觸的日本人，因為是留學之故，無論如何是知識分子為多，但日本的知識分子對日本己國不大講好話。不講好話也行，知識分子有批判的眼光是好事。只是好像用其批判的眼光——不如說是偏向講壞話的成分居多，踏實提出問題的人少而令人掛意。不是批判，而是更不純的，總之很討厭日本，很想躲開在日本內部自己應該做什麼，或者必須做什麼的問題，被人這樣領會也一點辦法都沒有的部分很濃。

這種日本人的心情與「狹小的日本已住膩了」而把日本內部問題束之高閣，跳出日本飛到「滿洲」、東南亞去，與過去日本

人的心情我想是否有共同之處，若日本人的年輕人又懷念起那「浪漫主義」我們又會很為難。

安：日本的年輕人有逃脫日本即逃脫民族即國際化的觀念，如此深信的傾向很強。實際去外國，或意識去外國，這逃脫日本的構思是避開日本內部所抱的問題，那是逃避。那樣的話，接受那種日本人來的國家很無奈。對於日本人來說最大問題是日本若不努力去解決這種心態，國際化是不會實現的。

姜：很遺憾，我沒有機會接觸所謂普通的日本青年。如要說的話，我只與日本青年的兩個極端接觸而已。

極端的意思，一種是除了日常生活之外的問題也強烈去關心的人們，另一種是對自己的吃喝玩樂的日常生活之外全不關心的人們，看到這兩種年輕人的感想有二。

第一種——即自己日常生活以外或以上問題抱持關心的日本青年——與越戰反戰運動有關的是這種青年們。我深切感到的是這些青年們很深遠的意識。

說來真不好意思，長年接受南越扭曲教育的我，對自國的知識意識完全貧乏。參加反美、反西貢政權的動機主要是情緒性的。由於與日本青年一起工作，而逐漸知道的事情很多。具體地說，知道越戰是民族解放鬥爭，越南自己雖是主體，但不是單獨的戰爭，是被壓迫人民共同的戰爭。亦即逐漸理解了各種問題的關聯性。只是這些青年多少過於理念化。也許這是當事者與非當事者的不同。

第二種是對於日常生活以外完全不關心的人。日本社會相對安定，我的感想是所謂大眾社會狀況的壓力是否使人喪失對日常

生活以外的興趣，或緊張、關心。

追究加害者責任

　　賴：我所接觸的日本年輕人，目前僅限於大學生，比較窄範圍的交往，但姜先生所說的兩極端的人還是多。

　　而我所感到的是日本的年輕人不懂亞洲。不懂的情況有兩種，一種是真的什麼都不懂。來到日本讓我吃驚，有人問我「新加坡在印度的下面是嗎？」明顯是與錫蘭、現在的斯里蘭卡搞錯了。（笑）

　　另一個是與乘「櫻花號」要去東南亞的年輕人談話，我問「你們去旅行的目的是什麼」，他說「日本是亞洲最高的文明國，所以我們要去領導他人」。我覺得驚訝的同時也心生恐懼。這種想法不只年輕人，是存在一部分階層的人的意識吧！是很恐怖的事情。

　　以這種驕傲自大的意識來進行「經濟援助」就與戰前的日本與亞洲的關係相同。我感到震驚。日本必需更認真地把亞洲的事情教導給年輕人。因此我盡可能把自己所思考的亞洲的事情和日本人談，努力幫助理解亞洲，而我自己也在努力理解日本。

　　田中先生在某雜誌寫了日本軍在新加坡的屠殺行為，我也對日本年輕人說「日軍曾經殺了新加坡人約十萬人」。首先，幾乎年輕人都不知此事實。聽到我說，回答「是嗎？真的是做了壞事」，會很乾脆道歉。我佩服那態度，但也感到悲傷。被害者之子忘不了的苦痛，加害者之子為什麼要到聽被害者之子所言才知

道呢？我以為日本的教育應負起責任。體驗了戰爭的人，應把戰爭的殘酷、侵略之惡，在家庭教給自己的孩子知道。日本的反戰運動，包括反越戰，令人感到是由於討厭戰爭使自己受苦的自我中心。對戰爭中自己的苦痛很敏感，但對朝鮮人、中國人與其他亞洲人們從日本受到的無可言狀痛苦卻很遲鈍。

日本人現在說厭惡戰爭、不可行，但是日本民族過去對亞洲犯罪的追究，做為日本人的自己幾乎什麼都沒有做吧。與日本相較，德國卻在做，亞洲人對日本的不信任，根源就在那裡。

戴：日本人的越南反戰運動，我認為是已超過日本不願與戰爭有關係的反戰民族框架，而以質的轉換到人類層級的反戰，但是，日本的反戰的確容易停留在民族的側面和被害者框架中。代表性的例子是廣島和長崎。廣島和長崎，主要以被害者的邏輯在談，反戰運動也以此進行。以地球上唯一直接被原爆國，日本強調其被原爆的民族性。那樣也行，但是我以為只是如此，是不能成為人類層級的反戰邏輯。對美國人，追究為何投在日本的責任也好。將責任搞清楚，可變成阻止投下原子彈之惡重演的制動器。

日本人向美國追究下去的話，當然追究的鋒面也會迫近自己的胸口。挖自己的胸口始能連接到人類普遍的課題。

若提出如果「不是日本而是德國，美國會投下原子炸彈嗎」的問題，日本人會說「不曉得」。我在很早以前就認為，原子彈在日本投下，是存在白種人對有色人種的蔑視感在其意識之根柢。亦即我有著如果是德國就不會投下的疑問。挨了原子彈的日本人說「不曉得」之前，我想最好對此做調查。這是非常重要的

事情。

　　還有，剛才賴先生說日本人在家庭不對孩子講戰爭體驗，不傳述給小孩，我以為這是日本人思考方式的問題，亦即日本人的習性是「掩飾壞事」的想法特別強。雖然可能是誤會，除了有此種習性的問題，更有人類共同所具有人性的脆弱也在作祟。亞洲有很多日本軍國主義的被害者，因日本人忘記戰爭而受不了，但做為人來思考，不講給孩子們聽也能理解。（笑）只是，不管怎樣不堪回首的回憶，歷史的事實是應以事實正確將之定位，才是把相互關係弄好最基礎的必須手續，要有這個認識。然後去做，在此線上連接，始能成為不使自己民族將來犯錯誤的制動器。如加上一些「過去的事情已經可以了吧」等說法，把過去的事實硬拗成適合自己方便的衝動來驅使，是任何民族的歷史都有的構思與行為。中國人也有過。在中國本國應不會這樣說，但在日中國人的一部分有「中國不曾侵略其他民族」的神話。沒有這回事。對朝鮮、越南還是做了侵略性的事情，也有過元寇。元寇是蒙古人所為，而蒙古人現在被包括在中國民族之內，當時的蒙古人對中國人主流的漢民族來說的確是異族，但那是蒙古人所做的此一思考背後表現的，則是中國民族的內容是大「漢民族」中包含對周邊民族蔑視的錯誤認識，無論如何想隱藏元寇這歷史污點，與日本要消去第二次大戰的記憶有同樣的心理傾向，那對新的、好的關係是無用的構思。

　　安：以日本與朝鮮的關係來說，日本曾經把朝鮮殖民地化。多數日本人不願想起殖民地化絕對的惡，但朝鮮人至今還受其後遺症之苦。那朝鮮南北對話某程度在進展，戰後一直只支援韓國

的日本，反映此情勢說出了南北是等距關係。但是，我對此南北
等距離的語詞抱著很大的疑義。因為這語詞是日本以自己的國家
利益為前提，以國家利益為基礎的發言，等距離不具有語詞以上
的實質，馬上會動搖的。

　　因等距離外交的操作之故，我看反而阻礙了南北統一的可能
性。不用說，朝鮮半島政治性南北分斷的原因有日本把敗戰的日
子往後延遲之故，在朝鮮半島的南北使美國與蘇聯的影響力加
強，這方面日本也參與了，因此日本也應協助南北統一，協助如
以日本的國家利益而做，反而是麻煩的事。

　　決定是否是「國家利益」本位，並不是以等距離、協助形
式，總之是日本人對朝鮮、朝鮮人的意識與態度。

　　質詢日本人的意識、態度的具體的例子是對在日朝鮮人的意
識與態度。在日朝鮮人的存在與此有關聯者為他們全部是日本殖
民地統治的遺產，即使有傲人的能力也只能充當如小鋼珠店的機
台巡視員，民族的權利做為事實問題被拒絕，日本人不思考這個
事實是不行的。

　　恢復朝鮮人民族的權利，認真承認這些基本的事項，如果能
由日本人的手中創造出能使在日朝鮮人不再像念佛般重複36年間
的帝國主義統治與被害體驗的話，我就會相信日本對朝鮮的援
助。

傳遞不到日本的越南農民聲音

　　姜：聽說西貢正流行學習日語。然而，想學日語的階層是以

大都市經濟富裕的人為中心。這階層的人無論何時都想依靠外國。不能否定那些人對日本抱有一種嚮往的現實。

　　然而，真正推動越南的不是這些人，而是住在農村占壓倒性的多數農民。農村的人認為不反對越戰的日本才是日本，完全不抱嚮往或信賴。我要強調這一點，因為日本人所聽到的越南人的聲音，是包含日本留學生的大半和大都市經濟富裕、愛依靠外國的越南人的聲音，而日本人有錯覺認為是全越南人的聲音。

　　賴：在新加坡年輕人也很盛行學習日語，連老師都很短缺。從日本的觀光客增加、工廠增加，對將來就業或許有用的一種期待的同時，日本的流行如文化之類的東西也進來。但是出現在新加坡的日本文化說起來就是低俗的歌謠曲、電視漫畫等程度的東西。以嚮往連接的日本與亞洲的關係，我想對於日本與亞洲絕不是好東西。

　　安：南韓的情況是，電視與收音機的性能好的話電波就可直接收到。聽說北韓也可接收到收音機電波。而遺憾的是，一般來說日本製品比國產品好。因此不管什麼產品都想要用日本製的。貧困使得人對日本嚮往的程度增加。

　　戴：這種嚮往台灣也有，或者可說亞洲後進地域都有，而老好人的日本人就將之誤解為親日。

　　現在對日本抱有的嚮往，我認為是長年的殖民地統治所造成的外國依賴的一種殖民地劣根性，但是任何民族絕不是沒有民族的力量。殖民地體制一方面消滅民族的力量，另一方面也喚醒能對那壓制反彈的民族力量。中國革命證實了這個力量，越南正在證明，朝鮮也是。

　　因此，如剛才姜先生所說，實現以民眾為基礎的安定政治，民族的、自立的、創造的能量便會迸出。抵達那階段之前，如朝鮮與日本之間的對立感情常存在於嚮往的背後。

　　日本人不要把那嚮往或因商業關係在表面上不說日本壞話的人，將之推展為一般大眾也親日，我想應知民族能量的肩負者另有其人。

　　　　　本文原刊於《中日新聞》，1973年2月12日，第9頁；2月19日，第9
　　　　　頁；3月5日，第9頁；3月12日，第9頁；3月19日，第11頁。為「討
　　　　　論・七〇年代の英知」專題座談紀錄

爲誰的「開發中國家援助」
——今後的亞洲與日本座談會

◎ 林彩美譯

時間：1973年2月17日

與會：鶴見良行（國際文化會館）

　　　長洲一二（橫濱國立大學）

　　　戴國煇（亞洲經濟研究所）

　　　三浦昇（前《中日新聞》文化部次長）

工業化與亞洲三個文化圈

　　鶴見良行（以下簡稱鶴見）：本次座談會是有關亞洲一系列座談會的總結。因此，對於亞洲今後的演變前景，我想就自己的結論來談。

　　首先，在今後的亞洲中什麼是重大的軸心，我想對亞洲各開發中國家來說是開發和工業化，對日本方而言則是對諸國的援助問題。

　　我剛從印度回來，依出席這座談會系列一的堀田善衛先生的用語來說「在印度所思者」，我多少也有。

　　而這到底是以印象上的假說來說的，在亞洲的兩大文化圈──中國與印度，而做為其亞文化圈的日本與東南亞，這三個地帶在工業化有相當基本性的不同。印度，如眾所周知，在工業化、經濟開發之面並不順利。比印度更靠近日本的東南亞諸國，也有不順利的狀況，但相較之下，在印度不順利的程度較大。

　　如考慮其原因，印度這國家歷史傳統非常長，因此每一個印度人沾染的印度文化傳統非常強，因此對歐美方式的經濟觀所謂做為工業勞動者工作，或提升農業生產性來變富裕的價值觀，強烈拒絕，我想這是印度正是擁有這種文化之故。

　　文盲多、道路普及率低、輕工業未成熟等問題也有，而戰後第一次五年計畫，突然以蘇聯為模型的工業計畫，這不符印度的實際情況，不得不修正，技術性的、細部的問題也有，但最大的問題還是在於印度的文化。

　　本來，工業化在曾經是歐美先進國或帝國主義國的殖民地的發展中國家的情況，是政治上獨立，在整頓國內體制過程出現的現象，其實不是從發展中國家內部自發出來的希求。這不是說發展中國家內部的民眾沒有把自己的產業自己來培育的企求。但是所謂「工業化理論」，一方面與民眾的要求妥協的同時，另一方面則還有一個強烈的側面，便是先進工業國資本的強加意志。

　　同時，已開發國家的援助對落後的國家給什麼比較好，什麼模型比較好，雖然被以為是「親切」，但實際進行的援助並不是開發中國家的企求，也不是已開發國家的親切，是包括日本在內

的已開發國家的資本，希望開發中國家的工業化而在進行。毋寧是理解為資本主義國的要求，這樣想比較切合實際。

印度的工業化不成功，是否正是印度長久的歷史所孕育出印度獨自的文化，把價值觀不同的已開發國家要求反彈回去。

有很多失業者，到哪裡都有成群的乞丐一擁而來求乞。在這一點上印度有著非常落後的一面，反過來說沒有得吃就去當乞丐的印度人的生活態度，是對已開發國家所期望的近代化、工業化的某種抵抗。由印度中央政府推行的社會化、工業化的恩典，也被勞動者的上層所吸收掉，占壓倒性多數的農民沒有什麼影響。可以認為工業化毋寧是在促進階級的分化。

中國的情況如何呢？這裡是完全拒絕由近代化的歐美化，而且與順從傳統的印度也不同，是想超越傳統。超越傳統的直截了當的表現就是無產階級文化大革命，亦即拒絕外面歐美的同時，顛覆自己內部舊有傳統，創造出新的傳統。

日本與東南亞是被印度和中國所挾的中間地帶。把中國、印度以硬文化圈掌握時，是屬於軟文化圈；以中國與印度為原文化圈那麼就是亞文化圈。因為是軟、亞之故，對歐美的近代化的抵抗，比硬、原文化圈的中國、印度弱，亞文化圈之中的日本特別是優越而積極地接受歐美的東西而進行工業化。

日本在亞洲的東北端，歐美浪濤波及比菲律賓弱，也有可以不失政治獨立而挺下來的幸運，但亞文化圈是比原文化圈，對語言、工業化，以及被強加、外來之物的抵抗一般地是弱些。

「後進國」的工業化、近代化，剛才也說過，我想不是「後進國」的自身的想法而是「先進國」意志之加諸，日本是當然，

東南亞諸國也比印度順利是因為有此背景之故。

在此要稍微觸及越戰之事，越南是與日本、朝鮮相並為處於中國文化圈邊緣的亞文化圈，做為接受型的亞文化圈，是第一次成功的抵抗型。所以越戰不只是越南人民與先進工業國的優勝者美國打仗，也有以自己的手顛覆亞文化的自己傳統的意義。從文化史看，所以是極為劃時代的事件。所以這次的停戰協定是做為亞文化圈，第一次把歐美工業化強加上的東西，直截了當地拒絕而要自立達成。

話雖如此，已開發國家特別美國是打算戰勝、斷絕中國與蘇聯的影響，然後以自己最理想的方向要把後進地域工業化，「訴諸戰爭也要達到」的想法，因越戰的痛苦也許放棄了，但是把開發中國家近代化、擴大已開發國家資本市場的意圖應未放棄。

美國所構思對南北越的經濟援助，若說越戰是第一回合，那這是第二回合，且剛要開始。

西洋需要亞洲

長洲一二（以下簡稱長洲）：第三世界工業化的主動權不在第三世界自己，而在先進資本主義國，鶴見先生的指點我也贊成。

原來數世紀以來，西洋為何遠路迢迢來到亞洲，並非亞洲貧窮，對於西洋來說是因為亞洲富裕之故；不是因為亞洲是懶惰者的停滯社會，而是因為很勤勉，對西洋的發展很有效用之故。

也不是因為亞洲沒有自由、人權或宗教，而是能擴大西洋人

的自由與人權，要令之信奉西洋人的神之故；不是亞洲弱，而是要強大西洋力量之故；不是亞洲不安定，而是要確保西洋的安定之故；不是亞洲人對亞洲危險，而是對西洋危險就不妙之故。

總之對西洋而言，亞洲是必要的。至少比起亞洲需要西洋，西洋更是需要亞洲，所以西洋來到亞洲。若不是這樣，怎麼會越過千波萬浪蜂擁而來呢？

都是以歐洲為主，歐洲來到亞洲，現今亞洲的工業化、近代化，說起來也是在那延長線上的問題。

又歐洲近代化的過程有新教倫理的作用，這變成資本主義精神的土壤且經常這樣說。但是他們所誇耀的倫理一遇到亞洲或非洲異質文明，就發揮駭人的野蠻個性，做出蠻行。在亞洲、非洲幹了如何可怕的事而殖民地化或近代化，歷史上有明確的記載。

可是，在此令我非常猶豫的是西方工業化的邏輯，現在雖暴露出幾個大疑惑，但在形成現實之上是很強而有力的事實。

因為以價值觀的問題來看，工業化的邏輯在已開發國家內部已逐漸被懷疑。以製造大量殺人兵器與環境問題受到懷疑，管理社會與忽視人性的主體性問題也被質疑。被編入工業化社會的人疲倦、空虛、焦躁、對前途不安而發出悲鳴，也有應指向「脫工業化社會」為目標的聲音。

而在另一面，以地球的規模來說，事實上工業化才開始，所謂開發中諸國才拚命開始走工業化之路。

在先進諸國民已厭倦工業化社會的近代文明的時機，但很諷刺的是地球規模的工業化在開始。也就是說西方型工業化的邏輯，就是如何令人討厭，但做為現實形成力，依然不變還是強而

有力。

我常把現代叫作「諸文明的時代」。已經不如以往全以西洋文明為萬國共同的尺度，用以測量靠近它多少而決定順位。靠近歐洲不是價值的提升，黑人像白人不是進步。黑、白、黃照其原樣就具有同樣價值。如同「黑是美麗」的道理——這很能理解。

但是形成現實的力量，工業化以外有什麼呢？這個不知道。現在的中國包含文化大革命，不依歐洲的工業化，而且正在持續推行「脫舊亞洲」。這到底會不會成功，我以一經濟學者，做為人的立場在關注。

近代化的三要素

還有是工業化・近代化一詞的內涵，不論日本或其他場合，近代化就是西方化，modernization即westernization。將此更細微地看，近代化的第一條件是要建立主權國家的國民國家；第二是工業化——具體的是資本主義化；第三是要建立公民社會，大致來說有這三個要素。哪一個要素最基本？依人而有不同的解釋，但是國民國家化、工業化、公民社會化的三個是「近代化」的基礎是不會錯的。

如果看日本的情況，明治以後做為主權國家是成功了，工業化也成功，但做為公民社會化則否。有自由民權運動和大正民主主義，有是有過，但做為主流，還是屬於沒有公民社會的工業化主權國家，那是所謂日本型的近代化。

看看日本以外的亞洲諸國的情形，日本依然是欠缺公民社

會，亦即不能照樣實現西方型的近代化，如此我想所謂的近代化是否相當困難。

有關這次越戰，我的感覺是美國的誤算——說誤算對美國是過於偏袒的語詞，但姑且用之——是把越南看作西方型，與自己的形象相似的國家加以施行之故。

如果是西方型近代國家的話，政權與國民是有某程度透明的關係，國民全體被組織化。然而南越的情形是握有權力的階層與農民幾乎沒有連接。與其說民眾是屬於國家，毋寧是不論在好或壞的意思上是屬於農村的共同體，形成政權與農村共同體的二重結構。

因此對政權的援助是對權力階層的援助，不成為對共同體住民的援助，像南越政權與農村住民的斷層成為敵對的情形，援助反而把全住民當成敵人。

越南以外的亞洲諸國情形也與越南相似。我想這好像是舊殖民地國家很大的特色。關於開發中國家的經濟援助、經濟開發、近代化，假如以開發國家的人是善意的，抱著使命感拚命在做，因有政權與民眾的二重結構之故，從外面可接觸到的只有政權與支撐它的特權階層的話，援助絕對落實不到民眾身上。對於善意的經濟學者而言，1960年代是經濟援助理論的挫折與幻滅的時代。拯救此幻滅的方法到了1970年代也未能尋獲。

在這種政權與民眾分離的，尚未國民國家化也尚未公民社會化的國家，工業化是與大眾生活無關的其他地方設立工廠、製鐵廠，印度的情形是連飛機、原子彈也可造出，裂痕由是產生。

開發中國家所面臨的課題 ── 主體的形成

　　戴國煇（以下簡稱戴）：今天，我並非以開發中國家的代表來發言（笑），但鶴見先生、長洲先生說亞洲的近代化、工業化或與此相關聯的已開發國家的援助，與其說是被援助方的要求，毋寧說是要給你、要幫你做的已開發國家方的要求，其實是比較強的發言，置身於開發中國家的我感到非常高興。

　　可是，剛才長洲先生所說對於歐洲型的資本主義工業化，價值觀雖有種種疑問，但此工業化邏輯的現實形成力還是很強有力的疑問，誠如高見，此疑問的決定性答案也還沒找到。

　　本來俄國革命應是否定這個資本主義工業化邏輯的重大反命題。然而俄國革命，雖不能說完全沒有成為反命題，但也沒有到達推翻資本主義工業化的邏輯，築構新邏輯的地步，也未能提供其魅力以延續至今日。與俄國革命相連接的東歐諸國的革命，也如眾所周知，還是磨磨蹭蹭。

　　與這些社會主義革命不同，中國革命是與文化大革命這未曾有的實驗相連，與資本主義工業化是異質的近代化，或許是稍微大膽的說法，當下在嘗試現代化的實驗，好像大致是被這樣理解。只是結果還不確切。又很多有心人以為中國的實驗可以不依資本主義，而且不基於一直以來主要在歐美所進行工業化邏輯形式，編出有魅力的築構社會邏輯，並從人類史上期待著，而且可說興致勃勃看著那邏輯可及於中國以外之地而成為普遍性之物。

　　中國的實驗結果未知，而更不可知的是古巴革命，是否具有世界性有效的新邏輯，我不知道。阿爾及利亞對法國的抵抗，當

初獲得民眾的期待於一身，但之後並不出色。越南從現在起以鶴見先生的說法是要進入第二回合。

那麼這樣看來，人類世界之中，資本主義體制暫且不說，資本主義工業化的邏輯因未以有效反命題之決定性型態登場之故，猶具有非常強的力量。確認了此事之後，我想有必要思考開發中國家能做什麼。

鶴見先生所說的印度情況——我認為可以把問題擴大到包含伊斯蘭教圈的第三世界，在此有如您所說牢固的傳統，或以傳統為主軸的宗教掌握著人民。東南亞為中心的世界有長洲先生所說，與政權有斷層的大眾委身於村落共同體，在能推動歷史者除了我們無他的自我認識未確立的狀況下，援助那有名無實的政權或軍事獨裁政權，包含政權的統治階層他們就是要進行近代化、工業化，將連接到理想的有效國家建設之可能性很少。

從政權被切割，或被綁在傳統的後進國庶民大眾之中，個人自覺而確立主體，從民眾之中經濟主體、革命主體不能形成的話，又從自己的社會內部不出現向束縛自己的傳統對決的主體的話，開發中國家的建國將很難成功。世界性的環境污染、資源枯竭、資本主義文明進入死胡同等已開發國家的人們提出了種種問題，但否定資本主義工業化邏輯的主體，開發中國家也創造不出來，此問題的提出對開發中國家的人們也只是馬耳東風，聽起來像是強使人接受罷了。總之，首先是開發中國家的建國主體必須被創造出才行。

以農地改革為例，農地改革有日本、中國、台灣、印度、菲律賓、南韓等各種類型，而且試圖解決各自所擁有的農業問題。

而長洲先生所說，與一般大眾斷絕關係、保持權力的各國領導階層，連結已開發國家的對外政策所進行的改革大致沒有成功。也就是說，欠缺主體的改革是不行的。如果說中國的農地改革是成功的話，我想那是撼動被內部傳統所束縛的貧雇農階層的潛在能量，以此做為改革的主體之故。

也就是說把自己內部束縛著自己的傳統——我想那是伊斯蘭教、儒教倫理，或空洞化的中華思想，或是更黏糊的共同體規制，以及殖民地統治的後遺症，特別是心理的自卑感或是無氣力的惰性等。將此林林總總的東西切斷、超越的主體，把歐洲的、工業化的邏輯也一並拒絕的行為出現的某時間點就會產生出什麼。如果會產生，只有從那個主體產生打破既存工業化邏輯的新邏輯吧。

我在此要強調，開發中國家的近代化經常同時內含著現代化的課題，承擔近代化主體的形成確立是當前開發中國家所面臨的、比什麼都不可或缺的課題。

民族主義的陷阱

對東南亞諸國的援助、工業化的時候，不能看漏的大問題是那些國家的民族主義。

說到民族主義，這是我與日本的學生諸君、年輕世代交往而聽到的話，他們說「聽到民族主義就想吐」。對於日本的年輕世代這是很不受歡迎的語詞。

但是，在日本沒有魅力的「民族主義」一詞，對於東南亞諸

國在抓住民眾靈魂上還是很有效。然而民族主義雖然有效，其實也有陷阱。

日本的民族主義是被體制方主導的民族主義，結果變成與極端國家主義的謀略相似。東南亞諸國的情況也有，因與民眾脫離的政權的話，「民族主義」這個在當地國做為反帝、反殖民地主義運動的口號仍是一生動的語詞，反而被利用為冠冕堂皇的藉口，其實十分可能有被改造為極端國家主義的危險。

例如亞洲各地可看到的語言民族主義的問題，或者華僑問題亦可舉出恰當的例子。

本來我們現在做為問題的民族主義的「民族」是歷史的近代所造出來的概念。

但與很多的事例一樣，「民族」這語詞在庶民的層次做為「近代」的概念是尚未被消化才是實情。

以日本來說，人們對日本是以世界少見的單一民族、單一語言的國家來掌握，相對來說正是如此。但是進一步微觀地看，可知絕非如此。有愛奴、琉球的問題，有相當於亞洲「華僑」的在日朝鮮人問題。

愛奴與蝦摩、琉球人與大和人〔譯註：Yamatonchu，琉球語，指日本人〕、日本人與在日朝鮮人等的關係如何正確掌握，如果對存在問題沒有明確的認識的話，在亞洲的語言民族主義問題或「華僑」問題，一言以蔽之，我想日本人是不能正確理解亞洲的民族主義問題的。

更進一步來想，近代國家形成過程的「國語」到底是什麼，在人類的文化創造的作為上，是否可以把方言劃一地以滾輪壓平

抹殺，我想這包含著本質的問題。

日語最初一面把愛奴語、琉球語以土語的方式對待，一面普及標準語，而現在已確保了做為國語的堅固的地位。這樣的狀態現在成為前提，被一般日本人所接受，沒有什麼聽到異議。愛奴人、琉球人的聲音正成為「無聲之聲」被壓在滾輪之下以至於今日。

做為代罪羔羊的「華僑」

這樣的問題日本人今後如何處理是不關我的事，但從研究者的立場來說，亞洲的語言，內含「華僑」問題的民族主義的陷阱，包含與日本內部問題同質的問題，特別是少數民眾的權利意識，與19世紀、20世紀初期不能比較地提升很高的亞洲諸國，目前正處於國家建設的當下，因此我想此問題的重要性不能看漏。

接著我也想觸及華僑問題，現在東南亞有1,500萬名的「華僑」的存在。對這些被叫作華僑的人們有很顯著的誤解。

畢竟華僑這個語詞，現在已不能正確表現亞洲的現實。本來華僑是意味去國外賺錢的中國人，第二次大戰後，特別是中共政權成立以降的新狀況與大戰前完全不同，具本來意義的華僑逐漸減少，華僑的子孫們早已不自稱華僑，一般自稱為華人。

事實上因國別而多少有所不同，但毋寧長期保持中國的國籍一直長住一國而營生的華僑很少，多半是已歸化於現住國，做為各國所謂華人系住民而生活著，我想應這樣掌握。

以「華商」這一總稱所引起的另一個誤會我也要順便指出。

因日本人一般常使用漢字之故，「商」與「商人」連接，因此認為華人系住民全是商人而不得不成為有錢人。事實上，華人系住民的確有不少商人，但多是在村落賣糖果的程度，此外身為農園勞動者、錫礦山勞動者等很多。

人們常說「華僑執東南亞經濟的牛耳，掌握流通過程」，這種說法雖有正確的一面，但那只是華人系住民屬於上層階級的一部分人而已，一般而言與他們當地國政權勾結黏連的情形較多。又以馬來西亞為例，的確華人系、印度系住民比馬來系住民所得高也是事實。

國民所得形成這樣差距的歷史經緯是由於馬來西亞人口結構的特異性——包含少數民族的馬來系為四成，華人系四成，印度系二成——同樣意外地，人們也忘記這是英國殖民地統治的歷史所產生。

華人系與印度系追溯其源頭，與其說是以自己的意志到現住國，不如說是受到歐洲衝擊與被殖民地化或半殖民地化而遭破壞的母國的農村所擠出的流亡之民。他們又因歐洲殖民地主義的殖民地開發之故，做為勞動力被帶到當地，而被當地國所接受的人們與其子孫。

他們首先在殖民者與被殖民者之間勉強找出活路，做為產生出殖民地利潤的勞動者——苦力或殖民地統治的附屬物或幫傭而勞動。之後經過兩次大戰，趁歐洲勢力後退之間隙，華人系與印度系伸展了經濟力，而有現在的複合社會經濟結構的形成。

這樣複合的社會經濟結構當然是凌駕在當地國傳統社會經濟結構之上的形式，是殖民地體制所製造的歷史產物之外無他。

　　然而，日本戰敗，歐洲諸國從東南亞以統治者身分撤走。獨立的當地國政權的民族主義奪得獨立，而本來施虐的敵人已從眼前消失。

　　亞洲近現代化的課題，從本來對外反帝、反殖民主義到對內部反封建、農地改革運動若不能相結合推進的話，終究是不能達成的。但是當地國權力的多數是沒有具備從下推進農地改革與傳統的社會經濟結構變革主體的體質之故，雖高舉民族主義的美麗口號，做殖民地體制批判，但在內部一直存在著傳統的社會經濟結構，雖然現在是支撐殖民地體制遺制的重要支柱，卻不願去碰觸。

　　以不碰觸社會經濟結構、不花成本，只以法律措施限制華人系、印度系住民的職業，想推進當地人優先政策其實效也不彰。

　　不幸的是因不碰觸社會經濟結構之故，他們所企圖從上開始的近代化、國家建設也就不順利，出現種種矛盾，自己的政權便有危機。那時他們就說「『華僑』、『印僑』最壞」，將只是過去殖民體制附庸的中下層華人系住民揪出當作「代罪羔羊」而屠殺。他們的民族主義就這樣變成了「極權民族主義」。

　　這其實是不願變革政治社會結構的極權民族主義者們，亦即當地國政權，能成為近代化、工業化的真正承擔者嗎？我是很有疑問的。

　　再補充一些，華僑——現在叫作華人系住民較恰當——也因中共革命的實現相關聯面臨很大的變化。

從「落葉歸根」到「落地生根」

　　也就是說，以往華僑的人生觀是「落葉歸根」──如掉落的樹葉回到根部一樣，總歸要回父祖之地，亦即要回中國這種到外地賺錢型。但是這些在外地賺到錢的少數中上層華人，從他們的階級體質來說早已不把中國視為祖國，不把中國如以往視為自己資產階級發展的約定之地去求「認同」的道理。另一方面，下層華人對已完成革命的祖國也不再有回去搞革命的必要，而生活的基盤也在現住國之故，也已改變成「落地生根」的生活原理。

　　「落地生根」就是落地的果實，在那裡生根、茁壯成樹之意。從中國外流出來或被趕出的，將過去華僑的子孫的自己，比喻為落地的果實，在馬來西亞、新加坡、印尼的地上生根茁壯，有著把自己居住國建設好的人生觀。

　　「落地生根」的原理可說蘊藏華人系住民逐漸在培育健康民族主義的可能性。與其培育此華人系住民良芽，毋寧以疏遠壓殺企圖高揚當地國民族主義的民族主義，其實這是一種極權民族主義，我想如此的話，東南亞的近代化、工業化是很難的。

　　還有，極為重要的是鶴見先生說日本、朝鮮、中南半島是中國的亞文化圈，但日本已非常早即脫離出中國文化、儒教文化而成功地近代化──福澤諭吉所說「脫亞」可解釋為將中華文化、儒教思想對象化的一面──我想朝鮮與中南半島諸國，也須與志向歐洲的日本不同的方法，切斷中國傳統文化與思想的羈絆不可。拒絕歐洲的近代化、工業化的同時，肯定中國為世界中心的中華思想的各國傳統構想，對所謂的小中華思想不給予批判與拒

絕，我想是有偏頗的。

　　新中國也在把中華思想的負面與受此負面所支撐的大國主義的構思，或其衍生物的大漢民族優越思想在其內外加以否定，並且揚棄歐洲的東西之後，正在發現把自己國家、社會建設好的邏輯。

　　還有，思考日本近代化的類型，四座島嶼、一億人口，除了愛奴、沖繩、在日朝鮮人幾乎是單一民族的結構、語言，文化也是同一的「單一文化」，我想對以往的近代化、工業化是有利的，亦即具有適當的規模，但東南亞諸國沒有與日本條件相似的國家。任何一國都是宗教、言語、相貌有著不同結構的多元文化國家。

　　在這一點上與美國相似。又美國的生命力是在人種與文化上包含很多異質之處，我想是其要素之一。包含異質的近代化這一點與壓抑愛奴、沖繩或在日朝鮮人等少數族群，強硬地割捨而進行近代化的日本類型是不一樣的，認同異質的美國（遺憾的是他們所認同的異質的價值僅止於白人之間，黑人、美國原住民所謂印地安人則被排除）或包含很多少數民族的多民族國家如中國這樣國家的近現代化，應有東南亞可學習的地方吧。

　　剛才也說過馬來西亞的情況是馬來系四成、華人系四成、印度系二成，還有百分比在零點幾以下的少數民族構成人口。像日本這樣以單一文化為基礎的近代化是絕對不行。如以日本為基準，現在亞洲的現實正是被視為不幸的現實吧，但相互容認異質，基於多元的民族與多元的文化以「切磋琢磨」而開拓未來的近現代化的路線也應可設想的吧。就是說乍看條件是負的亞洲現

實，反而可轉化為正的條件，可嘗試人類營為的新實驗，是否可以這樣來看。

誰是民族主義的承擔者

　　鶴見：我們把話再講具體一點吧。前些日子在泰國發生了日本商品的拒買運動。獲知此運動後不知日本普通市民怎麼想。首先應是覺得發生了很麻煩的事。

　　而且，覺得很困擾之後，就開始想我們日本人要怎樣去做，而泰國人要我們怎麼做，然後不知如何是好，正處於困惑的狀態吧。不知道，困惑的理由之一就是不知道泰國人究竟是誰。

　　就是戴先生所說的民族主義的承擔者是誰的問題。

　　以我的體驗來說明的話，1960年安保鬥爭的時候去美國大使館，表示反對改訂。大使館的說明都是既定的。

　　總之，你們大發高論，但是日本政府不是已同意改訂了嗎？而且我們認為日本政府是以民主主義的原則代表日本、代表日本國民的輿論。也就是說，對誰是日本人的問題，日本政府就是日本人做為回答。

　　以日本人的我來看，這個回答並不正確。但是這姑且也是一種回答。再回到泰國的問題，日本賣商品給泰國，泰國人買，泰國政府認可從日本的輸入，泰國政府代表泰國人，也就是說泰國政府是泰國人的話，抵制日本商品就是奇怪的事。然而日本的情況是相當多的日本人認為自己的意見不為政府所代表，而泰國也不認為被政府代表的人占多數。

　　事實上泰國政府也與其他東南亞諸國的情況一樣，在其各國政府周邊，支撐權力的階層，是在美國受教育者。知道美國方式的近代化理論，生活上、文化上與民眾是異質的人們。這些人是否是在說「泰國人」時所指稱的泰國人，在我內心是有疑問的，但是卻不能公然地懷疑議論這些人不能代表泰國國民。

　　我曾經與在泰國辦教育事業的女性知識分子談過都市問題。她說泰國有日本的輕工業進入，為了泰國的近代化是好事，但因在輕工業工作的泰國勞動者的住房不夠，農村出來的失業者在那裡就業，而在工廠的周圍搭起臨時的小屋，集團化變成貧民區，發生社會問題很傷腦筋。同樣地來思考纖維工廠整廠輸入中國的情況。不能想像會如泰國那樣發生社會問題，萬一發生了，中國人也 不會說是日本之故而發生。我們日本人也不必說是做了壞事而責備自己。日本人可以因為中國人、中國政府會解決而安心地輸出。

　　能代表民眾的政府，與不能那樣確實地代表民眾的政府，在這個地方可見其差異。就是說做為可信賴的國家建設的負責任者，如戴先生所說的，產生有主體性的、受民眾支持的負責任者就沒話說，而日本的現狀能否等到負責任者產生的時候，在產生之前是不是會持續出現大問題。

　　長洲：世銀總裁麥克納馬拉（R. S. McNamara），他在越南有個大失敗。但前些日子做了一個很有趣的演說，關於「批評兩個有錢人」的內容。兩個有錢人中，一個是北——指已開發國家，另一個是南——開發中國家之中的有錢人即統治階級。

　　鶴見先生剛才說，泰國人中與已開發國家交涉，談判經濟合

作、工業化等是南邊的有錢人，將這南邊的有錢人，已開發國家
當作泰國人、菲律賓人、印尼人在交往。

　　有錢人擁有同樣的西方的教養，都志向於西方型的工業化、
近代化，所以已開發國家的沒加入權力的人，打從心底與南邊的
有錢人說，已開發國家現在因公害而受苦，應該珍惜你們國家的
乾淨的空氣。南邊的有錢人以為新鮮的空氣還有很多，我們首先
要有煙囪。他們比我們更信賴、期待西方的工業化、近代化的邏
輯。

　　不只是資本的侵略，我們對東南亞做了壞事，越戰時中南半
島因戰爭而荒廢日本有一半責任，想要賠償而提供援助資金，南
越的情況資金是到阮文紹政權，大概不會到解放戰線那裡。

　　就是說南邊的民族主義有兩個。與北邊有錢人握手的南邊有
錢人的民族主義，與此切斷的底層民族主義。兩者是斷絕的，現
在連善意的援助都變成給有錢人的援助。結果是有可能把民眾的
民族主義當成敵人。

阻止主體成長的「經濟援助」

　　戴：先進諸國對後進地域的資本投注，可說是從政治上以強
化南邊的有錢人的方向在投注和引入。

　　等資本到有益於民眾的階段時，以民眾利益為中心的政治、
資本將被利用時，已開發國家便大致拒絕。對舊中國投下資本的
國家，連中共革命以前的孫文的階段，對投資國不利的政權將要
成立時就不提供援助。

　　如此一來，代表民眾的政權快誕生時，已開發國家便操作其投注的資本妨礙其誕生。現在後越戰時代──為了對越戰所做的事贖罪而進行援助，而希望要求這樣援助，出現了世界性動向的現象，但我看本質上還是以操縱資本的另一型態的支配越南的動作。

　　還有長洲先生說，有錢人與底邊的民族主義，真正覺醒的知識分子或政治領導者，從底邊的民族主義跳出，使大眾覺醒，領導大眾，也就是說成長為建設國家真正可信賴的承擔者，我想還需要相當長的時間。

　　那麼，提出是否應等到那個時候的問題之鶴見先生的課題，做為開發中國家的人我的回答是，等待比較好。在這之前請不要做多餘的事，現在正處於誕生承擔者痛苦掙扎的當中，不要來妨礙，幫助與妨礙有成為同義語的情況，感覺只能這樣表現。

　　長洲：也就是說不要做輕率貿然的經濟援助吧。

　　我最擔心的就是今後日本對亞洲行動中的這個經濟援助。因為戰後的日本，就常識上來說，軍事的壞事不能做了，政治而言在國際上也沒什麼發言力，也無法做壞事的樣子。然而，錢是有。而且政界、財界都興起一股援助熱。援助在語感上有非常良好的感覺，所以說「越南很可憐」等，國民也容易受那援助熱所騙。

　　而那樣提供的錢就到南邊有錢人那裡，越南的情形就是到阮文紹政權。那麼對底邊民族主義，具體地是對革命政府方起壓迫作用是很明白的。

　　鶴見：不要做經濟援助、不要投資、不要大量輸出，這些反

而使東南亞諸國更糟——日本人這樣要求日本政府、日本的權力，此要求是正當的也非常困難。

例如，發生拒買日本商品的泰國，本來是出自日本與泰國的貿易不均衡。要改變日本與泰國的貿易不均衡，只有減少對泰國的輸出，或向泰國買更多之外無他，沒有更多可買的東西就只好減少輸出。與泰國有相似情事的國家很多，同樣也要減少。那麼就是降低日本經濟全體的GNP（國民生產總值），也就是把日本經濟的基本結構重新再造。那是必要的作業。然而這個「不要輸出」等的要求很難成為如「不要殺人」或「不要送戰車去越南」的具體爭論點的問題，有那種困難存在。

做為日本人要向日本政府提出這個要求很困難。實現更是困難，但有做的必要。而且，另一方在前面所觸及誰是泰國人的問題有關聯，如戴先生說，東南亞代表人民的主體，革命或經濟其承擔主體的形成還需要時間，而現在那主體還看不到，因此「不知誰是泰國人」這事首先要放在意識上，而去與各形各色的泰國人交往，傾聽各種各樣的泰國人的意見，是很重要的。

不是把南邊的有錢人看作泰國人、菲律賓人，政府的援助或許是那樣，但做為個人的日本人應該更要與各種各樣的南邊人交往。不只是有錢人，因那是投機者所以不行，是不徹底、不明朗所以不行，就將之割捨。

從其中交往的種種階層中，也許不久產生受民眾信賴的主體。總之，此主體的誕生與已開發國家的援助，支撐的當地政權的強化，哪個比較快還不知道。

戴：經濟援助以通俗一點的比喻來說，有與家庭教師相似的

一面。迎合教育媽媽的家庭教師，與其如何耐心地培養小孩的幹勁，毋寧替小孩做課外作業加以搪塞，或依教育媽媽的要求，準備最高檔的參考書、最高級的學習用具，明知只是為了放心也給那沒有幹勁的孩子買了，而大致都沒用。教育媽媽對家庭教師所要求的一般地說都是速效型的所以很像經濟援助。

　　本人還沒有主體的意志，而沒有創造出小孩意志的從容與能耐的教育媽媽與家庭教師的組合，小孩的意志之芽將不會萌生是我們常有的經驗。

　　家庭教師與經濟援助只是錢的出處不同而已。剩下的情節，如以小孩的才能為中心將之伸展，不如依母親自己方便的方向，或只是靠近自己所希望小孩應有的形象而做努力較多，特別是對症療法之點完全相似。所以我說，已開發國家的經濟援助，相當於教育媽媽與風評好的家庭教師，假設並不只為確保薪資為目的，而也有善意，但是沒有培育主體的意志與力量，僅就這點，善意不但不結實成好結果，本來意義的有效性也不多。

教育援助如何

　　目前日本政、財界的援助熱的東西的確很強。

　　這是我一貫的主張，也就是剛才也說過，在亞洲的後進地域，建國，此受民眾支持的國家建設主體不形成的話，一切的援助是無意義的。只是，日本因有多餘的錢，無論如何要「援助」的話，東南亞諸國印刷教科書的機械、紙、費用都不足，教小孩理科的實驗設備也欠缺，可以做那種教育援助。或者不是因日本

有剩餘米就送過去的農業援助，而是為伸展現地國的農業而一起學習，培育農業技術者，我想限定於這種援助就很好。

　　鶴見：戴先生，這是很危險的發言。實際上「綠色革命」在這個系列也談過，是某種農業技術援助。而且綠色革命是很危險的政策。

　　戴：綠色革命是長洲先生所說的南邊的有錢人與北邊有錢人所聯合的農業改良政策，在這個系列談論過，是在與民眾無關的地方從上而下的技術改良的嘗試。毋寧是強行推銷肥料機構的一面極為濃厚，並不是當該國農業所抱問題本質的解決方策。這是我以前在此系列所強調的。

　　鶴見：所以，教育援助也與綠色革命會變成同樣的道理。教育援助的主體是日本的時候，沒有不推銷日本喜好教科書的保證。

　　以我或長洲先生這種日本「戰中派」立刻就能真切感知，以戰後的苦難為前提，認真工作的人、認真工作為善的人是日本教育所要培育出的人。

　　日本對第三世界教育援助時，做為教育效果所期待的我想也是培育出那樣的人。然而教育援助對象的東南亞諸國已經有美國的資本、日本的投資，走在菲律賓的鄉下，美國、日本製的消費商品非常普及，沉痛的是連地方的各個角落都被編入先進諸國商品市場。

　　以美國為例，美國從菲律賓買乾椰子果胚乳〔譯註：榨出的油為人造黃油、肥皂、化妝品原料〕、砂糖，而賣消費商品，但對於已巨大化的美國資本，這程度的市場太小，菲律賓一國已太

小。日本也一樣，泰國的市場單位太小，不把東南亞全域開發成同一市場，就不能滿足美國巨大資本的欲望。

　　美國或日本在菲律賓或印度蓋宏偉的工廠時，是為了想要把亞洲全區做為其市場的工廠。要讓那工廠能維持，就需要有從上午九點到下午五點認真工作的近代勞動者，也需要有勞動者乾淨的住宅。也要鋪裝搬運製品的好道路。也就是說，教育、道路、稅制、行政制度、警察全部重新再造。

　　以往的經濟援助作法，美國的情況是，因與中國或蘇聯的緊張之故而成冷戰型，最近風向變了，要把已開發國家全體自下重新再造，因此也積極地在做教育援助。教育援助可以叫作新帝國主義動向的一環存在，因此戴先生說把援助限定於教育援助的程度，其實是有危險的一面。

　　先進工業國對發展中國家的現今政策是，說穿了，與其建設工廠，重點更放在教育出能為自己的資本效勞的人才方面。

等待主體的成長

　　戴：把我的主張擴大解釋是很困擾的。（笑）

　　我沒有說可以教育援助之名介入國內政治，當然教科書的內容也沒說可以干預。如在台灣所進行，以歐洲近代化方向為目標，厚實中間階級層使政權安定這是美國援助的作法。教育援助在這時與稅制與道路、行政制度的改良，或者經濟援助是配套的。我不承認這樣的介入。

　　只是，如剛才也講過，欠缺國家建設主體的援助是沒有用

處，但是比隨便排出含氰廢水的投資，教育援助是相對無害吧。或者，在此系列中我曾有發言，從亞洲來日本留學的留學生中，只給將來能為日本搬進機械，對販售日本商品有用的學生，亦即理工系的學生獎學金而優遇，不管學社會科學系學生的此一作法如能改進，也算是稍微好的教育援助吧。我是要表達這樣的前後關係之意，並不是鶴見先生所講的承認新帝國主義。

長洲：所謂援助這個東西，就是不論以何種善意去做都會變成介入。因為做為實際問題，不能直接與各個農民去談有關援助的事情。無論如何只能與稱之為代表該國的人交涉。也就是說，那代表者就是現在的權力者，權力者經常是想保持維持權力的現狀，所以援助只能是對權力者的協助而已。然而亞洲本身必要改革現狀。對期望改革現狀的民眾，這樣的援助必定變成介入。

援助會變介入——首先把這事做為大前提，日本人必須有自覺。所以，戴先生所說的，會出現援助應該節制等到國家建設主體的誕生這種想法。特別是援助腐敗的政權是與民眾為敵的。

但是，如何努力節制，資本這東西是必然會往外流的。從當地政權層的要求也有。到那時候，做為日本人要謹慎注意將會有伴隨介入危險的接受援助的一方，追根究柢地想，對外流出去的東西能否負最後的責任。對中國整廠設備輸出，假設因那整廠設備之故發生公害，是中國人的問題而不要成為日本人的問題，外流出去的東西的影響如何處理是你們的責任，有這種簡單的結論也是無可奈何，戴先生您怎麼想？

戴：我也如此認為。以往的援助，毋寧是援助與民眾游離的政權，而與民眾相近的政權即將誕生便停止援助。但應該是相反

才對。已開發國家內部應十分自覺援助將變成介入的危險性之後，希望有等待援助對象國內部受民眾支持的國家建設主體誕生的努力。

鶴見：有等待開發中國家內部革命主體或經濟主體築構的戴先生理論且可承認，以及在抵達的過程中外流的資本如何作用，我則是抱持管不著的長洲理論。（笑）

雙方都有理。只是，開發中國家內部那種主體被築構的時間性速度，與自教育到生產到稅制全部總括起來，以已開發國家的方式要把亞洲重新改造的已開發國家資本的援助速度，在已開發國家內部檢驗援助的姿態形成的速度，究竟哪個比較快？

「我就是泰國人」而受泰國人承認的人，檢驗援助且有自制的已開發國家民眾也信賴這個人，而那個人是泰國的國家建設可信賴的承擔者，那麼世界也就可以圓滿相處啊。

由日本人自己來檢驗援助

長洲：說日本之中的日本人自身檢驗援助，令人感到無止境地大，但也是非常具體的問題。例如，有海外經濟協助基金，這可說是一個暗箱，多少錢進來、多少錢出去是知道，但在裡頭錢是如何被使用則不得而知。知道內情的只有一部分的政治頭子。必須把暗箱改成透明的玻璃箱子，首先要做這個努力。

可是有很多進退維谷的困境。以越南援助來說，北邊沒問題，南邊實際有殘障者、病人、無家的人很多，想要援助那些人。全國協議早日成立就可放心援助，但不知什麼時候會成立。

所以，如要援助，對象只有阮文紹政權。但是援助阮文紹政權，就違反《巴黎和平協約》，又回到越戰初期。那麼對困苦的越南人該如何是好，實際上毫無進展。

三浦昇（編輯）：先前出席這個座談會系列的越南人說，受南越的民眾、壓倒性多的農民支持的政權成立之前，他們連醫院、學校等看起來是人道的援助都不要。乍看之下是人道的也是對民眾敵方的援助。

戴：越南已有可以確實這樣講的主體，在流血之中誕生了。但是其他的國家是還未形成，或者可以說目前正在形成。因此是，兩位先生所說的是時間差距的問題，主體形成的確立與以援助為名的介入，哪邊比較強力且快的問題。

與此相關聯，我稍微抱著希望的是中國與北越等，我所說的已形成主體的國家，聽說正與美國有關經濟援助在做接觸。如果這是正確的情報而且能實現的話，或許可以產生將美國的援助還原於自國民眾的新模式。在此被造出來的援助模式，說不定就可成為新的援助模型也未可知。

只是坦白說，長洲先生、鶴見先生所說的援助與介入此兩者是相通的見解在日本還是少數意見，在全日本那麼認真思考援助的人，作家、評論家是否有100人都有疑問。

這少數意見說「經濟援助是好事」，在某意義如果不比純樸的心情更強大就不行。如長洲、鶴見兩位先生真正知曉經濟援助面貌的主體在日本形成，再者開發中國家內部革命主體、經濟主體形成，雙方能對話，掌握執行力，則人類的歷史就會有相當的改變啊。

長洲：的確是少數意見，但我目前想對剛才談到的越南援助，發表何者該做、何者絕不能做的具體聲明書。

戴：這是非常好的事！

長洲：也就是說對於其他國家姑且不談，有關越南，對日本國民盡情理，說明哪種援助好，哪種援助不好，我覺得可以獲得理解。包含日本政府，日本至今對越南未做過任何好事，至少在國民的基盤上有今後要做些有幫助的認知，所以有關越南具體、有益的援助是有可能的預感，但應切忌樂觀。

「經濟援助」── 其實是市場的獨占

鶴見：我才剛順著加爾各答—曼谷—馬尼拉—東京的路線回國來，想把在各地的見聞做一些介紹。在菲律賓的飛機上讀的，而也只有飛機上才能讀到報紙，而且是馬可仕政權的御用新聞，在那報紙上有「買‧菲律賓」──請買菲律賓商品的宣傳。然而這「買‧菲律賓」，客觀的說本來也不是菲律賓商品，是美國資本在執全部牛耳，或日本資本在背後操縱令之製造的商品。

有恰好的例子是菲律賓有「進步的汽車生產計畫」。我想這是已開發國家的經濟援助以什麼樣的形式被具體化的最新實例。參與這計畫的有日本的豐田，美國的GM（通用汽車）、福特，日美合辦的三菱＝克萊斯勒，及德國的福斯共五社。

各個世界性汽車製造商，各自進入到東南亞，各做生產的話，只會讓製造商承受當地的反抗，而且各國也有做國產化計畫的動向，因此才有這個「進步的汽車生產計畫」。

　　在此計畫之中，菲律賓的汽車國產化率第一年度為20％，第二年度50％，最終的第三年度逐漸遞升為70％。此計畫的投資委員會委員長是畢業於美國柏克萊大學或是以歐美近代化理論所包裝的菲律賓人，資本的娘家是各國的巨大製造商。提高國產化率乍看之下好像很好，但是資本其實來自美國或日本，「買・菲律賓」──實際是「買・日本」、「買・美國」啊。

　　而且對於已開發國家的巨大資本，汽車的全部需求為2萬輛，就是拿市場占有率的一半也只有1萬輛的菲律賓市場太小。推定20萬輛的東南亞全域市場化才是他們所要的。

　　以提高國產化率來平息當地民族主義，實質上是擴大自國資本。

　　在越戰死了很多越南人。轟炸北越、美萊，我們也是，全世界的眼睛都向該處看時，在看不到的地方，資本在亞洲真是有很大的變動。

　　資本主義把非資本主義國編入資本主義之中，該國就產生民族資本，發生階級分化，資本主義國便造出自己的敵人、自己的掘墳人，這是馬克思的見解。的確有那一面，但實際上現在進行著的是當地的上層部分與已開發國家資本的黏連非常強，在當地造出近代化的領地而已，而全體來說，扭曲國民經濟發展的傾向很強。

　　長洲：一般地說「近代化」就是那樣。把第三世界定為「前近代的」，所以要「近代化」的想法是錯的。現今的第三世界不是依然的「前近代」的「傳統社會」，而是被編入已開發國家的近代化、國民經濟被扭曲的社會，也就是說被編入已開發國家本

位「近代化世界」構成要素意義的「近代化」社會。

　　戴：在某種意思，可說已開發國家一方變得非常巧妙。

　　越南戰爭的歷史教訓是，以軍事方法已無法支配亞洲殖民地統治，但是資本與越戰並行，在某一面是以他們的作法先汲取越戰的歷史教訓，以提高國產化率的大義名分下與採取多國籍企業的型態加入令人垂涎的佐料，巧妙地嘗試著新的關聯。

　　長洲：越戰教訓的話出來了，仍然是把大國的意志強加於人，已無效了。民族的事，是該民族自己負責任之外別人無法負責。也就是民族自決的權利被確立此事有了教訓。

　　日本是當然，要承認民族自決的權利，所以日本做為民族不是可以為所欲為，而是自己和他人共認此權利之後，做為日本人如何去與他民族牽連，或如何不可牽連，應做什麼、不應做什麼，為應負的責任做決定而努力，不然是不行的。

　　我說「援助是負責到岸邊，過渡到對岸之後則是對方的問題」，一看是很不負責任的講法但我勉強說了，就是這個意思。亦即對南越兩個政權的只援助一方，決定不要只援助阮文紹政權，而決定援助今後應會成立的全國協議會──這是日本方的問題，負責做下決定，剩下的就是越南人的問題。

　　而且越南的情況，我想是正在形成接受日本的援助但不會變成突兀的政治干預，好好建設國家的主體。

　　鶴見：回到開頭的話題，我以為越戰的教訓是中國的亞文化圈所生出的「抵抗型」首例，亞文化圈之中的抵抗也可以成功的。日本的成功是「接受型」，在亞文化圈之中，過去只有日本的成功案例，所以越南的成功值得注目。

可是，越戰是否是越南人方面的完全勝利，美國也許會說不是，現在不能斷定地說。毋寧是戰場的勝負，被繼續到越南的經濟發展，或是政治鬥爭的場地，在此競技台上，越南民眾與美國資本都信心滿滿地正在登場。這就是越南的現況。

戒嚴令的相繼發布──衝向新的動盪

　　戴：後越戰的情勢使亞洲各地發布戒嚴令，軍事政權的成立引人注目。鶴見先生剛看了其中之一國菲律賓回來，您如何看此現象？

　　鶴見：季辛吉、尼克森的訪中，日中邦交與此差不多並行的是在東南亞各地出現對國內的緊縮政策。前年〔1971〕11月泰國發生他儂政權的武裝政變──當地稱之為無血革命──接著去年9月21日在菲律賓發布戒嚴令，然後不到兩個月韓國也發布戒嚴令。

　　從世界性地看，美國與社會主義政權的對立，也就是說以二強國結構所造成的國際關係的瓦解有很大的關係。亞洲現在的軍事政權，施行戒嚴令各國的大多是從屬於二強國之一的美國，在美國所築構的結構之中執行政治，維持政權。

　　然而結構開始瓦解，以共產主義為敵維持下來的政權，必要從美國的一方把支持基盤轉移到自國的民眾。本來是要重新選舉，但將此縮短突然以強權把結構加以改造，可想作就像剛才所說韓國、菲律賓、泰國等所發生的戒嚴令或武裝政變的本質。

　　不過，若是試著在當地問泰國人、菲律賓人這個問題──那

個人是真正的泰國人嗎？這樣被反問的話，又變成是前面所說的
「誰是泰國人」的問題──是有這種泰國人與菲律賓人存在。例
如某菲律賓人說「腐敗到這個地步，在街上的搶劫這樣多，如要
去除這些需要有強而有力的政權」，就是說似乎非常期待強大力
量的獨裁政權。

　　那麼，此戒嚴令或所有發動強權的政權能否永續，我覺得是
不能。因為從上的緊縮很勉強，我想不久就會鬆懈，與其說在政
權內部又會發生武裝政變，不如說在哪裡會鬆懈。總之是對美國
與社會主義政權對立結構瓦解的國際關係，而慌張對應的亞洲現
狀，因此我想是不能長期持續的狀況。

　　長洲：美中、日中接近、越戰停戰等，緩和亞洲緊張的條件
變多，反而在亞洲諸國的戒嚴令繼續出現的現象，對於普通的日
本人是很不能理解的，其實是大國間的緊張緩和了，大國也開始
體認到軍事介入的愚蠢，但是在大國保護傘下生存下來的諸國，
反而在其內部關係變緊張。

　　大國間的緊張緩和了，那麼小國──說小國或許會被誤會，
所謂大國以外的諸國內部的緊張也隨之緩和，容易被單純地接
受，但是亞洲的情形是沒那麼單純的。

　　越戰，我想也有越南內部的政治對立、階級對立的一面，以
越南為先驅，亞洲諸國內部也有對立的火種，越戰停戰，火種不
但未熄滅反而燒得更旺。亦即亞洲包含越南在內進入變更現狀的
時代。而戒嚴令繼續發布的現象，也可看作是變更現狀的時代潮
流中所發生的事件吧。

　　因此，日本以越戰終了、日中恢復邦交、美中也開始接近，

而僅以樂觀地觀察之而掌握亞洲，是嚴重的錯誤，反倒是要去思考與內部火種壯大的亞洲如何交往。

　　戴：戒嚴令與武裝政變的背景有越戰的影響。那是在越戰與美國打仗的越南民眾的民族主義或變革的意志，鼓舞各國民眾的民族主義與變革的意志吧——像是恐懼的東西至少影響了現今政權。在自己國家內發生「越戰」就不得了，有這種憂慮，因而做為預防措施的武裝政變或戒嚴令有這種性格。

　　而且這樣的政權誠如鶴見先生所說，僅依賴美國是不夠了，因此要以自力綁緊內部，另一面是做為「圍繞中國新情勢」的對應策略。

　　換句話說，像美國與日本，本來是圍堵中國主角一樣的國家都要與中國交往，搞不好東南亞諸國會被美國與日本置之不理。而且這些國家內部，包含有所謂華僑的華人系住民，包含中國商品的中國的衝擊，特別是建國的作法等思想的影響，因為與中國的距離處於不能忽視位置的諸國。以往與美國、日本一起做無視中國的外交或設計經濟計畫表姑且撐過來，今後已行不通了。需要以某種形式與中國交往。為了與中國交往，以脆弱的權力去交往對內部的體制方是危險的，沒有強權則不能維持一直以來的體制——我認為也有著這樣的背景。

　　鶴見：就是說為了對應新的狀況，需依賴獨裁政權的舊手段的地方。

　　越戰終了，從此亞洲也就安心，但情況並非如此。在這樣的亞洲狀況，加上美國與日本資本的動向，毋寧說從此亞洲的變動更為劇烈。

　　長洲：和平的印象，已開發國家的情形是「請安靜」，不嘈雜即是和平。這是消極的和平，現狀是已開發國家優勢，所以維持現狀不改變是和平。然而亞洲對「請安靜」維持現狀的和平，因為現狀不幸福，沒有先進國所期望的那麼有魅力。理想的是變更現狀的創造性和平，積極的和平。

　　靜靜地維持現狀，不刺激火種——此種和平對日本人也許是和平，但其他的亞洲人則不能忍受那種消極的和平而有所不滿。

　　有錢人掌握政權的國家，那不滿很強烈地出現在底層的民眾。因為越戰，底層的民族主義也許獲得了「我們也可以做」的勇氣。

　　三浦昇：越戰停戰後，日本人歡喜地認為「和平了」，而與「請安靜」的和平願望相左，也就是說亞洲各國的變動會持續是嗎？

　　戴：菲律賓、台灣、印尼、新加坡都在加強管制，只是「請安靜」一事好像是不能解決的。

　　總之，用別的講法就是採取軍事型態、以南邊的有錢人為主流的權力，以往是在美國等的保護傘之下，志向西方近代化的國家建設，但可以說，伴隨後越戰新情勢的展開，他們也進入新的階段。

被堵住退路的日本

　　長洲：即以日本人來說，與日本的尊王攘夷、明治維新、條約改正相似的內部變革的動向在東南亞諸國出現。日本人愛自誇

對自己國家的變革——明治維新或條約改正，但是怕在亞洲發生。如很容易對泰國發生的排斥日貨起過度反應。

但是在亞洲「請安靜」是行不通的。恐怕不變更現狀就沒有積極的和平。又亞洲沒有和平，亦即沒有積極的和平，依賴貿易的日本就沒飯吃，有必要自覺是這樣的民族。

戴：泰國的情況是，日本的反應也許有過度反應的一面，工業製品排擠的衝擊是間接的 ，如果東南亞諸國改變態度，不願向日本輸出農產品與資源，那麼事情就嚴重了。各國內部變革的過程也存在可怕一面的可能性，日本的各位應該有所認識。

鶴見：日本的從哪裡買來材料就把商品賣到哪裡的結構今後也不會變，即便是共產黨取得政權此點也不會變。

以未來學的講法來說，與日本同樣是資本主義國的美國，在各國有內部變革，發生使美國海外投資全部停止的事情，餓死的美國人大概非常少，但是日本遇到同樣狀況，就會發生非常多的餓死者，會有2,000萬人吧。

長洲：估計可用自己國家的資源維持下去的國家，也就只有美國、蘇聯、中國、EC（歐洲共同體）規模的西歐吧。

鶴見：東南亞大概也可以。沒有工業化，所以只有吃的部分是可以自給的。

長洲：大陸型的國家靜悄悄不作聲可以生存。但是日本就是靜悄悄也不能生存，江戶時代還可以，已工業化到如此程度已不行了。日本在此意義上絕對不能回到封閉的系統，只有開放的系統才有未來的國家。可能的退路都被切斷，日本是在世界史上第一個在做這種實驗的國家，只有日本一例。所以日本人想長久繼

續生存下去的話，周圍需要積極的和平，而不是包含欺騙人的
「請安靜」的消極和平。

本文原刊於《中日新聞》，1973年4月2日，第9頁；4月9日，第9頁；
4月16日，第9頁；4月30日，第9頁。為「討論・七○年代の英知」專
題座談紀錄

追尋民俗學大師之路
——柳田國男與柳宗悅座談會

◎ 李毓昭譯

與會：有賀喜左衛門（社會學家）
　　　戴國煇（亞洲經濟研究所）
　　　宮本馨太郎（立教大學教授）
　　　谷川健一（評論家）

一、未開發的遺產、大正時期

對民眾關注的黎明

　　谷川健一（以下簡稱谷川）：今天請大家齊聚一堂，目的是討論「柳田國男與柳宗悅」這個主題。

　　民俗學當然有一個不能不處理的「物」的問題。在這方面，柳宗悅〔譯註：1889～1961，日本民藝之父〕在日本現代留下名為「民藝運動」的大工作。此外，澀澤敬三〔譯註：1896～1963，曾任日銀總裁、大藏大臣的民俗學者〕對「物」的處理雖

然有若干差異，但也扮演了重要角色。此次主題雖然是「柳田國男與柳宗悅」，但也要請大家談談澀澤敬三的工作，討論這三個人所擔負的角色。柳田國男、柳宗悅和澀澤敬三都曾從事國際規模的重大工作，以日本人來說非常罕見。當然，他們的視野也擴展到日本周遭的民族，還涉及朝鮮、沖繩、台灣，或愛奴、千島等地。在我認為，要從此三人的工作中汲取什麼，是我們現在的一大課題。

柳田國男〔譯註：1875～1962，曾獲頒文化勳章的民俗學者〕是在大正10年（1921）前往沖繩。折口信夫也是在該年夏天去的。接著柳宗悅牽涉到朝鮮的獨立運動事件，那是三一事件是吧！他是在1919年，也就是大正8年，說出關於此事的感想。然後我們從有賀先生的大作可以知道，澀澤敬三也是在大正10年，在稱為attic museum的閣樓房間裡，開始蒐集生活用品。可以說，每一位大師都剛好在大正末期展開工作。我是在大正10年出生的，現在回顧過去，那些事情已經過了半個世紀，但他們的工作至今仍如同一個大的問號豎立在我們之前，所以今天要請大家來暢所欲言。

那麼，有賀先生是在什麼時候認識柳田先生的？比起澀澤先生，您與哪一位的關係比較深？

有賀喜左衛門（以下簡稱有賀）：說到比較深的關係，開始是柳田先生，而不是澀澤先生。那是在《民族》創刊前不久。先去拜訪他的是岡正雄，我是在岡的介紹下，去牛込的加賀町拜訪他家，那時候應該是大正12年。

谷川：剛好是他從日內瓦回來之後吧。

有賀：可能就是那時候。

谷川：當時的柳田先生差不多50歲。

有賀：我和柳田先生就是這麼認識的，而認識柳先生又更早了。我在大學時代就去找過他，那時是大正8年。我在大學念美術史，卻覺得學校裡面沒有讓我心儀的人，就經常去找柳先生，從他那裡學到很多。所以我認識柳先生比認識柳田先生還要早。

谷川：您那時候就在研究朝鮮美術嗎？

有賀：剛開始我有興趣的是希臘美術，但自從認識了柳先生，就深被朝鮮藝術所吸引，打算研究朝鮮的佛教美術，但是後來又迷上李朝的陶瓷器，而開始去思考朝鮮人的生活。這就是我在後來走向民族學和民俗學的契機。不過，這是我個人的事情，與今天的主題無關。

谷川：不，我對這方面也很好奇。當時的人對朝鮮美術之類不太有興趣吧？

有賀：雖然在茶道方面，例如高麗時代的朝鮮古董茶碗在茶人之間已經受到重視，可是李朝陶瓷器之類的東西，在茶人眼中只是粗俗貨，完全得不到好評。柳先生卻不認為那是粗俗貨。所以李朝的東西非常好是柳先生第一個說出來的。後來慶州等地的佛教美術因為關野貞博士廣泛的調查而廣為人知，但其價值——朝鮮的特色——還是柳先生最早給予正確的評價。當時我的大學教授對於我把朝鮮藝術當成研究對象是不給好臉色的。慶州佛國寺的塔和石橋都很出色，慶州附近的路邊和山谷也有好幾座饒富趣味的石佛。另外，佛國寺旁邊有一條登上吐含山的小路，半山腰上就有一座石窟庵，可以在那裡俯瞰日本海。從六朝式的石佛

到新羅時代〔西元前57～西元935年〕的石佛那裡都有。新羅時代差不多是日本的奈良時代〔710～794年〕，石窟中間有一座釋迦牟尼像，是精美的圓雕。其他佛像則是以浮雕一片片鑲在壁面上，所以是花了相當長的時間製作的。據說石窟入口有個設計，在春分這一天，太陽從海面上升起時，第一道曙光會射在釋迦臉上。這個地方棒極了。

谷川：現在也有人在朝拜「石窟庵的日出」。

有賀：我是在大正10年去的，那時雖然該修的都修好了，不過又重新整修，工作人員讓我住在工寮。那時我還在慶州市的照相館發現石窟庵修繕之前的照片，就請照相館讓給我，到現在還保存著。在那張毀損狀態下的照片中，石窟裡的光線充足，拍得很清楚。不只是釋迦，連同其他菩薩和十大弟子都非常精采。我最激賞的是那些作品顯出的特色和中國唐代或奈良時代的佛像完全不同。例如衣紋線條流暢，柔美得彷彿水流，而且是用花崗岩雕成的。花崗岩這種石材又硬又脆，很難用來雕刻，卻能夠雕得非常漂亮。朝鮮的石工實在靈巧。那些作品充分反映出朝鮮的特徵，實在很棒。那時柳先生已經寫過這方面的文章，而像巴納德・李奇（Bernard Leach）也去看過，在文章中以「China-form, Korea-line, Japan-colour」來描述那些陶瓷器的特徵。雖然我有些質疑能不能說得如此簡略，但朝鮮藝術的特徵在於線條也是事實。朝鮮和日本在某種程度上很相似，中國的陶瓷器包括古代的青銅器在內，樣式都是厚實穩固，多半是莊嚴的形狀。較晚時期的即使顏色比較柔美，形狀也是四平八穩。具有穩定及嚴正的作品極多。至於朝鮮，就出現相當多變形的，尤其是李朝有相當多

這類作品。不知道日本是否受到了影響，日本人喜歡變形，而且更做作。看茶碗就知道，釉色多半複雜，比較少中國那種清澈的顏色。

我要說點題外話，自從中華人民共和國在戰後建立，不就經常有人說中國是原則之國嗎？中國非常重視原則，例如有復交三原則、和平五原則。我認為中國這個國家自古以來就忠於原則，像青銅器或陶瓷器的形狀就給人這種感覺。儒家的禮教也是這樣，在生活中建立一定的原則，奉為圭臬。王朝經常更替也是因為要奉行易姓革命的思想，貫徹天子不可違背天命的原則。我不能不感到中國就是有這種文化。

在這方面，日本雖然也會制定原則，但實際上並不會太堅持。我在看了很多佛像和種種藝術品而有了感想，以三個國家在同一時代（唐、新羅、奈良）的佛像來說，差異相當大。究竟這些差異是從哪裡來的？我最後得到的結論是，那是根源於庶民生活。朝鮮從北部的平壤到南部的慶州我都去過，中間地帶山中的寺廟也看過了，不注意人民的生活是無法知道此中所以然的。

當時我當然會想去比較三個國家的佛教美術，回國後也試著寫了朝鮮的美術史，可是比較這件事相當吃力，不去研究從底層人民到菁英的生活，就很難掌握。我連日本都不了解，怎麼可能去了解朝鮮或中國呢？後來也著手研究了中國古代或西伯利亞的巫醫（shaman）。朝鮮當然也有巫醫，我忘了當時是否是柳田先生說的，日本的神道就是一種巫術（shamanism），這種看法在那時就有了。可是如此一概而論的說法是否適當，我非常懷疑，因而想要分別研究朝鮮、中國和西伯利亞的巫術。由於是從這裡

切入的，所以我是先走上民族學，而不是民俗學。

谷川：您起先學的是美學，難怪有強烈的美術觀點。

您認識柳田先生以後，受到的最大影響是什麼？

有賀：應該就是柳田先生當時特別著重的事，也就是研究日本民間的生活。柳田先生在那之前看了大量的古書，經常在說，年輕人光看書沒有用，必須去做調查。當時有一種奇怪的風氣，認為年輕人不必看書，只要做調查就行了。大部分的人都沒有注意到，柳田先生可是看了不少書。我起先也覺得可以這樣嗎？而終究聽柳田先生的話去做調查，可是柳田先生在寫登在《鄉土研究》雜誌上的論文時，都會翻閱大量的古文獻。當然他也有看過一般歷史學者不會看的書，但也看了很多所謂的正史史料。他確實博學多聞，卻口口聲聲說我們不需要這麼做。我自己思考過後覺得實在不妥，古書還是不能不看，何況我也想藉著古書來研究歷史，民俗學方面的研究也非做不可。

總而言之，柳田先生對「常民」的思考，以及試圖揭開日本文化在其中的最基本的型態，都讓我留下深刻的印象。由於我是鄉下人，很快就產生共鳴。當時正好有一股大正民主的思潮，我因此受到很多文學和思想上的刺激。普通人的生活向來不曾在歷史上受到關注，我當時對這一點很反彈，所以覺得這方面非好好探究不可，而想要把柳田先生當時最關心的問題全部納為己有。

谷川：宮本先生也是差不多在大正10年認識柳田先先的吧？

宮本馨太郎（以下簡稱宮本）：那是在發生關東大地震後不久，柳田先生特地去找我父親（宮本勢助），說他想在《爐邊叢書》中加一本研究「山袴」〔譯註：日本農村婦女勞動穿的縮口

長褲〕的書。而且在剛才有賀先生提到的牛込加賀町家裡舉辦研究會，問我父親要不要參加。當時我雖然才念中學一年級，卻和父親一起去柳田先生家，在旁邊聽先生說話。從此以後，柳田先生有事就會找我，我也常常去見他。

谷川：研究會有沒有名稱？

宮本：那時是怎樣呢？在加賀町聚會時？

有賀：我想沒有名稱。

宮本：是沒有。可是每個月一次，或幾次聚會。我知道中山太郎先生住在本鄉弓町，我父親會和他一起回家。

有賀：宮本先生的父親勢助先生，還有中山太郎先生、伊波先生，以及金田一先生、折口先生、早川先生、岡先生等人都有相當的學識，我則是什麼都不懂，只是在場旁聽。可是宮本先生的父親他們真的講了許多有趣的事。

谷川：那時您父親在做什麼？

宮本：研究風俗史、民間服飾誌。

有賀：因為是民間服飾，當時都沒有人研究。

宮本：柳田先生並沒有親自研究「物」。他是在語言的範圍內處理「物」，也曾在《月刊民藝》的座談會上（1940年4月號）說：「我們其實也可以多看一點實物，可是這樣很容易入迷，所以我是以圖片或照片來克制自己的。」

柳田先生絕不是沒有關心，因此那時大概也是想要實際進行研究「物」，或想把「物」引導出。他才特地去找我父親吧。他雖然自己忙不過來，但應該還是認為有必要研究「物」。

谷川：您見過柳先生嗎？

宮本：有，昭和11年民藝館落成時，我陪澀澤敬三先生接受邀請，在參觀完後，接受柳先生夫婦在民藝館對面的家裡的款待。那時澀澤先生跟我介紹柳太太，說她是有名的聲樂家柳兼子。那是我第一次見到他們。

谷川：我要講的事或許前後顛倒了。我覺得昭和15年《月刊民藝》四月號的座談會上，非常清楚地指出「民俗學與民藝的問題」。針對這個問題，柳田先生和柳先生都各自確認了自己的立場，當時的主題是「物」與「心」。好像將這些當主題。我要先引用其中一段：

> 式場隆三郎（以下簡稱式場）：例如語言的問題，我們之所以要蒐集各地的方言，原因是方言保有比較古老的語言，可以藉之了解過去的語言形式，還是因為要以各地的語言去彌補目前我們稱為日語的語言，藉以強化現在的日語呢？換句話說，民俗學這種學問是為了了解過去，還是為了對現在或未來有幫助？
>
> 柳田國男（以下簡稱柳田）：當然民俗學是正確掌握過往歷史的學問，所以未來並不在我們的研究範圍之內。我雖然常針對國語的未來發表意見，但這並不是在我的民俗學範圍。我除了是民俗學者之外，也是普通人，所以會有那些意見。也就是說，我是以一名愛國者的身分表示意見。或許民俗學對我這麼做有幫助，但不是民俗學直接的目的。因此以我的工作來說，對國語政策發表意見可能會招致誤解。
>
> 式場：這麼說，民俗學並沒有包含直接的文化行動性。

柳田：是的，沒有那個部分。雖然現在的歷史有討論未來或現代人的心理，可是在我們看來，這麼做並不是歷史學的方法。歷史學家同時也是愛國者，也有像政治家那樣的思慮，才會把歷史知識拿來應用。我們只要正確地陳述事實就夠了。

柳宗悅（以下簡稱柳）：換句話說，民俗學是以經驗學的方式存在。

式場：這麼一來，民俗學和我們的民藝就有很大的不同。柳先生有什麼想法嗎？

柳：在我認為，與其說是經驗學，不如說屬於規範學。我們的使命不是討論現在如何或曾經如何，而是要去接觸該如何的世界。民藝與民俗學的差異就在這裡。

柳田：這裡的差異很清楚，我們這邊就沒有這個部分。

柳：所以如果朝向民藝，就重現價值論，而是變成和美學等有關係。

柳田：的確是這樣。

式場：那麼民俗學和考古學的關係是怎樣的呢？

柳田：最大的差異就是處理的對象是無形還是有形，有沒有物體存在。所以從我們的觀點來看，您們研究的民藝比較接近處理物體的考古學。

柳：這只是純粹從處理物品的層次來說。

柳田：對於實際的物品，我們確實會蒐集照片或素描，但只是一種補助方式，主要是在語言無法說清楚時才拿出來看而已。

式場：柳先生，那麼考古學與民藝有什麼關聯嗎？

柳：在涉獵大量文物方面，兩種學問很像，但畢竟考古學比較

沒有規範學的性質，不必另外討論價值論。

柳田：可是考古學也有接近美術史的地方。如果年代久遠，服裝也可以包括進去。研究考古學的人對這方面也興致勃勃，可能的話也希望把文物保留到未來。可是考古學大概不會像您這樣明確地表示是規範學。

柳：我們民藝這邊總是與未來性的問題有關。

柳田：可是請教柳先生，您相信現在民藝館所蒐集的古董工藝品，會在以後的時代以新民藝的面貌出現嗎？

柳：我們相信這些古老民藝品中包含遲早會在未來出現或非出現不可的部分，而進行現在的民藝運動。（引自《月刊民藝》，之一）

學問的起點、同情心

有賀：我在為《日本常民生活資料叢書》第一卷（三一書房刊行）寫序文時，仔細看了這一段，這兩個人在座談會上的談話很不投機。我是說，柳田先生對民俗學的說明實在奇怪。他說民俗學只是在探究古老的事物，可是我看了他寫的很多東西，他其實並沒有這個意思。我覺得他也是認為要好好掌握日本文化的傳統，研究如何使它對日本今後的發展與國民的幸福有幫助。這麼一來，在本質上與柳先生對民藝的想法幾乎是一樣的。可是柳田先生在那時並未對這一點多加說明。

宮本：柳田先生在這個座談會上只是極端地強調歷史的立場，柳先生則是藝術的立場。

有賀：藝術的立場但是以實踐運動來思考。另一方面，從柳田先生確立民俗學這個學問的層面來看，當然與實踐無關，但是柳田先生不斷地思考的事也有實踐的問題，因為他提到了國民的幸福。這在座談會上卻完全沒提到，所以柳先生並不了解柳田先生真正的想法，只能從柳田先生的說明去思考他的民俗學。

谷川：依我看來，柳田先生把研究者和實踐者的立場分得很清楚。以一個人只做為一名研究者的立場，這就可以了嗎？至少柳田先生自己是覺得有疑問的。戴先生，您看過之後有什麼看法？我覺得這兩位不同的立場也表現在對朝鮮、台灣、沖繩等想法的差異上。

戴國煇（以下簡稱戴）：我是完全外行。今天是抱著能見到有賀先生的期待而來，畢竟我們有十五、六年沒見了。

剛才看了座談會的紀錄，我也覺得很有意思。最有意思的是最後的沖繩問題。現在還沒有談到。還有，柳田先生強調的歷史部分，除此之外還有像有賀先生所說的，在座談會上沒有明說的東西。在這方面，東畑精一先生曾簡潔地指出柳田先生的方法論特徵：「柳田先生做學問的態度是盡可能直率地逼近客觀物體與其動向，以及各種相關的實體來理解是他做學問一貫的態度。他的作法是讓事物本身自己發聲，其現實主義、實證精神在此處強力運作，鮮少有意識形態、幻想介入的餘地。而且完全排斥從事物的定義出發，限定妥當範圍的作法。」（《農書中有歷史‧身為農政學者的柳田國男》〔《農書に歷史あり‧農政学者としての柳田国男》〕，頁85）

然而座談會之前，編輯部的人從金關先生那裡得知，柳先生

098 戴國煇全集 21 ◆ 採訪與對談卷四

曾在寫給金關先生的信上說，柳田先生還是沒有為島民的福祉著
想。而在《民俗台灣》的座談會上，他的發言（第3卷12號，昭
和18年12月）也多少讓我覺得有這種面向。

　　谷川：具體上是什麼樣的座談會呢？

　　戴：座談會的名稱是「關於柳田國男」，參加者除了柳田先
生之外，還有金關丈夫先生、中村哲先生、橋浦泰雄先生，而前
幾年去世的岡田謙先生也出席了。看了這場座談會的紀錄，我覺
得柳田先生雖然沒有在《月刊民藝》的座談會上提到有賀先生說
的部分，但如同他經常掛在嘴上的話：「我本來是政界出身的
人，有強烈的名利心……。」從他這番話聽得出來他一方面有強
烈的意念，「想要把民俗學變成實用的學問」，另一方面又有禁
欲的一面，重視實態調查，用事物來說明，盡量不摻入意識形
態。柳先生寫給金關先生的信中，對柳田先生的批評如果正確掌
握了他的某個側面，那麼《月刊民藝》的座談會上，應該多少顯
現出柳田先生這種思考傾向。例如柳田先生一方面非常積極地談
論未來，一方面又拚命表示他很重視歷史，然後又說他排拒做為
歷史的現代、做為歷史的未來。只是那確實是在昭和……

　　編輯部：昭和15年4月。

　　谷川：剛好是沖繩方言論戰的時候。

　　戴：是嗎？我以為是他在昭和25年前後的發言，這很有趣，
我覺得是值得注意的發言。讓人深感興趣的是比嘉、柳、柳田、
式場四位先生關於沖繩方言論戰的發言，從其中可以看到相當具
有現代意義的部分。我要唸出其中重要的部分，請各位參考：

比嘉春潮（以下簡稱比嘉）：各位對琉球語的評價，是否因為琉球工藝有很大的優點，才會在衡量其語言在日語中的價值時，做出有點高估的評價？

柳：我們只是剛好提到琉球語的問題，才以其語言為基礎，我們的意思是必須去重視地方的文化價值。並不只是針對語言，到目前為止，沖繩人和縣府的人在判斷沖繩具有的文化價值時都語焉不詳，沖繩人自己也往往缺乏自信。如果有機會向沖繩人喊話，就會希望沖繩人能稍微提高自信。我認為那是所有一切問題的基礎。縣府現在對沖繩人、沖繩文化的態度都不夠尊重。

比嘉：縣府是有這種傳統。

柳田：我的想法是，像沖繩本島、宮古、八重山等地的語言都有差異，如果要統一語言，就不能再以任一個地方的語言為主，譬如不能硬要宮古島的人說首里那霸區的話。這也是獎勵宮古人和八重山人說普通話的原因之一。另一個原因是現在他們到外地去時，會因為不會說普通話而被看不起。到了外面就要和外面的人說一樣的話又是一個原因。教以後要去外地的青年說普通話沒什麼不好，可是為了讓他們說普通話，連老先生、老太太說沖繩話都不行，說穿了這只是官員為了迅速完成任務而犧牲了所有人。有什麼必要教住在島內的人只說普通話呢？還有一點，如果要用標準語來統一，就必須提供他們能表達所有情感的標準語。沖繩的標準語除了課本之外都不夠好，地方出身的老師多少有所不足，根本無法充分表達沖繩整個文化。所以我們做廣播節目時，要在語言上多做變化，讓以前無

法聽廣播的窮人也能自由收聽，給他們方便。提供一些語言，讓老人家、小孩也能經常使用。

總之，那種方言牌的作法，也就是說了方言的人要拿著牌子去找其他說方言的人，把牌子交出去才可以卸除責任的制度，眞的必須快點取消，而且要教導官員採用比較妥當的獎勵辦法。

式場：對於此次的沖繩問題，我的想法是要關注鄉土的東西，沖繩人完全無視於鄉土與文化。文化的方向沖繩人完全被堵住。或者可以說，沖繩的文化人深深以爲像這樣對鄉土遮住眼睛才是夠文化。這是我們此次最想要反對的。

柳田：本來那霸人就很膚淺、權宜主義，就像日本人在明治初期對外國文物的態度。我們差不多是在大正時代中期就注意到這種態度了，所以我對各位拐彎抹角地說，必須反省整個日本可悲的外國崇拜。這位比嘉君也是當時的聽眾，那種想法似乎愈來愈強，沒有減弱。

式場：聽了許多人對此次問題的意見，幾乎每個人首先說的就像剛才柳田先生的發言，沖繩人現在就像內地文明開化的時代。目前居於沖繩文化領導地位的人，應該要知道內地許多識者對他們的態度有如此的看法，應在此後深切反省。

柳田：他們想必在害怕吧，擔心跟不上中央，沒有多餘的心思去認清自己的優點。

式場：這種問題不只限於沖繩，任何地方都可能發生，但是在沖繩特別明顯。

柳田：是啊。（引自《月刊民藝》，之二）

　　在我個人看來，以上四位的發言提到的不僅是現今的日本，也包括正在進行現代國家建國運動的東南亞各國所抱持的制定國語＝語言民族主義的問題、尊重地方文化與文化創造、方言的問題，尤其是在共有多元文化、多元民族、多元價值體系下進行建國運動時重要的切入法或問題觀點。

　　先撇開這些不談，我想請教有賀先生。柳田先生在那場座談會上，拚命界定自己的框架，一直不想從那個框架離開，讓我有點懷疑，他在《民俗台灣》的座談會上有多真實。柳田先生說：

> 我本來是政界出身的人，有強烈的名利心，但又覺得不對統一大東亞圈做出貢獻是不行的。可是對待原住民的方式必須因地而異，沒有一定的共通原則。這樣說也許不好，但不能只讓民族學研究所的各位去做。我覺得應該要讓多了解國內舊思想者態度的人，也在那邊做。其實華僑、文化馬來人等問題依常識去處理就可以了，也許無知的日本人數不多，但對於完全不接觸外界的人，以日本人的無知情況去做，可能會弊害叢生。接觸時一定要抱著自己原先也是這樣的同情心才行。

　　這段發言或許可以說有微妙的心理作用，一方面指責日本人的「驕傲」，以及在處理占領事務時的無知，一方面又覺得必須對大東亞共榮圈的統一、占領事務做出貢獻。我不知道這番話能不能全盤相信，所以要請有賀先生指點。

　　有賀：《民俗台灣》的座談會是在哪一年？

　　戴：昭和18年10月。

有賀：如果是在那時候，還是會說出那種話。

戴：所以他是故意這麼說，事後才自己更正說：「那時說得有點過火。」我對這方面的微妙心理非常有興趣。當然我不會百分之百相信他這些話。

有賀：我覺得座談會畢竟是公開的場合，要違反時勢非常困難。

戴：實際上，《民俗台灣》刊載的座談會紀錄有一部分是印刷成空白的，大概就是為了迴避檢閱。以接受殖民統治的立場去看剛才唸出來的柳田先生的發言，尤其是結尾，我覺得能在那種時期提出這樣的意見是非常可佩的。

有賀：雖然那是因為時勢不能違逆，才擺出來的某種姿態，但柳田先生還是很敢說話。像民族研究所的人、東亞社會研究會的成員，之前就對比較研究躍躍欲試，等到時勢變得比較能夠著手了，就拚全力去做。所以他的想法和大東亞共榮圈是不同的。我以民族的個性為問題。

戴：應該說是順應時勢或利用機會，但要裝裝樣子，如果沒有某種程度的利用時局加入，就會惹上麻煩……所以我覺得要在今天的座談會明確指出這一點，以便對此後的年輕人有幫助。所以提出來。

經驗科學與規範學

谷川：柳田先生去台灣的經歷出現在《故鄉七十年》中。那是他年老之後敘述的回顧，裡面有些可以介紹的資料。他是在大

正6年去的，繞了台灣一圈，去到高雄以南，然後折回台北。當時那裡的人為他開了歡迎會。他以一段非常長、類似太平樂的演說做為序文，然後在本文中作了六首和歌。和歌的背景是當時才剛發生的「生蕃」叛變，有許多人被殺。他似乎對這件事印象深刻，想要趁機抒發悲情，而作了和歌「大君在上，應已知草民之歎」——天皇當然會知道吧。他這一唱使全場鴉雀無聲。他說是故意讓所有人安靜下來的。為什麼呢？因為他住在東京，很清楚大正天皇不會知道殘殺生蕃的事。他知道這件事沒有進到大正天皇耳朵，才使用反話，吟出天皇大概知道這件事。他事後回想說，那時的自己大概是年少輕狂吧。所以柳田先生也是去了台灣等地，在那種事發生時，受到很大的衝擊，而在七十多歲撰寫回憶錄時，出現這樣的敘述。

　　柳田先生和柳先生的差異是，柳田先生的研究停留在歷史階段，柳先生則是把研究做為規範學，挑出符合正統美學的精品。

　　戴：他也清楚說過要與未來連結。

　　谷川：　我覺得兩人在這方面顯現非常大的性格差異。柳田先生雖然記掛著日本人的幸福，卻不老實說出，而是透過自己所經驗的學問表達。相較之下，柳先生說話非常率直，想到什麼就說什麼。兩個人有這麼不同的氣質。有賀先生與這兩人接觸時，對他們的個性有什麼感覺呢？

　　有賀：他們雖然有個性上的差異，但柳田先生確實想要確立民俗學這種學問。即使有年輕人想要用「民俗學」這個名詞，老師也無法認同，因為明明還弄不清楚什麼是民俗學，那種想出風頭的態度是要不得的，而自己頑固地保守「民間傳承」。除了對

年輕人的態度感到不舒服之外，他也是因為大學講壇史學向來蔑
視這方面的研究，基於長期的對抗經驗，試圖以強大的氣魄，藉
著發掘與蒐集「民間傳承」的資料，用事實給講壇史學眼色看。
這一點也是不能忽視的。

　　《民族》停刊後，雖然有年輕人創辦《民俗學》雜誌，柳田
先生卻完全不參加。這些年輕人抱持的態度是，用「民俗學」不
錯啊，反正沒別的名稱，只要內容充實就可以了。柳田先生的內
心應該也是想要用「民俗學」，因為「民間傳承」這個用詞並不
適合當成學問的名稱。我不是說年輕人和柳田先生之間對方法論
有不同的看法，而是說年輕人在柳田先生面前很難自由發言，他
們想要盡情發揮的成分是比較大的。

　　至於柳田先生對民俗學的看法，我認為他是在考慮如何把日
本民俗學放進民族學（ethnology）裡面，雖然有學術目標，卻無
法順利達成，而自己一個人煩悶不已。柳田先生想要確定民俗學
為一門學問的渴望加上他的性格，才會與年輕人發生種種摩擦。

　　柳先生是個隨和的人，給人什麼事都可以找他商量的親切
感，也可以自在地在他家出入，不會關起大門。他以溫暖的眼光
看待朝鮮，因此對朝鮮問題非常投入。他有非常優秀的直覺，高
度的美感。我想那與虔誠的信仰有關。他就是以這種眼光，從民
眾之間被以為的粗俗貨中找出健康的工藝之美，然後冠上民藝
（民眾工藝）這個新名稱。這真的是新的美的發現。結合美和他
力信仰的論述就是柳先生的獨創。柳田先生也許有祖先信仰或對
諸神的信仰，這方面似乎與柳先生很不一樣。在《月刊民藝》的
座談會上，如果兩人談得非常深入，當然會出現歧異。然而，當

時的談話並沒有深入到那種地步，只停留在粗淺的話題。不過我覺得柳田先生應該要更親切地把他對民俗學的真正想法告訴柳先生。正因為他沒有，柳先生才會在粗淺的層面上就覺得民俗學與自己的民藝大不相同。

如果柳田先生能藉著這個好機會說出他以民俗學、民族學為基礎的抱負，柳先生當然就會明白，民俗學比他所以為的更接近民藝。不過兩人如果談得更深，還是會格格不入的。

戴：他們的對話真的讓人覺得可以深入一點。再引用一段看看：

式場：柳田先生從事的是「民俗學」，還是「土俗學」呢？

柳田：土俗學這個名稱讓我們很困擾，因為土俗學難免會讓人聯想到「土民」，所以我們不說土俗，使用的詞語是「民俗」。可是說到民俗學，又很容易與日語發音相同的「民族學」混淆。

柳：民族學主要是在研究原始民族嗎？

柳田：是的，野蠻人或半開化的人。但如今想要在日本研究民族學的話，就只能看書了。我們的民俗學全部要從觀察開始，書本只是用來補充不足，所以方法的出發點不同。

柳：大山公爵說他研究的是史前學之類的。

柳田：那應該算是人類學的範圍。人類學可以分成體質人類學和文化人類學，他研究的應該是屬於文化人類學。不論國內外，主要是在研究物件，和考古學很接近，所以與我們的立場不一樣。

式場：我拜讀柳田先生的書，裡面提到非常多語言的問題，那也有方法論的意義嗎？

柳田：多少有這一個意義，但我對語言學的興趣太大，才會玩得太過火。不過當成方法使用也很方便。如果隨時都有物件可以研究就好了，但那是不可能的，才會想要把語言當成一個框子，用來證明很多事情。可是語言沒有拿捏好，就很容易牽強附會，所以要非常小心。老實說，我們這邊也要多審視實物才好，可是這麼一來很容易沉迷。因此要以圖畫或照片來克制自己。

式場：可是以方法論來說，如果不把像民藝那樣的實物加進去，不就不完整了嗎？

柳田：舉個例子好了，transportation，如運輸物件，對於這一個做調查時必須實際去研究各種籠子。現在雖然有火車、汽車，運輸很方便，可是那是極近期的事情，以前多半要使用籠子。挑籠子的扁擔前端有無凸起有很大的差別，如果沒有凸起，就要用繩子綁起來──扁擔就像這樣有很多種類。我們希望有人蒐集這些東西給我們看。我想這裡的民藝館是不會蒐集這些東西的，有位澀澤先生經營的attic museum就可以做。我不知道澀澤先生如何稱呼這個博物館，不過那應該是folklore吧。民藝館和attic museum在這方面來說是不一樣的。

柳：民藝館的方針並不是蒐羅一切古物，而是只蒐集漂亮而正統的民藝品。

柳田：說到我著力最深的方法，大凡文化的進步，並不是像軍人列隊齊步往前直走，總是會在某個地方卡住，唯獨那個地方

的文化落在後面。就整個日本來說，前進的路線也是呈鋸齒狀，比如說城市和鄉村的前進方式就非常不一樣，即使沒有留下紀錄，只要蒐集現存的東西拿來比較，就可以知道其中的變化。又例如西伯利亞或美國的平原等地方，文化的中心點都好像在車站排成一列往前進，可是日本是地形變化很多的山國，往前幾步就走不過去了。譬如從東京到甲州邊界一帶，就保留著非常古早的形式。因此，採集這些東西，用來代替歷史紀錄，在日本是非常便利的方法。何況其他地方很少像日本有幾百個島嶼，到處都有獨自文化的情況也很罕見。在日本把相隔遙遠的地方拿來做比較非常有意義。我們極常利用這種方法，做研究時與整個日本都有聯絡。大家經常會提到「東北與西南」，東北與西南的文化型態非常相似，儘管會依四周情況而有稍許變化，但與中央都有幾百里的距離而很相像。舉例來說，能登有一部分就和紀州很像。

式場：那麼民俗學的歸結究竟是什麼呢？

柳田：就是把日本歷史變成一門現代科學。我們的工作是運用任何方法，正確地掌握過去的運動，而這就是我們與只是在羅列文獻的史學等研究有挑戰的主要論點。我們因此知道了過去不知道的事情。當然，也許嚴格說起來，我們現在的研究還說不上是一種「學」，但如果能嚴格使用「學」這個字的時代來臨，我們大可以毅然決然地丟掉「民俗學」這個詞，單單把「學」字改成「史」或「誌」。（引自《月刊民藝》，之三）

有賀：他好像一直很心不在焉，雖然最後在沖繩的問題上合

一了，前面的部分卻很無趣。

　　谷川：柳田先生真的有點冷淡。

　　有賀：我覺得他沒有善用這個機會，非常可惜。

　　宮本：從開頭就覺得兩人格格不入，實際上並不是。

　　戴：但說到剛才的氣質差異，剛才有賀先生稍微提到師事柳先生和柳田先生的感想時，我想到最近看到一篇文章，內容是岡先生在談他與柳田先生的關係（《柳田國男研究》創刊號），覺得裡面充分顯示出東大法學部的菁英意識，還有他當過官這件事與弟子的關係，雖然我不敢說《定本柳田國男集》只評價柳田先生的功績，可不可以做這樣的評論，我確實對這本書抱持疑問。因為正如有賀先生剛才提到的，他閱讀大量文獻，包括外國文獻。當然他是領導人，也兼任啟蒙學者，這樣很好，但是他對年輕人卻不提這一點，只是說，你們去做調查，最後又把他們的成果拿來整理，好像把年輕人當成棋子或齒輪。柳先生好像在這方面不一樣，當然在形成民藝和民俗學的陣痛期中會有不同的作法，可是我覺得剛才谷川先生所說的氣質問題，以及兩人對門生或同行的態度也有相當的差異。

　　有賀：氣質有更複雜的東西，這不能簡單地說。

　　戴：我只是這麼感覺。

　　谷川：柳先生寫的文章非常熱情，有一種白樺派〔譯註：日本現代文學中的重要流派，以1910年創刊的文藝刊物《白樺》為中心組成的作家與美術家，主張以新理想主義為文藝思想的主流，主要人物有志賀直哉、武者小路實篤等〕的公子哥兒似的筆調。文章本身讓人覺得好像大正時代的白樺派人士有共通的感

覺，非常柔順。柳先生的句子非常簡短，相較之下，柳田先生的
非常冗長，而且迂迴曲折，從屬子句非常多。柳先生的文章好像
是用短句串連起來。我從文體就可以看出兩人截然不同的氣質。

二、學術研究上的不同氣質

直接與委婉

　　戴：谷川先生提到文體的差異，也在前面介紹了柳田先生為
構築大東亞共榮圈做出貢獻的發言，我要在這裡介紹的是柳先生
去台灣的感想。先唸一段給大家聽。

　　這是《民俗台灣》的卷頭序言，文章很短，但可見他想說的
話都濃縮在裡面：

一

假設這裡有一個美麗的物品。看到的人就只看到美麗的模樣，
亦即外表顯示的結果，只凝視它的美，只在欣賞中感覺到喜悅
或驕傲。

可是這樣是不行的。不能就此結束。美麗這個結果是出自什麼
原因，必須審視清楚。必須透過製成的物品，思考型塑的材
料、製作時的手法，以及隨之而來的用途。另外，也必須去探
究製作者的生活或信仰，以及做出此物品的社會或組織。因為
對結果感到驚喜，才會覺得原因潛藏著更深一層的奇妙。一個
人如果到最後只得到物品美麗的結果，就不是真的凝視美的

人。之所以會有那麼多看法流於膚淺的風雅人士，就是因為他們不願意親近內在潛藏之事。

二

許多人覺得高砂族編織的織物很美，卻很少人對製作者感到驚奇，真是不可思議。我不認為輕視他們是野蠻人的人，會懂得那種布料的美。而那種原始人怎麼織得出如此華美布料的想法更是僭越之至；為何吾人無法輕易做出這種事的想法也是出於自大。他們當然擁有吾人難以表現的能力，很少人想到這一點，讓我感到寂寞。美的魅力在於隱藏的力量，而不是外顯的模樣。如果對物品感到驚喜，就必須對創作者有更大的驚訝。只愛物品，卻對人冷漠，不就證明了沒有真正愛物品嗎？（《民俗台灣》第3卷16號，昭和18年6月）

有賀：這就是柳先生的想法。

戴：我看到時真的吃了一驚。時間與上述圍著柳田先生的座談會一樣是昭和18年，各位不覺得他這段話是很了不起的發言嗎？柳先生這段話和柳田先生之前的發言，尤其是結束的部分，有些地方是相通的。話說回來，對我們研究外國，尤其是研究開發中國家的人來說，柳先生這段話含有可做為規範的東西。依我的解讀，柳先生一針見血地指出，做研究要先了解對象，這時要抱持的基本態度和正確的關心方式。

有賀：可是《月刊民藝》的座談會並沒有談及最深入的地方，所以我覺得非常無趣。

戴：除了這些場合，兩位先生就沒有見過面嗎？

有賀：應該沒有。

戴：好可惜。

谷川：好像在那之後就停止來往了。

有賀：就不再來往了。也就是說，我覺得柳先生可能因為這場座談會，而把柳田先生看成無緣的人。

谷川：這場座談會相當重要。

有賀：確實很重要，而且是一場很可惜的座談會。

戴：柳先生覺得柳田先生是個怪人。

有賀：他是否覺得怪就不知道了。

戴：這方面從編輯部人員的談話就可以知道。他寫給金關先生的信上，不是顯出對柳田先生的失望嗎？

有賀：我剛剛唸的是柳先生一開始就有的心情。正因為這樣，他才會提到朝鮮問題。我對朝鮮也深受柳先生的感動，不過我並沒有在柳田先生那裡得到這種感動。在這方面，柳田先生沒有像柳先生那麼深入吧？

戴：剛才提到個人的氣質，一位是東大法學部的菁英，另一位是白樺派，所以我覺得這與兩人對大正民主的看法不無關係。

有賀：我是從《白樺》雜誌知道柳先生這個人，所以《白樺》在我心中的分量很大。

戴：太強調個人氣質是有問題的，不過我以外行人的身分感覺，在衡量兩位先生時，氣質是非常關鍵的因素。

有賀：柳田先生起初與國木田獨步、島崎藤村、田山花袋等人有深厚的情誼，我認為他沒有成為小說家是因為無法吐露心跡。我不是說無法吐露心跡不好，而是認為這是柳田先生的氣質

中最大的問題點。

谷川：這麼說讓人覺得他好像一直在壓抑感情（笑）。

有賀：從柳田先生的一生看來，我覺得他的內心非常複雜，只是這種事我無法簡單說出來，也不想說。

戴：問題就出在這裡（笑）。

有賀：島崎藤村就不用說了，像國木田獨步、田山花袋也都會以某種形式表露心跡。日本的自然主義文學作家都是這樣。不知道柳田先生是覺得那麼做很無聊，還是採取藐視的態度。

戴：他這個人很慎重（笑）。有賀先生如果能像岡先生那樣語驚四座，對後進的學者很有幫助（笑）。

看完岡先生的談話紀錄，我覺得解開了之前對柳田先生的疑惑。他動員那麼多人，自己也看了那麼多書，卻只是一直教年輕人做田野調查。這方面讓人覺得相當自私。可是對於柳先生，我現在的感覺是他比較有人性，懂得尊重人，和柳田先生很不一樣。

谷川：只是柳先生不怕羞怯地大談「美」、「愛」或「正確」，確實讓人覺得好像公子哥兒或白樺派。

戴：如果那些話他只是掛在嘴邊，或許真的很像公子哥兒，可是他對社會組織、當地的人或當地的原住民，被稱為高砂族或「生蕃」而遭蔑視的人，也會當成人去尊重。雖然我不曾見過他，不知道他是否真的尊重，但至少他的文章洋溢著願意去尊重的心情，儘管他克制不住熱情，而不怕羞怯地大談美，這我也可以理解。

谷川：問題就出在「愛」、「美」這些詞語上。

　　戴：可是我覺得，如果無心去尊重人，就會覺得那些詞語很
空虛，根本開不了口。像我就是這樣，會不好意思說出來。

　　谷川：接觸的人群有不同的生活或信仰體系時，就算有意願
去尊重，也很難進入實際的生活情感或傳統心理。柳田先生的思
想底層存在著這一點。如果不是同鄉人的學問，所謂的心意現象
是不會有的，即使產生惻隱之心或同情心，實際上是否掌握得
到，在我看來柳田先生這邊是有所懷疑的。柳先生卻乾脆跳過這
一點，不太猜疑。

對殖民地政策的義憤

　　戴：關於這方面，有剛才兩份紀錄留下。柳田先生表示他必
須對建構大東亞共榮圈做出貢獻。我們把這段話當成是他因應時
勢的表態，可是也可以看成帶有相當認真發言的成分。民俗學對
殖民統治來說是必要的，不能說柳田先生完全沒有這種想法。在
我看來，他的態度相當認真，不見得只是說說而已。可是柳先生
在昭和18年去台灣時，就很大方地使用「漢人」一詞。「漢人」
是很大的禁忌，通常不會這麼說。還有，他絕對不會用「生蕃」
這個詞語，而是說「高砂族」。我覺得這一點很讓人佩服。不過
他所說的「漢人」會成為很大的問題。

　　谷川：「漢人」有什麼微妙的意義嗎？

　　戴：當時，總督府當局或日本人通常把我們從大陸遷來的漢
族出身者稱為「本島人」。本來從政治層面去看台灣的殖民地統
治，就是要切斷台灣與大陸的精神紐帶，剝奪我們的語言，消除

我們對中國大陸所懷有活生生的同感，使我們變成皇民。昭和18年太平洋戰爭正酣之時，台灣正要從志願兵制度改成徵兵制，當然也是更強硬推行皇民化運動的時期，「漢人」一詞難免被當成極端「非國民」的發言，所以一般人不會這麼說。柳先生卻不忌諱地說出來，實在很勇敢。我認為這是柳先生對萬歲事件〔譯註：1919年韓國各地發生暴動，又稱三一事件〕所採取的一連串明確的態度。一般人會在這時候妥協，以順應時局的話敷衍了事，柳先生卻完全不會。就這一點來說，柳先生真的很了不起。柳田先生倒是很懂得講一些較為附和時勢的話。

有賀：柳先生確實偉大。他對朝鮮問題的態度也很好。

谷川：他寫了一篇題名為「思考朝鮮人」（大正8年5月11日）的文章，有賀先生是在那篇文章刊出時見到他的吧？

有賀：是的。後來我去朝鮮時，柳先生正在籌備李朝的美術館。在大正10年時，他問我要不要去京城（首爾），我們是分別離開日本，在京城就見到面了。柳先生有個名叫淺川巧的朋友，他家在京城西大門外的阿峴，這個人也蒐集陶瓷器等大量民藝品。柳先生先待在他家，我也在那裡和他住了一晚。那天晚上，我的肚子非常不舒服，後來在醫院住了15天，暫時告別柳先生。那時柳先生主要是在蒐集李朝的陶瓷器，也蒐集了很多其他民藝品。我很慶幸在這方面獲得他的指導。在那之前，朝鮮總督府有個高官到他們東京宅邸帶來新羅時代精美的石燈籠。這件東西也出現在圖錄裡面，可見有多漂亮。柳先生那時就大聲呼籲說，不能把朝鮮的美術品帶到日本，而熱心地在朝鮮設立美術館。李朝的皇室有一座宮殿，就是韓國的景福宮，現在也還在，四周圍

繞著漂亮的城牆。這道城牆上有一座精緻的城門，稱為「光化門」，比首爾的城牆「南大門」還要漂亮。光化門是景福宮的正門，真的很出色，我去的時候還在，但是光化門進去後的中庭，在當時已經全部清除。這個中庭有一條大理石路，中間有河流穿過，上面架著一座大理石橋。橋的一邊是龍，和另一邊的老虎對峙，據說很漂亮，但是我看到的時候，路和橋都已拆下，大理石塊就堆在庭院角落。庭院中間正在建造洋式建築的總督府，還計畫拆除光化門，讓柳先生非常憤慨。我當然也有同感。光化門後來被拆掉了。柳先生為當時的事寫的文章還保留著。

谷川：我要補充有賀先生的話，引用一段柳先生寫的文章，標題是「為一棟即將失去的朝鮮建築而寫」（大正10年7月4日）。「光化門啊，光化門，你的生命危在旦夕。你曾存在此世的記憶將葬送在冰冷的忘卻之中。該如何是好？我百思無解。你的身軀被殘酷的鑿子與無情的鐵槌慢慢破壞的日子已經不遠。想起此事就心痛的人一定很多，然而誰也救不了你。不幸的是能救你的人並不會為你而悲。」這段文字寫得真好。

有賀：寫得很好。那座城門的入口有三個圓頂，中間較大，左右兩個稍小，上面的圓形曲線很美，有無法言傳的勻稱感，據說是朝鮮城門的最高傑作。

谷川：「此世仍是矛盾的時代，佇立門前仰望時，無人能否認那震懾之美。但現今想要幫你逃過死劫者，將被論處叛國之罪。熟知你的人沒有發言自由。可是對孕育你的民族而言，任何發言都有不幸伴隨。」

真是了不起的文章。後面還有一段：「光化門啊，心愛的朋

友，你遭無道逼死，想必心有不甘。我正在想著你不得不嘗受的痛苦與寂寞。汝之靈啊，倘若無處可去，就來找我。如果我死了，就請住進此段文字。一定會有人閱讀本文。總有一天本文的讀者會以溫暖的意識思念你的存在。」

　　結果拯救運動並沒有結果，是吧？

　　有賀：是，沒有結果。那是大正11年的事，當時去那邊的日本人態度非常惡劣。我去郵局辦事，那裡有朝鮮人要買郵票，而較晚來的日本人卻把他擠開，要局員先處理他的事。我還看過晚到的日本人把正要上火車的朝鮮人拉下來，而先上去，讓人看不過去。這種氣人的事很多。

　　戴：台灣的情況也是一樣。可是現在有很多日本人不知道這些事情，或是不相信會那麼惡劣。幸好各位先生願意說出來，一般人是不會說的。如果我們自己說出來，就只會讓其他人覺得我們怎麼這麼偏執，抱著受害者意識不放，非常困擾。

　　宮本：可是我們是昭和11、12年去的，那時情況就很不一樣了。大正時代是最糟糕的吧。

　　有賀：可能到大正時代都很糟糕。

　　戴：一方面是因為發生萬歲事件之後，彼此的衝突受到軍事上單方的壓制，而強烈地反映在政治、社會的生活面。另一方面，第一次大戰以後民族自決的命題深入人心，而造成民族意識高漲。

　　有賀：當時朝鮮農村的土地多半被高利貸騙走，日本地主一下子增多。

　　宮本：東洋拓殖株式會社（明治41年設立）大舉進入朝鮮，

採取把土地全部集中的作法。

有賀：連我們都很憤慨，朝鮮人的憤慨更是理所當然。

總之，柳先生針對朝鮮美術寫了好多篇精采的論文。尤其是李朝的陶瓷器，在那之前幾乎沒有人肯定它的價值。到了現在，已經貴得買不起了（笑）。我很贊同柳先生的話，絕對不要帶回日本。當時李朝的東西很便宜，可以輕易買到。那時我一個也沒帶回來，後來非常想要，才在鎌倉的古董店找到很好的壺，現在就持有（笑）。那是很有魅力的。我要是沒有碰到柳先生，恐怕不會那麼早知道那東西的魅力。還有，所謂的粗俗貨裡面有非常精湛的作品，這也是柳先生說的。雖然「無名工人」的創作本身有很大的意義，但那只是創作者的名字不為人所知，實際上也是優秀的藝術家。

戴：他對台灣也是一樣，對於粗俗貨的美，也能夠清楚指出哪裡好，哪裡不好。現在想一想，柳先生是在相當末期的時候去台灣的，很有象徵意義。其中一個原因是，台灣顯然是中國國內的殖民地、拓荒地，就像北海道，所以不像韓國有那麼多遺蹟。台灣的好東西都是從中國華南一帶拿過來的，原創的東西很少，所以台灣的魅力不大。

台灣的漢人大多是拓荒的農民，因此生活簡單，大地主不論是蓋房子還是添置家具，都是從對岸的福建找木工師傅過來，或是採買材料以及現成品。高砂族就和漢人不一樣，有相當長的文化累積。對民藝有興趣的日本人當然會去注意高砂族，而不是漢人。可是開戰之後，由於不能任意前往大陸，台灣相對之下治安比較好，而且台灣居民多半是從對岸的福建和廣東遷來的漢人，

已經把中國的老東西帶進來了，以台灣特產的竹子為材料製作的竹製品也相當不錯。柳先生就扮演了發掘這些東西的角色。當然此發掘行為是以柳先生的思想為後盾，但是金關丈夫先生的角色也必須給予肯定，因為是他遊說當局請柳先生來台的。尤其是金關先生與目前在平凡社任職的池田敏雄先生一起創刊《民俗台灣》，在皇民化運動的過程中，發掘、整理即將被壓路機消滅的漢人民藝、風俗、習慣等，進行重新評估的基礎工作，雖然不是很完整，但至少盡了心力，功勞也不小。

話說回來，美中拉近距離、中日重新建交之前，美國人和日本人都不太能夠進入大陸，就算去了也無法到處花錢蒐集民藝品和古董。因此，近年來，美國和日本有很多收藏家跑來台灣收購漢人從中國本土帶來的好東西，例如硬幣。之前不大為人所知的台灣古董或民藝品突然受到矚目，把台灣攪得一團亂。或許這也是殖民統治的惡果，本來台灣知識分子的想法就像剛才提到的沖繩方言論爭中的沖繩縣學務部的人，對自己擁有的傳統和文化失去自信。台灣總督府的官員和相關人員都認為台灣式的東西統統都不好，從語言到物品，全都差勁透頂。如果沒有這種偏見，並且將這種想法灌輸給受統治者，或許就無法統治殖民地。李朝的情況應該也是如此。柳先生卻顛覆了這種觀念，他是在昭和18年才去台灣，雖然他去得那麼晚令人遺憾，可是形成的溫和效果一直延續到現在。

關於《民俗台灣》還有一點，就是在那之前，民俗學、人類學的主要研究對象都是高砂族。在這種情況下，加上如火如荼的皇民化運動，以金關、池田兩位先生為主所做的發掘漢人傳承、

風俗等工作，雖然不起眼，在台灣回歸祖國後還是能持續下去。只是很遺憾在沿襲上耗費過多精力，有亞流化傾向。

《民俗台灣》當然會被軍部和總督府當局盯上。幸好金關先生是醫生，又是台北帝大醫學部教授，有很好的掩飾，但他也非常努力，令人敬佩。對於《民俗台灣》所受到的強大壓制，我們前面提到的「關於柳田國男」座談會，從金關先生的發言上可以體會到：

> 尤其是在台灣，這種研究可能會遭受有色眼光，說什麼帶有民族主義的政治味道，或至少有這種效果。據說有無聊的傢伙出於古怪的動機，為了阻撓我們而說出這種話。對於這種無聊的誤解，我們或許也是出於無聊的動機，想要稍微明確做出實際上對時局合作的事。這方面尤其希望請柳田先生賜教，例如我們這麼做是否合宜等問題。

這是在巧妙利用柳田先生的權威，對台灣當局和反對者發聲。為了抵抗皇民化運動，而去發掘台灣當地的語言、民間傳承和民間療法等文化。因此如何正確且充分評估這些遺產，讓研究繼續發展，是我們今後的課題。

至於我的感想，我覺得柳田先生的研究沒有延伸到台灣雖然有很多變因，但是最關鍵的應該是，柳田先生的工作和柳先生的工藝不同，與物件無關，而是積極地發掘與評價語言、民間宗教等直接牽涉到原來歷史與傳統的東西。因此柳田先生愈是研究台灣或朝鮮，就愈在裡面加入使殖民地統治無以為繼的成分。因

此，柳田先生去朝鮮半島的次數恐怕也不多吧？

谷川：柳田先生有一次去中國東北時，是從朝鮮過去的。

戴：是嗎？由於柳田先生的手法基本上是要發掘現實主義的證據，若要徹底實踐，當然會與當時的殖民地或日本帝國的體制發生衝突。因此，依我的揣測，柳田先生的個性不會希望有這種狀況發生。有些人為柳田先生的學問沒有延伸到台灣，以及台灣以南的南方感到遺憾，我覺得那是得隴望蜀。柳田先生終歸是有局限的，必須將他的局限清楚定位，不要把他神格化才好。

谷川：歸納本雜誌第二號的座談會「柳田民俗學與朝鮮」出席者的意見，有關柳田先生對朝鮮不如對沖繩那麼關心的原因，其中一個是，他覺得在朝鮮總督府的援助下做研究或在朝鮮總督府一邊工作一邊做研究不太愉快。如果與總督府接觸，當然最後會成為殖民地政策的爪牙，他非常提防這一點。另一個原因是柳田民俗學起初是從一個國家的民俗學出發，要盡可能掌握國內的部分，所以才沒有把觸角伸到朝鮮。還有一點是沖繩的語言結構和語調都與本島相近，而韓語雖然與日語的文法相似，但口音、語調等語言中最基本的重要成分並不一樣。依照上述柳田先生的分類，第三所謂的「心意現象」或信仰等是存在於意識最隱祕的狹縫，在語言不同的情況下很難找出來。儘管表面上一致，最後多半會出現分歧，所以他對這一點非常慎重。大家都是從善意去解釋，總共提出了三點，也就是很難做到嚴密的比較研究，就算要做，也會變成是在政治上補充日本的殖民地政策，還有就是他忙於國內的事，也就沒能著手朝鮮的研究。

戴：可是我覺得如果柳田先生真的忠於自己的方法論的話絕

對會造成衝撞，而不是補充。以良心去探究柳田先生的方法論，就會發現它當然注定會與殖民地體制衝突。只是柳先生的情況是去肯定工藝、藝術品的美，頂多是主張要把製作者當人一樣看待，可是柳田先生的研究牽涉到語言、祖先和信仰，研究得愈多，殖民地統治就愈難做。

谷川：確實如此。譬如把神社帶到殖民地是一定要反對的。以朝鮮來說，京城的神社是供奉誰呢？

有賀：不是天照大神嗎？

戴：台灣就有好幾個，像北白川宮、天照，有趣的是居然還有鄭成功。鄭成功的母親是日本人，所以要善加利用。可是台灣人對鄭成功的印象基本上是他對抗清朝，漢族祭拜鄭成功是因為對明朝有歸屬感，而且把他當成開拓台灣的象徵性人物，日本人卻是拚命推銷他的母親是田川氏這一點。

恢復做為人的共通之學

谷川：沖繩也是一樣。沖繩在建造縣社〔譯註：神社的社格，介於國幣社與鄉社之間〕時，因為傳說源為朝是沖繩第一個王「舜天」的父親，因此以他為主神。

我感覺柳先生與柳田先生還有一個不同點，就是「物」可以複製，可以推陳出新，可是柳田先生所思考的民俗學核心是信仰，信仰無法複製或重造。在這方面，柳先生可以訴諸未來，柳田先生卻認為那是無法製造的。

戴：只能記錄。

　　谷川：在處理神事時，實際上並不能將不好的丟棄，只取好的一面將其重新應用在未來。柳田先生話裡面的意思是，這種事你（柳）做得到嗎？他質問柳先生說：「可是我要請教柳先生，您相信現在民藝館所蒐集的古老工藝品會在未來的時代以新的民藝重現嗎？」（參照上述引自《月刊民藝》之一）以下引用的是與兩人共通點有關的部分：

> **式場**：我們已經了解柳田先生做爲經驗學的民俗學，以及柳先生做爲規範學的民藝兩者的差別，可是純粹以過去爲對象的民俗學和含有未來性的民藝之間，雖然有立場上的差異，分別提出的對象中卻有相當明確的共通點。首先，民藝和民俗學本來就不只是貴族的東西，也重視大衆性，其次是兩者都認同地方性。
>
> **柳田**：是的。另外還有一點，就是古人比現代人所想的聰明。聰明不只是指能夠閱讀，而是更有純粹的能力。對於這一點，民藝應該和我們的看法一樣。許多人認爲古人比現代人差了一截，尤其推斷農民更是如此，而以這樣的概念做出種種判斷。可是不識字也能夠對事情下判斷，尤其明顯的是有很強的記憶力。人具備閱讀能力時，記憶力反而會衰退。以前的人無論如何都有這種優越的能力。
>
> **柳**：是的，我們也有同樣的感覺。我這次去東北時，就對那邊的食物感到驚訝。住東京等地的人好像都會覺得小地方的食物總是很難吃，但其實不會。我這次去青森時，我說想要吃當地做的醃菜，有人說家裡有做，就回去用布巾包了12種醃菜來，

全部都非常可口。我喜歡醃菜，在家裡也常指定要吃，但頂多只有一兩種。

柳田：鄉下人平常都吃得很馬虎，只在一年中的少數幾天吃美食，所以會在那一天覺得非常幸福。類似的情況很多，例如第一次穿新的麻質和服，那種幸福感是無可比擬的。剛才看到民藝館的物品，我就深深感覺到這一點。

柳：是啊。現在民藝館在展覽馬具，據說裝上新馬具時，馬也會很快樂。當然那可能只是馬夫依自己的心情所做的想像。還有女人給男人穿上自己織布做的和服時，那種喜悅或滿足，就做為人來說價值很高。

式場：發現這種做為人的價值，就是民藝和民俗學共通的要素吧。（引自《月刊民藝》，之四）

有賀：我無法認同「舊民藝能否以新民藝的面貌重現」這種提問，是很不得體的。柳田先生也有「新國學」這種用語表現，這是在傳統之上創出新的學問或創造新社會的想法，因此就直接重現舊東西這一點意義來說，我認為柳田先生沒有立場這麼說。傳統對柳田先生而言是最核心的東西，柳先生和柳田先生最大的共通點是傳統的問題。柳先生不是說過，民藝是去肯定古老的好東西，然後以這些好東西為底盤，製造新東西嗎？柳田先生也不是直接重現舊有的傳統。民藝中大部分的「物」是會消失的，可是製造民藝的精神會傳承下去。其他的精神現象也是一樣，即使日本人的思考方式隨著生活條件改變了，也會在一邊與此對決之中改變形式持續下去，這一點我認為柳田先生不是沒有想到，只

是沒能好好說明。

　　譬如氏族神的問題，他並沒有正確做了說明，到底什麼是氏族神？氏族神與佛教又是什麼關係？東大寺是在奈良時代〔710～784年〕興建的，而各國〔譯註：指諸藩國〕建立的末寺──國分寺的建造是個重要問題。這種本寺與末寺的關係為什麼會在那時候產生？要回答這個問題，就必須思考上述的氏族神信仰。各國都有與伊勢的神社同樣古老的神社。確立天皇的統一國家後，就形成了以伊勢神宮為中心，稱為「御宮」（太神宮）的整個日本守護神信仰體系。雖然這是用來鞏固律令體制的信仰骨架，但是只靠這個的話，力量還很薄弱，所以要引進佛教，照著同樣的形式，用佛教再一次強化，這就是東大寺與國分寺的關係，政治意味非常濃厚。

　　氏族神是氏族的守護神；伊勢的神社變成太神宮，就是成為日本國的主要守護神；以鎮護國家為目的興建東大寺，不就表示把佛教加進日本氏族神信仰的基礎嗎？佛教的根本是個人的自覺，出家或離開塵世並非單指離開俗界，而是要重視個人的自覺。那為什麼佛教會成為國家或氏族等集團的信仰呢？因為那是源自於藉著佛教來保護國家、保護人民的想法。後來又更往下與家庭結合，成為以同族群為基礎的檀家佛教，在民眾之間傳播。人民生活因種種因素而貧困無依時，就要靠家族來保護自己的生活，因此拿佛教做為家族的守護神。家族的祖先也有這個性質。這裡面有氏族神信仰這種集團信仰的傳統在作用，日本佛教就是奠基於這種性質。因此，雖說「本地垂跡」〔譯註：佛菩薩為救渡眾生，從實身變出諸多分身垂世以渡化眾生；實身為本地，分

身為垂跡〕是起自於平安時代〔794～1185年〕，但是在飛鳥時代〔約600～710年〕，國家或氏族佛教的形式就已出現，而在奈良時代趨於成熟。所以可以說是以氏族神信仰為基礎的傳統在運作，然後在日本歷史中一邊改變一邊延續，直到現在可以說這是集團的守護信仰。

由於有這種傳統，到了戰後，隨著資本主義的發達，人民生活逐漸富裕，把神佛視為家族守護神，氏族神視為村莊守護神的心情逐漸淡薄，沒有這種信仰也無所謂的情況愈來愈多。除非有強烈的個人信仰，否則一般人通常對宗教漠不關心。即使舊有的各種集團信仰沒有完全根絕，也變得非常薄弱。相對之下，歐洲在資本主義起步的時期發生宗教改革，首先出現的是基督新教（protestant）。資本主義與新教（protestantism）結合是韋伯的想法，但天主教並沒有因此消失。基督教從以前就是個人信仰，所以個人主義在資本主義時代開始時逐漸穩固。無神論雖然是在近代產生的，與日本現在對宗教的不關心並不一樣。資本主義在日本很發達，為什麼沒有興起個人主義呢？集團信仰崩潰後，因為沒有出現個人信仰，日本現在才會產生對宗教不關心。所以可以說，對宗教不關心的現象是產生於集團信仰的傳統，也是日本傳統上的變化。

日本的資本主義是受到西方文明的影響而產生的，可是它並不是在西方文化的傳統上發展，而是在日本的文化傳統上展開的，因此我們的生活仍保存著日本傳統。在柳田先生的祭典、氏族神研究中，看不到這方面的結構。佛教在日本非常普及，常有人說是屬於大乘佛教，可是流傳在日本民眾中的佛教性質卻不見

得可以說分明。還有一點可以一起思考的是，日本這個國家總是
在接納外國進步的文明，力求發展，因此有一些人在扮演接納外
國文明的角色，而形成菁英、知識分子等進步階級，與一般大眾
分離，明顯分出兩個階層。自古以來就有這種形式延續。明治時
期以後，又有一些學習西方文明的知識分子，以菁英身分在民眾
上方形成另一個階層。雖然別的國家不是完全沒有這種情形，但
是在日本非常顯著。柳田先生也注意到這一點，但還是會在思考
時把菁英排除在外。我認為特別掌握這個日本傳統是很重要的，
所以覺得柳田先生沒有深入探究傳統這一點，是不是有他學問的
基本缺失。然而，眾人皆知柳田先生有許多獨創的了不起的工作
成果，用這一點來批評他是吹毛求疵。可是氏族神信仰與佛教的
關係對日本文化來說非常重要，如果他能更清楚釐清這方面，我
們不就能夠更早了解這個問題嗎？

柳先生就非常明確地掌握到傳統，民藝的思想中就有這個。
不只是日本的，柳先生也看了很多其他民族的東西，當然能清楚
掌握日本的民藝。因而民藝運動的展開也是要孕育出正統的民
藝，充分掌握到日本的民藝或藝術、文化傳統。在此基礎上推行
民藝運動，所以目標非常明確。柳田先生雖然也敘述了意義深邃
的事情，可是文章卻艱澀難以理解。

戴：您這些話在《月刊民藝》的座談會上也有稍微提到。柳
先生清楚指出，民藝運動是對機械文明的反抗。柳、柳田兩位先
生的問題意識中，是否存在著對近代的懷疑？以柳先生來說，當
然多少可以他與白樺派的關係推測，那麼柳田先生呢？其本質是
否對歷史中的近代抱持懷疑？這與有賀先生剛才說的，柳田先生

沒有積極探究傳統有什麼關係。我要再引用相關的部分：

柳：在語言方面，柳田先生或許有深切的感觸，但是在我們看來，所謂的民藝品在東北是最豐富的，不要隨便抹殺。我希望能在未來活用這些東西，讓它繼續保留地方特色，成為對農村有幫助的資材。

柳田：東北地方雖然如您所言，有許多種手工藝，但粗製濫造的趨勢卻很強。

柳：確實漸漸有這種趨勢。

柳田：只有在展覽會上會擺出好東西。

柳：雖然有這種趨勢，可是大部分都是現在還在用的東西，例如簑衣，精湛的技術還保留著。

柳田：從經濟或工資上來看，做出那種粗糙東西也是無可奈何的，但如果技藝好的人真的消失，那就麻煩了。

柳：不會的，目前都在努力振興，也進行得很熱絡。而且不只在鄉下，這種東西也要對城市生活有用處。有必要促使他們做出能在現代生活中使用的物品。

柳田：這是相當困難的。（中略）如果以後市場有需求，有希望變成商品的，但非得是整年都用得上的東西不可。

柳：這就要看我們如何指導了。例如會津那邊有一種稱為「尼佐」的帽子，前陣子接到來自美國的3,000頂訂單，據說是要當成在海邊戴的夏季帽。如果能夠適應，需求量應該會很多。

式場：我認為民藝沒有必要去活用所有的舊東西，只要用舊的民藝去補充現代的需要就好了。例如現在的拖鞋不必一直保留

從歐洲傳進來時的概念。如果注意一看，例如這種草製品，日本也有許多種很適合做拖鞋的編織法，這時就可以拿日本的民藝品來應用。這麼一來，之前歐洲式的拖鞋概念就有可能變成用日本技術做出來的日本拖鞋，這就是可以去開拓的領域。民藝運動就是這種使日本文化更具有日本風格的運動，能夠更進一步強化日本文化的運動。要做到如此，首先必須具有審視民藝的眼光，以這種眼光選出既有的各種優良民藝，找到日後可以在現代生活應用的途徑。

柳田：這是很自然的想法。

柳：我們的信念是，正統的美不論經過多少時日都不會失去新鮮感。像沖繩的舊式白點布料，現在再拿出來看，很多還是充滿新鮮感的。我這次去看東北的展覽會，也有感到驚喜的成品。難得有這種東西，如果不抱持任何依依不捨的感情，認為反正東西都會變，而不去理會這種日本文化，這不是很可惜嗎？

柳田：如果有新意義的民藝做出來，教導他們知道這一點確實是件好事。

柳：我想有些物品也會因此發達。例如結城產的繭綢，因為非常昂貴，不適合一般大眾，可是由於東西好而廣獲好評，量再多或價格再高也銷得出去。雖然薄利多銷也是一個方法，但只要是真正的正統物品，就會有人不計高價買下。這種路線也很不錯。

柳田：如果有懂得這一行的人給予若干照顧或贊助，就可以預防手工藝式微。可是機器一直在進步，如果手工業的東西也可

以用機器做，那就傷腦筋了。

式場：我想請教柳先生，非常先進的機器可以做得出手工的感覺嗎？

柳：要模仿是沒有問題的。

柳田：乍看之下是不會知道的。

柳：可是再怎麼樣，手工藝和機器產品在本質上是不一樣的。我認為手工藝的價值無論如何都無法抹殺。

柳田：像陶瓷器的花紋也能用機器畫出，常常騙過了人。

柳：民藝運動就某方面來說是在對抗機器，可是只要去補充機器做不到的部分就可以了。從實際的結果看來，我們選擇的雖然多半是過去的手工藝，但是並不是單純因為東西古舊或是手工做的，而是因為古老的手工藝品確實有許多美的東西。而且我們並不只是欣賞它的美，也會去思考為什麼它是美麗的？為什麼它會變美麗？至於未來，除了還是要繼續製作美麗的東西之外，我認為好好檢討以前做的東西具有的美的原則，以及如何在未來活用過去的東西等，考慮這個問題就是我們要做的重要工作。（引自《月刊民藝》，之五）

有賀：這一點不太能夠了解，不過連柳田先生也在剛才自認是政界出身的說法中，提到打造新社會的事，所以我覺得他並不認為只要看過去就行了。而且他提到必須從民眾的生活中拿出什麼東西，所以他對未來還是抱有某種程度的期待，不能說他完全無意去追究他自己本身。

戴：我不是這個意思，而是說柳田先生對於近代歐洲在世界

史上呈現的各種問題，是否曾主動感到懷疑的問題。

　　如同有賀先生提到的，柳田先生當然有往前看的思想，但是他的往前看是否只是把近代延長的往前看而已。

　　相對的，柳先生對機器文明顯然有相當大的懷疑。

　　有賀：柳先生雖然指出低劣的機器工藝會導致工藝墮落，卻也在《工藝文化》（文藝春秋社，昭和17年刊行）一書中說，必須培養用機器製造的正統新工藝。

　　戴：可是柳先生也另一方說過，機器應該是無法完全取代的。

　　谷川：所以craft是手工業性的，不是單純的手工。

　　有賀：《工藝文化》是柳先生在工藝論中最大的貢獻，非常精采，是劃時代的一本書。

　　谷川：柳先生的思想根基或許含有莫利斯（William Morris）的學說。他在書中寫道，曾受到拉斯金（John Ruskin）、莫利斯他們的影響。

　　戴：令我感興趣的是，柳先生基於與白樺派的關係，而明確表示民藝運動是對機器文明的反抗。我覺得這在某方面意味著柳先生的內心對歐洲的近代抱持著相當大的懷疑。

　　谷川：柳田先生應該也是吧。他在《海上之道》〔《海上の道》〕中寫著，把外國學者的結論拿來現學現賣，這當成學問的宗旨是要不得。而《遠野物語》也是出自這種氣概。

　　戴：在這方面，他雖然表示要從常民汲取能量來維繫，但不見得與他對歐洲近代所呈現的全球問題，亦即不必然對近代的極限有所懷疑一事有直接關係吧。他只是說，不是崇拜外國是要不

得的。必須從傳統或常民中汲取更多能量，這與認清近代歐洲的局限，在設法克服與揚棄中構建自己的學術體系這件事的意思不一樣。

有賀：他是否對機器文明本身感到懷疑這一點確實不太清楚。他於此事從來沒有講明白過，不是嗎？

戴：我只是覺得有點這種意味。

有賀：不過他對日本人太愛模仿西方人這一點確實非常反感。

宮本：是的，明治以後對於西歐文明的。

有賀：所以就這方面來說，我覺得他對一面倒向機器文明的態度抱著懷疑。

不過柳先生說過，機器文明雖然是有局限的，但是必須從既有的傳統工藝中找到好東西，產生新的機器工藝不行，所以態度相當積極。

戴：就是指要連接到未來。

有賀：我懷疑柳田先生是否會那麼積極，但不是很清楚，必須再仔細琢磨。

三、時局與學問

民俗學─民具─民藝

谷川：到目前為止，各位提出相當多的問題。我想要稍微歸納柳田和柳兩位先生的共通點和相異點。

　　依我的想法，如同戴先生之前提到的，有一點是柳田和柳兩位先生對近代的懷疑，或是對西方帶來的日本近代批判。而對於殖民地政策等方面，兩人也都懷有義憤或憤慨似的情緒。而對底層或下層階級的人產生的文化，兩人也都有所關心。還有一點是氣質的問題，我們看柳田先生年輕時寫的詩，就會覺得他對所謂的「神祕論」或冥界、過世、神祕主義的東西感興趣。柳先生也有《威廉・布雷克》〔《ウィリアム・ブレーク》〕、《木喰上人》等著作，對於神祕主義，不論是佛教還是基督教，都有廣泛的共鳴。另外，兩人走的都是有教養的菁英路線，卻又能夠對民眾抱持極大的關心。但本座談會不能只談他們的共通點，多少也要具體提出相異點，儘管這方面很微妙，無法如圖式般切割得很清楚。

　　有賀先生，您和柳先生一直到最後都有來往嗎？

有賀：沒有持續到最後，那時太忙了。

谷川：柳田先生比較早去世吧？

編輯部：柳宗悅先生是在昭和36年5月3日去世的。

谷川：柳田先生是距今十年前，所以比柳先生晚。

　　您和兩位先生都有接觸，如果加上澀澤先生，又是什麼情況呢？澀澤先生剛好介於柳先生和柳田先生之間，他的個性和那兩位完全不一樣嗎？

有賀：個性完全不一樣（笑），境遇也是。

宮本：方法也不一樣吧，或許應該說是做學問的態度。

有賀：只是就某方面來說，可以算是介於兩者之間。澀澤先生把民具當成民俗學的一個部分。雖然從柳田先生那裡受到很大

的影響，但是柳田先生對民具沒有多大興趣。雖說那是有形文化，在理論上也說很重要，實際上他幾乎都沒有涉獵。如同剛才提到的，他與宮本先生的父親有來往，而澀澤先生會去接觸這方面是基於與柳田先生的關係。

至於他與柳先生的關係，以工作來說，澀澤先生是民具，柳先生是民藝，我認為兩者的差異在於對民具的態度，澀澤先生偏重民俗學的角度，而不是藝術。亦即沒有把民具當成工藝。民具明明是工藝中的一種，但是他多半著重在民俗學方面，因此雖然會覺得民具顯現的以生活為背景的整體美或生活美，但未必會特別強調美。柳先生則是以工藝之美為主要的著眼點。但話說回來，就工藝來說，民具和民藝是一樣的，雖然是工藝中一連的東西，但澀澤先生是以自給性的民具為主，當然範圍包含工匠用手工做成的民具，著重的是直接用途與衣食住有關聯的。

柳先生雖也是生活用品，但著重的是美的部分，不太注意一般農民或漁民自己製作、用壞就丟掉再重做的普通民具。甚至澀澤先生著重的是，雖然是工匠、兼職工匠或普通人用手工做出來的，但主要研究的是粗野而健康、具正統美的手工的美，著重的是這種美。大致而言是如此。

關於民具與民藝是否相同，我曾在《日本常民生活資料叢書》的序文中說明。我是第一個說出民具也是工藝的人。以往都沒有人這麼寫過。

宮本：是的，以往都沒有人這麼寫。

戴：依我這個台灣出身的人來看，日本的富人還真的做了不少好事，我們那裡的富人就只對納妾、建造墳墓、寺廟等建築有

熱誠，真是不行。

日本就有倉敷的大原〔孫三郎〕先生蓋民藝館。

谷川：澀澤、大原都是日本資產階級中最優秀的。

戴：這種事蹟在台灣非常少，中國大陸則有少數人在做，例如退休官僚以學者身分蒐集文獻等東西，不過那也是為了方便自己寫通史或寫書。

宮本：日本也是有很差勁的人啊（笑）。

谷川：戰後就很少看到了。

戴：像東洋文庫〔譯註：三菱第三代業主岩崎久彌於1924年設立，是日本最悠久也最大的東洋學研究圖書館〕也是。雖然這種例子不算多，但日本有些富人真的很有心，這是為什麼呢？

谷川：戰後像普利司通（Bridgestone）等公司雖然會做這些事情，這也是為了可以節稅。有些情況是基於這個動機的。

戴：節稅的例子是最近才有的吧。

谷川：戰後就有了。

有賀：戰後出現一些暴發的富人，他們並不是有錢無處花，而是為了賺錢，才去購買有潛力升值的畫作或古書。可是舊時代的人不是這樣，像松方〔幸次郎〕先生的收藏就很可觀。細川〔護立〕先生的也是很出色。

宮本：除了細川先生之外，天理教的前教主中山〔真之亮〕先生也是一樣，從天理教圖書館和參考館的收藏可知，他們都有獨到的眼光。澀澤先生也是，又如松方先生也是，對收藏品獨具慧眼。

谷川：那時的情況與戰後不同。收藏的人自己最了解。

宮本：這些人都非常偉大。戰後就沒有這樣的人了。

戴：是嗎？那我對台灣的看法應該要調整一下了（笑）。

宮本：說到台灣，我想請教一個問題，就是柳先生第一次去台灣是昭和18年嗎？

戴：大概是。就我所知，那是他第一次去。

宮本：根據您剛才唸的文章，他看到的是高砂族的工藝，對於漢人或本島人的工藝……

戴：不是的，日本人一般接觸時，對漢人沒有那麼大的興趣。我並不是說柳先生也是這樣。

宮本：我知道，以往對於台灣，除總督府之外，日本人學者都很積極研究高砂族，對本島人就幾乎都沒有研究，直到《民俗台灣》出版之後才開始，不是嗎？

戴：在那之前，因為要建立初期的殖民地統治體制，有一些調查舊慣報告書之類的書籍，例如《台灣慣習記事》（明治34年出版）、《台灣私法》（明治42年出版）、《清國行政法》（明治38年出版）等，後來研究就完全停止，放手不管了。

宮本：《民俗台灣》這本雜誌發刊之後，研究的方向就轉向本島人或漢族的民俗，而不是高砂族了。

戴：是的。

宮本：剛才您引用的是柳先生在《民俗台灣》中的文章，柳先生去台灣時，注意的是漢人的工藝還是高砂族的呢？

戴：他好像對兩方面都有興趣。例如竹藝品，他就看了很多。

谷川：柳先生沒有參加座談會吧。

戴：不，他去當地探查的期間，也出席了對談和座談會。金關先生整理的紀錄就刊登在「關於台灣民藝」（《民俗台灣》第3卷5號、6號，昭和18年5月、6月）上。遺憾的是，柳先生當時蒐集的東西因貨船被美軍擊沉散落海中，全部化為烏有，只剩下他自己帶回去的部分，收藏在民藝館裡。日本人不研究漢人有一個原因，就是剛才所說的，中華文物的原創性是在中國大陸，台灣終究是二手的，缺乏能吸引研究者的魅力。另一個原因就像岡田謙先生，雖然有做社會學研究，卻只有稍許部分與漢族系統有關。不知道各位對這方面有什麼看法。

當時的台灣總督府約在1920年代（大正10年代）之前，就幾乎鎮壓了台灣的漢族抗日分子。後來統治權力為了獲取林產而把手伸進台灣山地，使高砂族頻頻反抗，政策的要求和對象也就從漢人轉到高砂族。總督府本身改將經費投注在高砂族上面，研究者也就跟著轉向。這麼想應該沒有錯吧？

宮本：如果是1930年代（昭和10年代），只要想調查就可以去做，不是嗎？

戴：所以那是新的理蕃政策，在這個地方投注更多經費，學者就會跟著配合。岡田謙先生大概也是在這種情況下活動，就某方面來說，也是萬不得已的。

谷川：研究是與政策並行嗎？

戴：本來研究不都是這樣嗎？除非有很多資財，而且對這方面有興趣。現在的東南亞研究應該也不脫這種情況吧。這兩三年來，有關東南亞的資料，尤其是華僑方面的書籍，在舊書店的價格漲了五、六倍。金錢依時代要求改變流向時，研究趨勢就會跟

著改變。現實情況就是如此。

　　有賀：沒有經費，研究就無法進行。本來做研究就要抱著無論如何都要做下去的基本態度，可是實際上很難做得到。

　　宮本：多虧了澀澤先生，我才能夠去台灣，然後又被派到朝鮮做調查。澀澤先生在這方面的研究不只限於國內，民具的蒐集也很廣泛，還會將眼光投向南方、西方和北方。

　　戴：大約是從哪一年開始的？

　　宮本：大約是在昭和10年前後。

　　戴：那個時候是因為有新的歷史情況。

　　有賀：《紅頭嶼》出版是在什麼時候？

　　宮本：出版比較晚，是在昭和10年代。也可能是11年。

　　戴：可是《紅頭嶼》就某方面來說也是以未開化人為對象，不能說和時代風潮，亦即往南前進，尤其是進入菲律賓完全無關。

　　宮本：我們雖然是正式前往蕃地調查，卻是受到澀澤先生的啟發，才會去畢業於東京的大正大學，之後就任村長的人的家訪問，或是探訪本島人的村莊。

　　谷川：像朝鮮西南部海岸的多島海那邊、您們也去了嗎？

　　宮本：我們去了多島海，也去過蔚山做調查。在蔚山主要是由朝鮮出身的醫學系學生進行衛生調查，得出的報告就是岩波書店出版的《朝鮮之農村衛生》〔《朝鮮の農村衛生》〕（昭和15年出版），而這類調查也有澀澤先生的資助。關於朝鮮的調查，前陣子出版的《日本常民生活資料叢書》中的「月報十四」中，有古島敏雄〔譯註：古島為東大農經系教授〕先生提到姜廷鐸先

生的事，這位姜先生是在蔚山做農村調查。我們一起被派到那裡。澀澤先生很早就有開闊的眼界。

　　有賀：他總保有自己的主動權而做事。能夠做自己想做的事是最好的。

　　谷川：而且做這些研究是沒有附帶條件的。

　　有賀：完全沒有附條件。他是格局很大的人，幾乎不曾強迫別人做研究，就算要花上幾年的時間也沒有關係，後來才會有那部叢書出版，內容都是一些長時間的調查。

　　谷川：當時澀澤先生贊助的錢也包括生活費嗎？

　　宮本：付給我們的嗎？

　　谷川：去做調查的人，連同旅費在內，全部都由他支付吧？

　　宮本：澀澤先生那裡有人支薪上班，也有不支薪的研究員。不過在那裡不稱呼研究員，而是同人。有些同人支薪，有的不支薪。

　　有賀：就我的石神調查（岩手縣）來說，起初我是在澀澤先生的建議下和土屋喬雄一起做，他幫我們出了一星期的食宿費，但後來的研究花了兩三年，因為變成只有我在做，是我自己要做的，所以費用自付。我完全沒有跟澀澤先生商量就做了，還把成果提出來。他對這份研究成果什麼話都沒說，我也不知道他究竟有沒有看內容。

　　宮本：應該看得很仔細吧。

　　有賀：不過我請他為我想書名時，他取了個很好的名字。

　　宮本：澀澤先生曾為許多彙報或紀錄寫序文，那些序文都不是稀鬆平常的序，全部都是先看過原稿才寫的。

有賀：只是我的書是由自己寫序。

殖民統治下的台灣與朝鮮

戴：宮本先生，您當時去台灣時，有什麼感想？

宮本：哪方面的感想？

戴：對台灣的感覺。

宮本：我們是在昭和11、12年時去的，那時的台灣很不錯。拿朝鮮和台灣這兩個日本當時的殖民地來比較，台灣的殖民政策和朝鮮有很大的差異。總督是陸軍還是海軍確實有很大的不同。

有賀：台灣的是海軍嗎？

宮本：是海軍。剛才有賀先生提到令柳先生憤慨的種種事件，就是朝鮮總督施政過度所致，非常差勁。台灣那邊或許是基於海軍的傳統，沒有採取極端的作法。開戰之後也許就不一樣了。

戴：恕我僭越，但是宮本先生剛才說的是一般論，一般日本人都這麼以為。我認為那是不正確的，因為不論是台灣還是朝鮮，當時的統治主體都是日本帝國，即使陸軍和海軍有體質上的差異，也發生過若干與「作風」有關的事情，但是那不可能是決定性的因素。尤其朝鮮的反抗運動非常激烈，更不可能以陸軍有所謂的「體質差異」來解釋。陸軍也不可能眼看著海軍在台灣施政順暢，而絲毫不改變自己。日本帝國的整體意志不是要盡可能緩和矛盾，順利統治嗎？也許多少有陸、海軍因體質差異而有不同統治法的一面，但這個差異終究只是意在言外的差別。問題的

癥結不在於統治的主體，而是在於統治的客體，亦即台灣、朝鮮的內部情況、階級結構、地主制，以及殖民地統治造成的破壞程度。日本在朝鮮是用東洋拓殖等政策，普遍實施日本人地主制。就朝鮮人的立場來說，會想要去探討接納或不得不接納此制度的國內條件。至於台灣的情況，除了高砂族所在的山地全部改成國有化之外，日本人地主是製糖公司和對退休官僚政府出售土地時產生的，而且多半是邊際土地（marginal land）。即使在後藤新平赴台灣的階段也是一樣，台灣已經普遍建立了寄生地主制，要在台灣的原始積累階段掠奪土地並不容易，尤其是在漢族居住的平原。由於招致武裝游擊隊的強烈抵抗，日本國會才會出現「出售台灣論」的主張。因此後藤新平去台灣赴任後，就開始恩威並施，做為鎮壓武裝游擊隊的一環，以當今的說法就是破壞統一戰線，將台灣地主和農民分開。如果不把普遍存在的寄生地主殺絕遂行統治，就要把寄生地主制嵌進日本殖民地體制的框架內，以便順利統治。依我所了解的事實，台灣總督府在面對這兩種選項時選擇了後者。

後藤新平是推動這政策的最高負責人，他一面施恩拉攏台灣人裡面的大、中地主，一面徹底痛擊游擊隊主力，也就是拓荒農民和小地主，甚至加以誘殺，以建立殖民地的秩序。台灣的農業生產力已經發展到足以維持寄生地主制，因此在建立秩序的過程中，是以農業生產力為基礎，進行殖民地開發。所以台灣並沒有像朝鮮那樣，連在農村也有日本人高利貸或日本人地主作威作福的情況。與其說是沒有，不如說是他們沒有能力這樣做。換句話說，殖民地統治對朝鮮的破壞，以及造成的階級分解、階層分化

極為劇烈，抵抗才會那麼大，而且從事抗日運動的左翼勢力也有很高的地位。相較之下，台灣的左翼勢力從頭到尾都很薄弱，發起抗日運動的力量也掌握在台灣有資產的本地人手中，而僅止於溫和的改良主義運動。當然，台灣左翼運動的薄弱還有其他因素，例如台灣沒有和大陸土地上的連接，相對於朝鮮是全國成為殖民地，台灣只是中國六十分之一的土地變成殖民地，而且抗日或殖民地解放運動逐漸被中國的革命運動吸收，因為當時有一種想法是，只要中國的反帝、反封建鬥爭成功了，自然就能解放台灣。何況受到鎮壓時也無處可逃，不像朝鮮那麼容易。

台灣絕非日本所以為的瘴癘蠻荒之地。日本人還未進來時鐵路已經鋪了，有相當多的樟腦、茶和糖輸到國外，也有米輸到對岸。而且台灣有優越的自然條件，既是拓荒地也是糖產地，各方面都有助於台灣殖民地的開發。

如各位所知，在明治時代，日本的外匯不足，要避免因為進口糖而流失外匯，就必須提高台灣糖的產量滿足國內的消費。可是糖的原料甘蔗與稻米是同一塊耕地的競爭作物，再怎麼用保護關稅來保護糖業資本也是有限的，而既然糖是國際商品，就無法完全自外於國際競爭。這麼一來，就不得不提高甘蔗作物的生產力。甘蔗作物增加時，連帶提高了屬於競爭作物的稻米產量，台灣的農業生產力如此提升後，殖民地開發的利潤就有些許殘渣流到台灣地主階層，而進一步增強台灣既有的寄生地主制。這個結果看在日本人眼裡，就是統治政策順利施行，最後更形成因為是海軍才會如此順利的一般論調。

說起來很難為情，我必須老實承認，高比率的佃租是在台灣

總督府的權力下才得以維持。但是政治上有很嚴重的種族歧視，當然也有迫害。朝鮮的情況則是兩極分解，除了被視為李朝的貴族的人之外，就只有投向共產黨或徹底抗日，沒有其他生存的辦法。這麼一來，他們對日本殖民地當局的態度自然有所不同。絕對不是日本人有不同的殖民政策，而是兩地的條件不一樣。大家對這一點都不夠了解。

谷川： 我在朝鮮時也聽說了陸軍與海軍的說法。誠如您所說的，那只是一般論調。

戴： 我在四、五年前就開始強調那種說法不對。以日本明治7年（1874）的台灣遠征來說，從那時候的調查可以知道台灣相當富裕。早在日本人進來之前，台灣就已展開近代資本主義式的土地調查。世人不了解這方面的情況，而有台灣殖民地的發展都是日本當局的功勞這種非科學的論調橫行。說什麼日本在台灣做了好事比做壞事還來得多。

谷川： 也就是說，當時的台灣已經有了中產階級。

戴： 無法破壞掉。即使是後藤新平也在一開始拚命籠絡收買，為了讓在屬於本地人的資產階級凋落，就派遣日本的漢詩人過去，解除吸鴉片的禁令，討好台灣的資產階級，甚至授予名為「紳章」的勳章，解除台灣資產階級的抗拒心。鴉片政策是一個典型，因為只有地主吸得起鴉片，發執照給他們的同時，還能收取專賣收益，結果是皆大歡喜。但是相對的，徹底反抗的傢伙就格殺勿論。基本上這是把台灣的寄生地主制融進日本的體制，維持中產階級的存在。這個階層是很厚的。

另一點是有豐富的自然資源，甘蔗與稻米順利連動〔譯註：

指互為良性競爭關係〕，生產力成長，能分到的好處也相當大。朝鮮則是氣候寒冷，由於殖民地的掠奪、高利貸的肆虐，山地變得光禿禿的，生產也遭到破壞。

　　如果日本在台灣也像朝鮮一樣設立東拓公司，就必須殺掉相當多的地主。因為有這個差異，台灣的共產主義運動始終止於少數，難以擴展。反而是在台灣設置議會，希望能夠自治的運動比較強。朝鮮之所以會出現金日成等人那種強大的運動，就是因為破壞程度異於台灣，有其物質上和社會上的基礎。

　　有賀：漢族的堅忍性格是不是也是一個因素？

　　戴：也有這個因素，但是台灣的抵抗方式不一樣，除了剛才提到的原因，另外也因為台灣是島嶼，武裝抗日在1920年代就停止了，以後都潛伏在地下。還有一點是，台灣並不是整個國家都淪為殖民地，最後抵抗不了的人都回大陸參與革命運動，認為只要解決大陸的問題，就能把台灣從日本那裡搶回來。而朝鮮是整個國家都淪陷，必須盡全力直接反抗，否則無法開拓未來。

　　有賀：因為沒有後援，所以朝鮮在政治上一直都不強。

　　宮本：如果有和大陸相連的地理條件……。

　　有賀：那邊有六、七億漢族，光是這樣就有很大的差異。日本在敗戰後不久的情況和朝鮮有點相似。

　　戴：所以就某方面來說，包括我們在內的台灣知識分子因為隨時都有退路，所以在中途受挫就放棄。另一邊的朝鮮則是會拚命衝撞。

　　谷川：柳田先生對朝鮮並沒有像對南方那麼關心，這是為什麼呢？

　　有賀：他不是在《海上之道》上說明了？

　　谷川：因為北方有北風吹颳的嚴峻氣氛。南方就像戴先生剛才說的，溫和安穩，有富饒的感覺。當然南方留存的民俗文化也比較多。

　　有賀：柳田先生這個人有很深的抒情成分吧。

　　宮本：柳田先生等當時有金澤〔庄三郎〕博士鼓吹的日韓兩語同祖論，讓人覺得他對韓語應該很有興趣，他卻沒有把眼光轉向朝鮮，很奇怪。

　　有賀：例如他舉辦過「北方文明研究會」，也只針對愛奴人。韓語雖然有金澤先生、小倉先生，巫醫有赤松智城先生、秋葉隆先生等人做了那麼多研究，為什麼他沒有轉向朝鮮，確實奇怪。

　　宮本：是很奇怪。如果要研究語言，日語研究的範圍可以涵蓋到沖繩，台灣就不包括在內了。為什麼柳田先生沒有從日語與韓語的關係再進一步把眼光轉向朝鮮的民俗呢？

　　戴：就像我剛才說的，柳田先生如果要貫徹他的方法論，本著良心去深入研究朝鮮或台灣，就會與體制衝突，所以他不能做。譬如主張重視語言、地方文化或信仰，殖民地就統治不下去了。

　　谷川：可是不只是柳田先生這樣。仔細一想，折口先生也是一樣。折口先生不是沒有去出雲嗎？他甚至說過「出雲不用去也知道」這種話，對出雲的文化似乎評價不高。相較之下，他對阿波就非常推崇。雖不能說這是民俗學的缺陷，但是有往南方發展的趨南性質。

戴：可是，谷川先生，他有研究愛奴人，這就說不過去了。

谷川：他並沒有直接研究愛奴人。北方文化研究會有哪些成員呢？

有賀：同樣都是柳田先生身邊的那批人。

宮本：奈夫斯基（Nikolai Aleksandrovich Nevsky）也出席了。

有賀：奈夫斯基也研究過沖繩，所以成員是一樣的。

避開緊張的柳田民俗學

戴：所以柳田先生很了解只有日本國內可以做，而不徹底去做。我感覺這是柳田先生的局限。如果柳田先生的方法論在台灣貫徹，而且普及開來，殖民統治絕對無法推行。拿語言來說，您們知道我們被日本當局和日本老師說過什麼話嗎？「你們講的語言是低等的，不可以使用『支那語』」。在《月刊民藝》的座談會上，比嘉先生是以相當含蓄的方式談論沖繩語，而從沖繩這個問題可以知道，縣府的人是不能不說國語的，也就是標準話。這方面我有切身經驗，可以體會沖繩人的心情。

谷川：而且比嘉春潮先生在那個場合也未必贊同柳先生。

戴：所以他的發言非常含蓄、溫和。

谷川：也就是說，深切感覺到曾因為方言而遭受輕侮。

戴：所以才不說話。

有賀：因為有真切的感受。

谷川：是柳先生自作多情，因為同情心而激動地主張要保護

方言。

有賀：他在這方面對官員是很有反感的。官員是因為對自認是優等人種的西方人懷有自卑感，才會強迫自以為比日本人落後的民族說日語。

宮本：我們去的時候，台灣並沒有什麼國語教育或強迫安置神棚。直到第二次世界大戰末期，才大力推行這種政策，而在台灣引發激烈的反抗。

谷川：那是哪一年？

宮本：昭和10年代初期，台灣並沒有強制安置神棚或說國語。朝鮮則比較早施行日語教育。我們去台灣時，曾在高雄車站前買香煙，日語是說不通的。深入山地以後，因為那裡有日語教育，日語在山地相當普遍。在平地日語說不通，讓我們很困擾。可是在戰爭最緊迫的時候，台灣突然開始推行日語教育。

戴：那是在盧溝橋事變發生後，高層認為非要把台灣和中國隔開不可。就是在這個時候，日本人開始規定不可以叫我們「清國奴」，要改稱「本島人」，藉以讓我們知道，你們也是日本人——在以前他們根本不可能接納我們是日本人。

谷川：剛開始很排斥吧。

戴：當然。

谷川：後來就採取在同化中排斥的方式。

戴：因為不能不派我們出戰，才要拚命改變態度。

谷川：為什麼對山地的高砂族較早進行日語教育呢？

宮本：不就是理蕃政策的滲透嗎？

戴：我認為不是。高砂族沒有文字，所以沒有抵抗工具。而

且他們的經濟能力差很多。至於我們，北原白秋的《華麗島風物誌》（昭和35年出版）中也有提到，日本人一直無法在台灣紮根。白秋是在昭和9年的夏天，以大約四十天的時間在台灣旅行。這本書收錄他當時記下的印象以及寫作的詩歌，在戰後由矢野峰人先生編輯出版。裡面有下面這一段：

大稻埕的活力與物欲隨著濃豔刺目的色彩雜然紛陳，卻也顯得光華亮麗，執拗而根深柢固。招牌和對聯的美麗辭藻亦然。

行駛於官府前三線道路的快意，連同行道樹篩落的日光，令人夢往神遊，但儘管榮町通的內地人現代市街有櫛比鱗次的高樓大廈，白晝的眩惑微弱、枯燥無味，顏色、光線和形狀皆平板如幾何畫。連晚景也能從電燈與櫥窗的透明窺見其整齊與清潔，無一與內地大都市的輝煌有異，然而來往的行人也缺乏情趣，令人不得不覺得這就是官府式的商店街。生氣全無。

內地人商家的商人究竟在做什麼呢？這樣子好嗎？感覺我的直覺不甚可靠。四處詢問才知道，他們的商權薄弱，似乎被本島人極度壓倒，內地人不過是與內地人淒涼地自相殘殺。本來支那族本島人的生活程度就不高，粗服粗食，勤奮堅忍，甚至可以說是貪於守護個人，但別具商才，專注深入。相反的，內地商人必須顧全自尊心和面子，但又沒有官舍生活那麼富裕的保證，商品也無法廉價得足以與那些人對抗，利潤被一點一滴、一件一件地奪走，工藝品也遭到模仿，顧客被蠶食鯨吞，對本島商人的囂張跋扈只能束手無策。首先內地人的影子稀少就讓人吃驚。台北也瀰漫著支那味。只有本島人在吵吵嚷嚷。要說

此近代的文化設施是誰所為？是當政的總督府所為。此皇民化之恩澤，誰獲得最多，蒙受最深？是本島人，此本島人感謝感激的程度有多少，就相當令人懷疑。過於人道的文官制統治方針反而令內地同胞臉面無光，連日常生活都受到支那族威脅。於此現況下，期待恢復過往獨裁政治的聲浪似乎不小。從來到台北的第一晚，我就從多人的隻言片語與自己的感官得到更深的感觸。

「照現在這樣過了100年，台灣也不會變成我們日本。」我也聽到了這樣的話。

剛才從藝妲家要回來時還聽說，連藝妲那種人如交了內地人常客後，也會遭到本島人的杯葛，連地下妓女也一樣，讓人吃驚。話說回來，在世界上活躍的日本女性為何對異族如此寬宏呢？總而言之，台灣是本島人的世界。

我不高興地，不斷嗑著瓜子。很難吸出裡面的白籽，只好一再吐出來。

我終究是個日本人。以本島人的立場去想，或許會對我這種不快感到不快。

「好危險。」我說。

「萬一發生戰爭，日本的戰況……，有這種謠言流傳，或有個××落在那一帶……，本島人就會……」

我暗罵一聲「忘恩負義」，但這麼說是否合宜也是值得商榷。恩威並施並不容易。恩惠會讓人習以為常。統治者被對外的美名所縛，對內就會忽略事情的深度與迫切。

　　不愧是日本具代表性的詩人，直覺相當敏銳。我很佩服他那種彷彿預見戰後情況的印象。可是那是對台北市，這個日本人最集中的台灣城市產生的感覺。連在日本敗戰前的昭和18年底，日本人的數量也不到40萬人，只占總人口的6%。所以日本人完全無法在台灣紮根。台灣人對中國文物、文化方面的自信，在此情況下正好成為對抗的核心。再舉個具體的例子，我那個村子的日本人，除了公學校的校長和兩三名教員，以及派出所的主任之外，就沒有其他人了。可是村裡的地主小孩卻是日本大學畢業的。相較之下，那些日本人頂多是師範學校畢業，生活水準和收入都比不上，只能在政治上耍威風，其他方面都不起眼。他們再怎麼用嘴巴罵「你們這些清國奴」，也無關痛癢。從這裡可以看出日本人和漢族台灣人的緊張關係。高砂族就沒有這種情況。所以雖說稱不上日語可以全部通行，但是在高砂族之間很容易滲透。

　　谷川：有教導高砂族日語嗎？

　　戴：當然高砂族和漢族都有教，只是滲透的程度不同。

　　谷川：無法滲透……兩方面都有用教科書教嗎？

　　戴：以漢族為對象的教科書水準比較高，可是這邊會反抗，很難灌輸。高砂族因為沒有反抗的核心，所以容易教授。我不是專家，不是很清楚，但聽說高砂族，尤其是泰雅族的日語發音非常接近標準語，也許語言上也很接近。如果是這樣，高砂族容易學日語也許有像這樣的其他原因。

　　例如法醫學大師古畑種基先生說過，就血型來說，日本人和泰雅族非常接近。而且高砂族的日語說得很標準。我們會有口音，或是有些音發不出來，他們卻可以說得很好。我的發音算是

比較好的，有些台灣人根本發不出濁音，因此遭到取笑。我就見過日語簡直說得比日本人好的高砂族。

宮本：日語很棒。還有一個條件是，高砂族在那個島上分成八或九個語群，種族不同，語言就不相通，日語因此成為共通語。相較之下，本島人的語言是分成廣東話和福建話兩個系統。

戴：而且有共通的漢字，對我們幫助很大。

宮本：可是朝鮮那邊很早就推行日語教育。台灣的話，雖然有日本人進入，那些人卻缺乏經濟能力，而無法分庭抗禮。朝鮮就不一樣了，日本人會進到村子裡，經營雜貨店、香煙店。

戴：台灣幾乎都沒有。

宮本：這些人在台灣進不去，就是因為情況非常不一樣。

關於對剛才對我的問題，就是說去台灣的感想如何，我是覺得在台灣不論去哪裡都受到非常好的對待。我們去台灣做調查時，每個地方的人都愉快地歡迎我們，去朝鮮時就沒有那麼好的待遇。那是在昭和10年左右。

谷川：那裡是日本所謂的殖民地……。

宮本：在朝鮮早就有當地人的反感，氛氛怪怪的……。

戴：關係非常緊張。台灣的話，進到村子裡的日本人就只有校長和一名警官，依照政策，教務主任是由台灣人擔任，另外就只有兩三名從九州一帶的人出來謀生當老師，在我們看來，這些老師並沒有多優秀（笑）。我們這邊的生活水準和教養還比較高。

谷川：這麼說，日本民俗學，也可以說是柳田民俗學，其實是特意避開了緊張嗎？（笑）

戴：這我就不知道了，但是就某方面來說，應該是這樣。

宮本：也因為這樣，他才無法進入西部吧。

谷川：還有一點，就是柳田先生曲折的說話方式也在《月刊民藝》的座談會上出現。柳先生說話比較直率，與柳田先生相比，柳先生的情緒也許比較亢奮，朝鮮人不是都很直率嗎？這種國民性很容易看出來。

有賀：柳先生的文章也是容易理解，深入人心。

谷川：柳先生的文章翻成外語時，也能讓人心領神會。而如果是柳田先生那種像迷走颱風的寫法，一下子北上，一下子南下……。

宮本：那是非常不科學的敘述方式。

谷川：柳田先生那種文章，就像接小孩上幼稚園的小巴士……。

戴：可是依漢族的性格，可能會比較喜歡柳田先生的文體。因為我們比較喜歡委婉的表達方式。

谷川：我和金達壽先生談過，他說韓國人是條理分明的民族。雖然不含蓄，但非常具邏輯性。

宮本：澀澤先生對事情的思考和文章都很符合自然科學。撇開柳先生不談，柳田先生和澀澤先生雖然都從事民俗學，研究態度卻迥然不同。

有賀：其中一位是以「物」為主，所以本身也特別標榜自然科學的性質。

宮本：這要素他很強。在我們看來，雖然不知道那種治學態度是否來自對柳田民俗學的批判，還是因為有自然科學的學習背

景，但是我覺得就是這種做學問的態度，使他走往和柳田先生相反的研究方向。

有賀：兩人的氣質非常不一樣。其中一位是非常包容，不會動怒罵人，就算出口批評，也往往是為了讓對方成長。在柳田先生那邊待不下去的人，多半會跑到澀澤先生那裡。澀澤先生並沒有挖他們過去。

宮本：像早川孝太郎那些人，都是被逐出師門的。

戴：我雖然不同意宮本先生剛才說的殖民政策不同的觀點，但是比較台灣和朝鮮，朝鮮確實在某些地方比較受禮遇。例如台灣人一直無法獲准辦自己的日報，京城帝大的設立也比台北帝大早。正如剛才說的，整個國家變成殖民地和只將國家的一部分，而且是將位處邊境的島嶼割讓出去，兩者的差別很大。因為一個島嶼再怎麼反抗，力量也是有限的，所以被看作很容易統治也是一個因素。說句不好聽的話，只要分點好處給台灣本地資產階級為基礎的知識分子，這些人就會變乖了。朝鮮的情況則是日本人進去很多，被徹底殖民。

四、柳田—澀澤—柳

對「常民」過敏的柳田研究

谷川：有賀先生有一篇文章提到「common people」，探究與「常民」的關係，您還寫道，更早在文章中使用「常民」一詞的人就是柳田先生，那是柳田先生從澀澤先生的「common people」翻譯過來的，還是他自己創造的名詞？

　　有賀：不是有個名詞「常人」嗎？那是平常使用的詞。我認為「常民」是柳田先生自己想出來的。在柳田先生之前，好像沒有人使用「常民」。可是即使用了這個詞，我覺得剛開始的時候和「平民」並沒有什麼不同。雖然在戰後的《近代文學》座談會上說：「那可能是澀澤先提出來的」，可是經過我各方面的調查，發現柳田先生比較早。只是在對這個詞的解釋上，柳田先生也許是從澀澤敬三先生的common people那裡，承接了戰後賦予這個名詞的意思。

　　不過，柳田先生的「常民」有時候會讓人搞不清楚，因為皇室、藩主夫人都包括在內。法國有民間（populaire）和優秀階級（superieur）兩種人，superieur包含……，請等一下。

　　《鄉土生活的研究法》〔《鄉土生活の研究法》〕是在昭和10年出版的，裡面有提到這些語詞。當時沒有人提到這件事，所以我特別在書中寫道：「『民間』的意思本來在法文裡有點限制。有些人認為，populaire是相對於superieur的語詞。可是這樣就沒有把有知識教養的人所抱持的老式想法包含進去，讓人很困擾。」因此，我起初認為，不能只是區分成populaire和superieur，也要把superieur中的老式想法放進去才行。《近代文學》座談會（昭和32年）中，不也有這一段：「要避開庶民。庶民已有既定的含意，雖然怎麼說都說得通，但是常民就很冒昧了，因為皇室的人也包括在裡面。平常就是這麼做……（中略）……說不定，舊式的夫人們，像藩主夫人、華族的夫人也跟身分低下的階級同樣出身。我就是以這種意思來使用『常』這個

字的。」

這麼一來，「常民」這個詞就變得非常複雜。先前我在論文中說那是指普通人，但是排除了菁英，也不包括村裡的村長或藩主階級。而底下未解放部落〔譯註：賤民階級〕的人、下等職業的人、桶匠、焊鍋匠等也不在「常民」裡面。只取中間的部分。人數可能很多。

谷川：柳田先生說過，「未解放部落」、「下等職業的人」都不算在內嗎？

有賀：雖然他沒有直接說「未解放部落」、「下等職業的人」，但有使用類似的語詞。

戴：愛奴族呢？

有賀：那時並沒有提到愛奴族。這是針對日本。

戴：柳田先生做過愛奴族研究，有把愛奴族放進「常民」裡面嗎？

有賀：他的書並沒有提到是否將愛奴族放進「常民」之中。

谷川：依柳田先生的想法，應該是沒有放進去吧？他雖然有興趣，但是並沒有直接研究「愛奴」。既然村子的藩主階級和下面的人都排除掉了。

宮本：這麼說是限制住了。

有賀：已經有這樣的限制，可是這樣問題就來了：皇室為什麼可以算進去？依我的揣測，柳田先生是認為在信仰上，皇室堅守古老的信仰，所以皇室裡面存在著與「常民」相同的東西。

柳田先生當然認為皇室是菁英。雖然他們受到外國文化的影響，但因為他們的地位的關係，無論如何也要保留日本習俗，守

護日本古老的東西。基本上會去保護這種東西的不就是「常民」嗎？否則不會與皇室有所連結。他也說過，層級比「常民」低的人也不算在內。為什麼不行呢？像這樣加以剔除，難免會去區分日本的某種階層（？）。怎麼可以說他們不是日本人，或是沒有基本的日本文化？如果說上面的菁英和底下不屬於「常民」的人不是日本人，問題就大了。難道所謂的知識分子不是日本人？知識分子實際上並不會完全受外國文明的擺布。雖然會接納外國東西，但還是具備許多日本性格。所以這些人也是代表日本文化的某階層，可以從他們身上找出充分的日本民族性。而就算是「常民」底下的人，既然是日本人，也就具備許多日本的東西。究竟是以什麼理由從日本人當中區隔出「常民」這個階層的呢？

　　這當然是有原因的。在柳田先生之前的學者研究的歷史學都是以上層階級為對象。我很了解柳田先生對史學提出「常民」這個反命題，而且非常堅持的心情我可以理解。史學是在不斷發展反命題中重寫歷史的工作，因此柳田史學——民俗學——以「常民」為中心這件事是有意義的。可是我們必須超越柳田學，就不得不批評他過度強調「常民」的作法。我們必須以所有日本人為對象，弄清楚日本文化的傳統。

　　我剛才說過，例如對鎌倉時代〔1185～1333年〕的親鸞有什麼看法？親鸞把佛教做為他單獨一個人的自覺去掌握，獨自創設特殊的日本佛教「他力」。親鸞是日本的知識分子，也是中國和印度都不曾有過的佛教徒。可是一般的真宗信徒有多少人達到和親鸞一樣的自覺呢？很少。大部分的「常民」不限於信奉真宗，但也都加入檀家佛教。親鸞雖然是知識分子，要說他不是日本人

的話很簡單（笑），可是不能這樣。知識分子會在日本的傳統上吸收外國文明，從中創造出什麼，因此不能不將此創造出來的有某種日本性的東西納入。畢竟對日本人來說，那才是真品。

　　所以像柳田先生那樣，把「常民」和其他人區隔開來，就非常難以理解日本究竟是什麼。雖說天皇是「常民」，可是依我們的常識，能夠理解天皇是「常民」嗎？日本歷史在奈良時代之後，天皇就不再是掌政者，而多半扮演穩定政治的角色。這個問題無法簡單說明，但舉個最近的例子，日本在第二次世界大戰中戰敗時，戰爭是在天皇的聲音中劃下句點。這是在日本的歷史中必須思考的事。如果主要只是以皇室自古以來的特殊神事為中心去看，就很難明白。

　　因此，要掌握日本的傳統，就不能不把各階層日本人的行為和想法全部納入考量。

　　要了解日本的歷史或文化，我覺得柳田先生的「常民」思想非常重要，而且具有獨創性，可是我覺得應該要再加點東西。澀澤先生則是分成上下兩個階級，下面的稱為「常民」，這非常清楚。

　　谷川：原來澀澤先生是這麼說的。

　　戴：這麼一來，谷川先生剛才的總結不就是指出柳先生和柳田先生的差異嗎？

　　谷川：鶴見俊輔先生和久野收先生曾在岩波書店出版《現代日本的思想》〔《現代日本の思想》〕這本書，裡面也提到對柳先生的批評。這個部分是這麼說的：「白樺派衍生出來的具體產物中，包括柳宗悅所催生的民藝運動和民藝館。此運動以美術史

研究為出發點，例如重新審視無名的行者『木喰上人』留下的佛像，然後發展成趣味性的運動，把日常雜物當成美術品欣賞，再把日常雜物從勞動階級的生活脈絡移進資產階級的生活脈絡，再賦予其意義，這一點有應該批判的層面。」也就是批評他把日常雜物變成資產階級趣味性關心的對象，對於這一點，您有什麼看法？

有賀：柳先生的文章有提到這個問題，就在這本書（《工藝文化》）裡面。我先找一下，您們先繼續談。

谷川：剛才提到柳田先生的「常民」，在韓國「常民」是指無法成為官員或是統治者的階級。

有賀：在韓國的意思很清楚。

谷川：很清楚。如果日本民俗學和這個名詞同時輸入韓國，「日本民俗學是一種常民的學問」會和有賀先生所說的混淆不清。韓國的「常民」和柳田先生的規定完全不一樣，這樣子不是會使用詞更加混亂嗎？如果使用「常民」一詞，民俗學就無法輸出了。

戴：韓國正在廢除漢字，以後應該沒問題吧。

谷川：不，語詞還是存在的。像「兩班」、「常民」都是日常用語。

戴：漢字一樣，可是發音不同，容易區分。如果都是漢字，就有困擾了。

谷川：韓文也不是完全廢除漢字。而且「常民」這個名詞的發音還是一樣的。

有賀：這會造成困擾。漢字有「常民」這兩個字，即使有韓

語的發音。

　　谷川：所以常民在韓國是「被統治者階級」、「被支配者階級」，是只表示被統治者的名詞。韓國的知識分子是依附在統治者旁邊的。像《朝日Journal》有旅居韓國的學者撰稿提到，那邊也是有體制和反體制，知識分子雖然是反體制，卻是做為統治者的反體制，而「常民」是無法這麼做的階級。韓國的知識分子接觸日本民俗學時，看到「常民」這兩個字可能會失去興趣，因為他們會覺得我們在野的知識分子與常民階級不同，是反體制、是地下的統治者，與常民階級的意識完全無關。所以有些自稱是某某王族後裔的人，即使現在的處境不佳，也不會覺得自己是「常民」。

　　戴：另外在《月刊民藝》的座談會上，柳田先生也認為「土俗學」這個名詞不好，原因是會連結到土民。對於這一點，我其實不知道要怎麼想。恐怕「土民」就等於「土人」，當時的日本只有愛奴人會被稱為土人吧？至於沖繩的人就不清楚了。

　　谷川：笹森儀助在明治26年去沖繩時，也是使用「土人」一詞。

　　戴：那時也許是不得已的，可是到了昭和15年的階段，仍然……。

　　宮本：在昭和15年時提出「土俗學」一詞，不就表示柳先生或式場先生不知道日本學界的用語？這陣子已經沒有人使用「土俗學」了。

　　谷川：柳田先生在那場座談會是否定此詞。

　　宮本：由於出現「土俗學」這個名詞，柳田先生不得不從

ethnology和folklore的區別開始說明。如果一開始就依folklore的意思使用「民俗學」這個用語，就不會有剛開始的混亂，也不需要說明了。

戴：「土俗學」的稱呼大約是在哪一年消失的？

宮本：至少是在柳田先生寫出《民間傳承論》〔《民間伝承論》〕和《鄉土生活的研究法》時，大約是昭和9或10年。在這之前，前面有賀先生也提到，「民俗學會」是在《民族》雜誌停刊後的昭和4年成立的，後來就有岡書院發行《民俗學》雜誌，當時已經在使用意思與folklore相同的「民俗學」。柳先生對學界不熟，才會使用「土俗學」這個大正時期的用語。

戴：台灣是在昭和6年出現《南方土俗》這本雜誌。剛開始是「土俗」，直到昭和16年才改成《南方民族》。

宮本：以這裡的意思來說，土俗學就是ethnology的民族學吧。以這個意思一直被使用下來，土俗學就是ethnology的意思。

谷川：有些人聽在耳裡會覺得是很大的侮辱。在日本「土著」這一詞會被某些人討厭，因為會聯想到「土人」或「土俗」。

戴：對於柳田先生說會聯想到「土民」這一點，我有個疑問，就是這個土民具體上是指什麼人？是愛奴族嗎？

谷川：在新幾內亞好玩地用手槍射擊在海岸晃蕩的人影，那影子頓時翻倒。這種對當地人毫無情感的白人就在研究ethnology。柳田先生明白說過，那和我們從事的folklore不同。這是在說，白人要試用手槍時，並不把殺死一兩個人當一回事。這種殘酷無情的人竟然向學界提出研究報告。據說是在ethnology剛

開始的時期有過，是柳田先生發出的激烈批判。

　　有賀：在ethnology出現之前，基督教開始進入未開發的社會傳道，白人抱持著基督教是最優越宗教的態度，所以要拿去送給野蠻人。但光是這樣，是無法順利傳道的，因此為了了解野蠻人的生活，才逐漸發展出ethnology。他們剛開始很看不起白人以外的民族。日本人也是一樣，接受西方文明，國家稍微變得比較強盛了，就採取同樣的態度，用「土民」來稱呼落後國家的人。「土民」一詞是從日本都會人用以稱呼鄉下人開始的，亦即有優越感的都會人以「土民」來表示輕蔑，這個語詞還殘留著這種言外之意。

　　宮本：柳田先生指的並不是愛奴族。

民藝做為一種方法的可能性

　　有賀：剛才提到有人批評說，民藝變成了資產階級的嗜好，柳先生的書中有一段話可以用來回覆這種批評，但因為內容很長，要請大家聽我寫的摘要（《日本常民生活資料叢書》序文中的一段）：

　　工藝在健全的條件下，美術和工藝會各自產生獨自的美，因此其優劣不成問題，但自從進入了資本主義時代，工藝在巨大的商業主義下變得粗製濫造，明顯失去作品之美。相對地出現個人製作者，亦即工藝美術家。他們與美術家一樣，意圖使新的美在墮落的工藝界復甦，進而以產生獨特的創作為目標。他們

　　此時已無法甘於傳統，打算加以否定，努力追求獨創。可是他們很難與昔日健全時期的工藝一樣孕育出卓越的美。

　　這是很重要的。柳先生指出了一個事實，就是工藝美術家以新的獨創為目標，反而無法達到傳統老工藝品的境界。

　　工藝原本沒有刻上作者的名字，新的工藝美術想要以個人的名字來凸顯作品的存在這一點與美術無異。柳先生指出，這種工藝美術的方向是在表明不以實用性為滿足，因為想要脫離以生活為本的工藝性，使工藝之美變得不純粹，才會無法創造出與古老而健全的工藝相同的美。儘管如此，工藝美術的價位已經比保持低調的工藝高，加了個人名字之後又變得更加昂貴，因此到不了民眾手中，最後只能由少數富人擁有。相較之下，一般工匠的作品只能屈居下位。在今天這種工藝的情況下，為了刺激再生，柳先生並沒有忽視工藝美術的存在價值，但是他為了工藝的復甦而展開廣泛的民藝運動是眾所皆知的。他使眾人重新認識了民藝，這是劃時代的創舉。

　　這是我的文章，只是把柳先生的意見照實寫出。有的東西在以前是很普通的身邊物品，因為某個人發現了其中的美，這個美因此受到一般人的認可，這個東西在愈來愈少的情況下也就變得昂貴。這種現象當然是免不了的。例如李朝的陶瓷器在大正時期被當成粗俗貨。連日本的粗俗貨價格也同樣地都水漲船高，雖然製作者默默無名，他們的作品卻能賣得高價，但是我認為這不是

柳先生的責任。

　　戴：是社會制度的問題。

　　有賀：柳先生能夠在之前沒有人發現的地方看出不凡的美，其絕佳的直覺和見識是我們必須肯定的。以階級性的偏見牽強附會，做出錯誤的評價是不對的。

　　戴：就剛才有賀先生唸的文章來說，裡面談到殖民地的部分相當能鼓舞被統治者，所以我很認同有賀先生的話。畢竟以太一板一眼的意識形態來解釋這個東西，就無法給柳先生正確的定位。

　　谷川：而且和柳先生的形象不合。「成為趣味性的運動」在此被斷章取義。

　　戴：只是我有一個疑問。柳先生在《月刊民藝》的座談會上也說過，民藝運動是規範學，要蒐集美麗而正統的民藝品。這樣子就有一個問題，就是由誰來決定什麼是真正的美，或美麗而正統的東西？柳先生以敏銳的直覺力發掘出來的民藝品雖然留下來了，但是直覺力是無法傳承的。這麼一來，究竟民藝應該以什麼形式做成體系呢？這方面應該要怎麼想？

　　有賀：柳先生是以嚴正的態度展開民藝運動，在創始人還活著，能提供正確指導的期間，這個運動可以在正軌上發展，可是等到這個人過世了，沒有他的指導之後，有許多製造新民藝品的人錯誤傳達創始人的思想，就算沒有傳達錯誤，也可能難以抗拒一般情勢，而產生明明能力不足，卻擺出工藝美術家的姿態。這時正確看待民藝的態度就會慢慢消失。

　　戴：變得商品化了。

有賀：因為是民藝，所以變成商品也沒有關係，可是有些作者沒有為了供民眾使用的誠實服務態度秀出名字，擺出藝術家的姿態，因為這樣比較賺錢。

柳先生不在乎名字，作者是誰都無所謂，只要做出來的東西對使用者有用，而且東西的堅固和流露出來的美會與使用者的生活緊密結合。柳先生對一輩子都在製作這種優良物品的人評價很高。這是柳先生的優點。但因為愈來愈多人只會貼上民藝的標籤，利用民藝的名稱，卻不懂得民藝的精神，民藝運動才會走向歧途。世人以為的民藝派，例如濱田庄司之類，並不是民藝作者。即使依柳先生的說法，也頂多是工藝美術家。

谷川：世人真的有所誤解，以為這種人具有繼承柳先生的精神。

有賀：不論什麼時代，最早的拓荒者都是創意十足，態度真摯，而追隨者都會變得不成樣子（笑），因為那是模仿。

谷川：也許有人以為像民藝酒吧、民藝茶館等店家的始作俑者就是柳宗悅，覺得都是因為他拚命向世人鼓吹那種事，才會如此墮落。也許我們有必要在這裡聲明，這些事和柳先生無關。

戴：但會被質問，應該如何繼承柳先生的精神，如何繼承他審美的眼光。

谷川：澀澤敬三先生不是有很多弟子嗎？或許不是弟子，而是受他照顧的人。柳田先生在這方面的就有點少，柳先生更少。柳田先生還有更大的包容力，可是他太依賴獨創性了。澀澤先生就有浩瀚無邊的包容力，而且能夠以彷彿自然科學家凝視顯微鏡的冷靜眼光去看待事物。

宮本：那不是個性使然，而是做學問與藝術的差異。以藝術來說，縱使上一代是大藝術家，下一代也無法繼承。做學問就可以累積，可以繼承，不是嗎？

谷川：可是柳先生的研究不能說是藝術吧。

戴：頂多可以這麼說，要體現柳先生的精神，建立民藝館，蒐集美麗而正統的民藝品，然後讓許多人來欣賞，培養審美觀，而且要一邊注意不要落入商品化的陷阱，一邊放眼未來，從事新創作。除此之外，沒有其他方式。

谷川：可是柳先生所謂的美無論如何都是屬於藝術的層次。雖然有與藝術無涉的美，亦即「實用即美」的形式，可是「實用」一碰到「美」就不見了。

有賀：工藝的「美」應該還是與「實用」有關聯的「美」。這是柳先生的主張。

谷川：可是一講到「美」，就會忘了「實用」。

有賀：柳先生認為工藝的理論基礎在於生活文化。「能結合美與生活的東西不就是工藝嗎？沒有興盛的工藝文化，文化就會失去重要的基礎，因為文化比任何東西更應該屬於生活文化。」他的想法是必須結合「實用」與「美」，因為生活是文化的基礎。

不只是日常使用的「物品」，也可以包括與「物品」結合的想法、行動，將整個生活當成一種藝術來思考。要把成立家庭、衣、食、住、工作、社會服務等全部加在一起。對人來說，這些事一方面與「物品」有密切關係，另一方面形成一種行動藝術。因此，工藝即生活用品只是其中一部分，但是珍惜「物品」就是

人心與「物品」的緊密結合，而產生濃厚的情感。在現今有大量消耗品的時代，對「物品」不太有感情，因為有替代品，稍有損傷就扔掉。可是以前的人會珍惜自己使用的東西，有損傷時就修一修繼續用。有些東西就算不能用了，也會放在某處加以保存，有時候還會持續與它對話，把它看成型塑自己生活的「物品」。我認為現在並非沒有這種使用方式。那不只是純粹的實用，而是含意更深遠的「用」。

　　所以仔細想一想，我認為我們可以看成人這種生物自己塑造廣義的藝術，即是藉著物品或行動來塑造自己的生活。這麼想的話，就不是只有美術、音樂是藝術，像傑出的行動也不無藝術的成分。再補充一下，武者小路實篤先生就曾經說過，長壽也是一種才藝。

　　個人的行動會讓他人看到，藝術也是一樣，作畫不只能讓自己滿足，別人也會看。我們基於某種心情做了什麼事之後，會感到滿足，旁邊的人也會用各種不同的眼光去看，對這件事指指點點。如果其內容是好的，就會有人稱讚；如果是不好的，就會遭受批評。因此仔細思索「用」這個字，就會覺得裡面有非常複雜而深奧的含意。

谷川：我們進到有民藝品展示的住家裡，會覺得不舒服，因為美的要素太強，協調度也太強。又譬如去民藝館時，不知道為什麼，也會覺得喘不過氣來。

有賀：房間四處掛著捲軸，或是擺了很多花瓶或茶器，產生過剩的美，不見得是好的。什麼都沒有其實無妨，很多情況是什麼都沒有反而比較好。在最重要的地方毫不在意地放置一樣東

西，就能令人印象深刻。擺飾就等於創造自己的生活。我們所作所為都是依據自己的想法和作法，仔細審視自己，就會覺得自己的行為也是在創造、進行一種藝術。這樣的自負不能沒有。所以我覺得不必把藝術界定在畫作或雕刻等狹小的範圍。

戴：在此之中必須要有的命題，是不是依個人心裡的對話去創造就可以了？

谷川：不，我還是覺得柳先生對他自己仍有更多自負。

戴：雖然有，可是他已經不在人世了，怎麼辦？我們只能和文獻對話，沒有其他辦法。去民藝館，也只能與他共享經由他鑑定，依他的規範學找到的至高無上的美。光是如此，實在無法做到繼承擴大再生產。

有賀：沒錯，可是大可不必把柳先生認為好的都當成好。

戴：是的。所以延續剛才谷川先生的話，不是只能以一種方式去做，就像您說的，還是要靠著每個人心裡面的對話來發現「美」，也就是必須回歸到個人。

有賀：那是應該的。就像柳先生發現民藝的「美」，柳田先生發現「常民」，或是澀澤先生發現民具研究的重要性，要找到之前沒有人留意的事物。我們必須注意這種個人的創造性、創造者堅毅的氣概。我們也都想要做這些事，所以要對前人的思想有深刻的了解，但是不能拘泥，只要以自身的想法去創造自己的生活就可以了。我們可以說，柳先生、柳田先生和澀澤先生過世以後，他們的所作所為都已蓋棺論定，但如何接收還是要依接收者的能力而定。

我還有一個想法。這種（一邊拿起杯子）物品的形狀是誰第

一個製造的？總有人第一個做出盛裝液體的器物，這個人是百分之百的創造者。各種用具的原型幾乎都是未開化的人製造的。這不是與剛才提到的柳先生針對台灣高砂族的談話吻合嗎？我們不能不認為第一個製造出來的人很偉大。不了解這一點，接收者就無法成大器。我們文明人雖然有更複雜的機械，可是那是繼承與模仿未開化人的創造，逐漸變化產生的結果。在此過程中，當然要有創造性。可是最早創造的人是完全的創造者，如果一直沒有夠深刻而正確的想法去認同他們的偉大，就無法創造出新的好東西，也無法豐富世人的生活。

谷川：繩文中期〔西元前14、15世紀～西元前10世紀〕的勝坂式、火焰式陶器的精美，讓我一直覺得很奇妙。陶器這種東西通常只要能夠盛裝東西就好了，為什麼還要加上那麼麻煩的裝飾呢？這是人類精神的不可思議。簡單的樣式就夠用了，卻要特地花時間做出美麗的圖案。人對物的精神作用真的很不可思議。

有賀：所以不了解人在繩文時代做出繩文陶器的生活，也許就無法充分理解那些東西。這方面的揣測很多，例如他們以為這個世界存在著某種力大無窮的惡魔，為了與它對抗才必須製造出強大的物品。另外那也可能是他們心目中的美。無論如何，因此產生的物品都讓我們有深刻的感觸，也唯有透過現在的心才能感覺。至於當時究竟是什麼情況，則是我們完全無法想像的。

谷川：製作者是否覺得美是令人懷疑的，他不見得會去想到美或什麼的，不能說以前的人會認為那是一種美。

戴：有個非常有趣的典型例子。皮蛋是中國菜裡的一種黑色蛋，有一種盛裝的甕，在大陸大量製造，但來到東京就很稀罕

了。我本來就很喜歡那種東西，也在院子裡放了兩個，花紋是不一樣的。就像谷川先生說的，無法知道為什麼上面要畫龍畫鳥，如果要方便運送，素陶就可以了。來我家的人可能都沒有注意到那是裝皮蛋的甕，看到時都會稱讚說：「你這甕真不錯。」我說：「這是裝皮蛋的甕。」他們就會有不同的感覺，很有趣，不過還是有朋友覺得好看。可是製造這種甕的人不見得認為那是美，他們也許只是為了方便區分才加上不同的花樣，也可能只是沿襲以前一成不變的作法。只是對我來說那些甕很好看，我很喜歡。

　　有賀：朝鮮的茶碗不也一樣嗎？戰爭結束後，有一陣子我看到美國人流行買日本製的硯台。問他們買來做什麼，他們說要用來當煙灰缸。這也很有趣。

　　不管製作者的用意，他們只想把東西拿到生活中使用。到處都有類似的例子。例如茶碗當然是當茶碗用，但不是用來喝茶也沒關係，也可以當成煙灰缸。

　　戴：大概是先有個美國人買來這樣用，大家看了覺得別具風格，就紛紛模仿吧。

應該繼承者的認識力

　　谷川：柳先生和柳田先生，一個是從事民藝運動，另一個是民俗學運動，聽了各位對他們的看法，我想各有所好，有的人喜歡柳田先生，對柳先生實在無法苟同；也有人喜歡柳先生，對柳田先生沒有好感；也有人認為這兩位先生的精神並沒有多大差

異，反而相當接近，只是背對著背工作而已。

　　先說我自己簡單的印象，我感覺柳田先生的方法論比較強韌有力，只是他講話不像柳先生那麼直接，原因除了必須要有曲折去做的學問之外，也可能是他走的是菁英路線，走了官僚路線者的習性吧；柳先生則是非常直截了當，就像剛才唸的文章中針對將被拆除的城門所做的呼籲，柳田先生沒有這樣的舉動，不免令人有點寂寞。現在要請各位談談自己對柳和柳田兩位先生的個人感想。

　　有賀：除了這兩位先生，我還要加上澀澤先生。

　　柳田先生很難讓人在同樣的平面上對話，所以我感覺和他之間有界限、隔閡。他當然也去村莊看過，但是沒有和百姓在同樣的平面上談話。

　　在這方面，澀澤先生雖然在社會上的地位很高，卻不是那樣。

　　宮本：因為柳田先生是穿著白色的「足袋」〔譯註：穿和服時用的襪子〕去的，澀澤先生則是穿著工作膠鞋〔譯註：日文為地下足袋〕走路。差別就在這裡。

　　戴：柳先生呢？

　　有賀：和柳先生說話比較自在。

　　宮本：依我的感覺，柳先生和柳田先生都是貴族，像我是百分之百的平民，兩位先生應該也是這麼想吧。

　　有賀：柳田先生也是出身貧困，曾歷經相當長的艱苦日子，應該不是貴族。

　　宮本：雖然不是，但是有貴族氣息。

谷川：有人認為，柳田先生有一種暴發戶精神。

戴：會刻意擺出架勢。

谷川：就像剛才說的，有人認為那是因為他家境窮困，為學費傷過腦筋，而且念書的過程至少是菁英路線，在走向當官之路時，為了表現出貴族姿態，就常有暴發戶的架勢。我覺得這麼說有待商榷。我只直接見到他一兩次，感覺他的自我意識很強，就像他對寫作的要求很高，對生活方式和態度也很講究。

宮本：也許是年紀和柳田先生有差距，我總覺得他儀表莊重，很有威嚴。衣著整齊，穿著袴〔譯註：穿在和服外的褲子〕和足袋，抬頭挺胸；澀澤先生則和他成對比。

有賀：昭和初期，大家去柳田先生位於成城的書齋聚集，那種情況很特殊。柳田先生雖然說不想收弟子，但是去向他請教的人多少認為自己是他的弟子。

和他說話確實會覺得惶恐。我家鄉有個稱為「御柱」的節慶，先生來我家時，許多村民也來了，他卻沒有找他們一起喝酒聊天，村民也都有所顧忌。除此之外，我就不曾和先生一道去村子，所以我不清楚他做調查的情況。澀澤先生是在別的時候也來了，和村民一起喝酒、唱歌，和柳田先生大不相同。

宮本：確實有一段距離。澀澤先生在早川先生寫書的期間，每年都會帶我們到奧三河看花祭，真的會投入人群，手牽手、肩並肩一起跳舞，性格感覺相當不一樣。

有賀：我起初也和他去過三河的花祭。那是本鄉町名叫「中在家」的部落。他不是子爵嗎？村民因此都有所顧忌，不敢接近他。我覺得那樣子根本不像花祭，就半開玩笑地和村民對飲，請

澀澤先生過來一起喝。澀澤先生也躍躍欲試興致很高，不停地找人對飲，花祭前的氣氛頓時熱鬧起來。村民很高興能夠和子爵大人一同喝酒，個個精神抖擻。澀澤先生本來就有這種個性，很快就和其他人打成一片。

　　三河的花祭我只和他去過這一次，不過也和他參加過三河的盂蘭盆會，很清楚他的作法。

　　宮本：他會和人一起喝碗酒，真的走進花祭的群眾中。昭和9年我們還去薩南十島做調查，那次很好玩。鹿兒島有一間名叫「岩崎谷莊」的旅館，當時算是滿大的旅館，到了那裡，一行人中有位叫那須皓先生的，一頭漂亮的銀髮，被誤以為是子爵。澀澤先生穿著黃棕色的Burberry雨衣，和我們一同被帶進一個房間，只有那須先生一個人被帶到另一個大房間（笑）。澀澤先生就是這樣沒有架子。鹿兒島這個地方還有很強的階級意識，因此子爵大人有特別待遇，那須先生才會被認錯，加以優遇；澀澤先生則和我們一起去別的房間，因為他穿著普通的雨衣。可是他並沒有抱怨。

　　有賀：他是不會抱怨的，反而會樂在心裡。

　　戴：那只是那須先生的外表造成的，沒有其他因素。說到黃色的Burberry，黃色在日本不是貴族或官員使用的顏色嗎？

　　宮本：在昭和10年代，學生、上班族都流行穿黃棕色的Burberry雨衣。

　　戴：我最後要說的是，柳田先生的「常民」概念就像剛才提到的問題，有相當大的局限，在我剛才唸的文章中，他還在對大東亞共榮圈執迷時曾經說過：「移居的日本人啊，不要驕傲，你

們以前也經歷過同樣的階段，要認清這一點。」而柳先生去台灣時也表示：「統治者、殖民當局瞧不起的人確實也有做出美的能力，對這些做出美的人不能不尊重。」我認為必須肯定這種發言，在今後好好運用。以前的日本人用武力建立民族自信，以至於一路走向毀滅，現在則是用經濟力而不是武力來恢復民族自信，經常進入東南亞。今後所謂的「區域研究」或民俗學等相關學問大概也會一起進入，這時將會受到東南亞各國以各種方式反彈——應該是已經受到反彈了，因為沒有把當地國家的人當成人，暴露出做研究之前的認知缺陷。當然日本也有剛才有賀先生從社會學層面提出來的集團行動力問題、自我始終無法確立等問題，所以今天我介紹的柳先生和柳田先生的認知態度，有著值得我們後輩研究者在接觸各種對象前學習之處。這是我要先強調的一點。

　　還有，從歷史上來看，當地國的人民目前正處於如同日本從艱苦的明治維新以來的歷史過程，雖然物質貧乏，但還是具備美的創造力。事實上，不僅之前創造過，現在也在繼續創造。而且在當地國家也有和我們一樣的人在生活，他們和我們並沒有多大差別。應該要以這種認知為基礎，再去思考其他層面。

　　有賀：這是當然的。可是日本不僅是在明治維新之前，從明治維新開始接納西方文明，近代國家建立得有點成績就開始自以為了不起，而對尚未做到的亞洲國家投以輕蔑的眼光。

　　宮本：的確是這樣。

　　有賀：可是，自己其實對西方懷抱著非常大的自卑感，才會硬把這種感覺加在亞洲其他民族身上，真是可悲。

谷川：這種感覺很明顯。例如去到沖繩，愈往離島就轉化得愈厲害。

戴：真的要請那些人了解柳先生的卷首文章。

谷川：不論是民俗學還是人類學，做田野調查時，雖然要注意現象，但也必須關心承擔現象的人。對民俗現象固然要徹底探查，但這時往往會將現象與承擔的人的生活切割，而無法領會李維史陀（Claude Lévi-Strauss）所著的《憂鬱的熱帶》〔譯註：日文版為《悲しき熱帯》〕中的「悲哀」。這問題不只在民俗學身上而已。

戴：只對自己有助於寫論文的東西感興趣，目的是拿博士學位，賺取稿費，裝出一副很有學問的樣子，只為了這些而行動……。

谷川：沖繩最近對民俗學就非常過敏。

戴：這是當然的，來的人都是拿到想要的東西就走，沒有回饋。

谷川：我不明白為什麼要對民俗學過敏。民俗學本來就是在詳細調查當地人的生活，弄清楚其中的意義，完全沒有招人責怪的成分。但是folklore必須要逼近民眾的真實，非得是民間的學問不可。有公費支持的調查就算是純粹的研究，應該要自覺到早晚會被體制利用的矛盾。

有賀：那是因為調查者的態度不佳，並不是任何學問本身有錯，問題在於做學問的目的，以及做學問者的態度。過度自信地對當地人說會給他們好處也是不應該的，而以為是在為他們做調查也是大錯特錯。沒有人有特權妨礙一般民眾的生活而進行調查

工作，毫不客氣地問話本來就會造成別人的麻煩。如果是自己，也不會希望在忙碌中接受調查，不反省這一點，就拚命發問，只顧自己的利益，當然是大錯特錯。調查員是為自己去的，沒有先思考調查的目的，就算做了調查，也找不到真相。怎麼可以不抱著虛心受教的心情去呢。令人反感的原因非常多。以這種態度做研究，根本不會有好的成果。當地人如果不相信你，會和你說真話嗎？設身處地想一想，就會知道了。要了解一個人，一定要先深交。不先敞開心胸與對方接觸，本末倒置的態度本來就不應該。

谷川：如果說沒有一種學問像folklore、ethnology這麼接近民眾，那麼因為對研究對象「無知」而產生的輕蔑或歧視會更嚴重。漠不關心的傢伙很多，九成以上都是。來沖繩做研究卻對沖繩人漠不關心的「大和民族」超過九成。我們這些學者或許有可責怪之處，可是總算有一點關心，但至少會覺得，不想自己「無知」。只是這種關心問題也是有待分析的。

戴：是的，如同剛才有賀先生說的，如果不靠公費，只是基於自己的興趣去做調查就無妨，但那些人多半是被體制利用。這應該就是讓當地人或當地國民持有過敏的原因。

谷川：靠公費做調查，就是違背folklore的精神。有些對此矛盾沒有自覺。

戴：一般研究者應該要了解這個局限，知道不能像有賀先生說的，去妨礙人家的工作和日常生活，剝削他們，再若無其事地拿來當成博士論文的材料，或用來賺取稿費。有些事情當地人或當地國民並不想讓人知道，我們卻會覺得特殊而產生興趣，想要

當成研究對象，毫不顧慮那些人的心情，大寫特寫。有些令人過敏的是針對這種情況。

有賀：沒錯。

谷川：剛好談到一個段落，就在這裡結束。謝謝大家。

本文原刊於《季刊柳田國男研究》第3號，東京：白鯨社，1973年秋季號，頁2～82

輯二

盱衡東南亞

探索醫療協力推行至亞洲的困境
──思考JOCS座談會

◎ 林彩美譯

主辦：基督教醫科聯盟（JOCS）關東部會
時間：1974年3月25日
地點：東京醫齒大研究室
與會：戴國輝、稻村博、野上寬次、原研治、栗原豐夫
　　　小澤英輔（記錄者，台灣近現代史研究會會員）

發題

　　小澤英輔（以下簡稱小澤）：介紹JOCS，提出現在的問題所在（省略）。

出席者發言

　　稻村博（以下簡稱稻村）：這是JOCS裡，比較有批判性的年輕（醫師）的集會。也是抱著希望把工作做好並且繼續做下去的一些人的集會。只是我們逐漸變成「專門白癡」，視野變得狹

隘。我們認為有意義而在做的事情，對於當地國的人有何意義？把這事詢問當地國的人，他們都很有禮貌，不肯把事實講出來。很想聽到毫無保留的意見，如果有問題，用什麼方式可以解決，或者在亞洲之中要推行醫療協力事業本身很困難嗎？很想聽聽這樣的意見。

　　戴國煇（以下簡稱戴）：我讀過《大家一起活下去》這個內部雜誌，我覺得編輯得很好。西脇先生的論文與之後的論爭我感到很有興趣，很想見西脇先生，不知道他寫了續篇沒有？

　　野上寬次（以下簡稱野上）：他畢業了，而且很忙，所以沒有寫。

　　戴：對於反對西脇論文的三個意見我很失望，但在讀了西脇先生的文章後，我感到「有救」。我本身對基督教不很熟悉，但這個人的想法驅使社會科學做出內部告發，對此論文我可以說感到畏懼。

　　我的叔父是醫生，我自己認為對中國問題的根本療法是農業，所以我是專攻農業的人，我深受西脇論文感動。現在世界的年輕世代之中，有要求價值轉換的很大動向。我覺得可以在世界性的動向中來掌握西脇論文，而且從西脇氏與批判者之間不斷的對話中，可開拓出新的道路。我覺得此對話之中包含了以田中首相的（東南亞）訪問為契機所發生的反日暴動以降的所有問題。

　　前些時候，NHK電視台播放一個鐘頭有關東南亞反日暴動的電視節目（1974年2月22日），這是伴隨田中首相的訪問而發生的暴動的採訪，出現NHK第三台彩色的日本國旗日之丸被燒的鏡頭，之後介紹反日暴動的背景。其背景之一，是對住在泰國的

日本人所發行《僱用泰國人注意事項》印刷品的介紹。注意事項的內容是，泰國傭人回家時可以逕行身體檢查，對金錢支付的部分也寫得極具蔑視與偏見。以上是泰國留學生李慕君做的介紹。這個節目放映後，收視者寄來200封具有同感的投書，而反對的投書只有二、三封。反對的其中一封，是情緒性的右翼青年寄來的，另一封是曾在泰國住過的主婦寄來，寫著「泰國人的確會瞞著人的眼偷東西」的內容。在此我發覺我們對組織性的暴力與組織性殺人的感受性很遲鈍，但對個人的不老實很容易抱持反感。在某種場合，小偷可說是對老大不老實的些微抵抗。一般人無法發現或指摘老大的不老實。再者又有小弟不正當行為與老大不正當行為是相同的意見，我認為兩者絕對不一樣。西脇論文令我感動之處，也是他打中這一點之故。

接著我們來思考中國的現狀。中國曾經那麼悲慘過，而現在六億人總有飯吃了，所以便要加以支持。是要以此說法為是呢？還是要以毛澤東的獨裁為非呢？在此我想到矢內原先生的事。他有神話，變得過於偉大，這姑且不談，他對克里斯蒂的評價很高。但是現在從中國民眾的眼光來看，克里斯蒂是馬前卒，他為了基督教的布教而在中國工作。可是對中國民眾的理解並非沒有錯誤，如對義和團事件只說是「拳匪」。有關義和團事件，列寧寫說：「中國人不能不憎恨偽善的基督教徒。」

西脇論文的確如田村先生所說，或許有不全正確的地方，但是如果能繼續思考，議論西脇論文可議之處，那麼將來東南亞發生革命，JOCS的工作也不會被說是「馬前卒」吧。克里斯蒂對俄羅斯、對清朝不理解，只說其是狂暴的匪賊。日本人不能與東南

亞的民眾共有時代精神，但希望能努力去有同感。明治維新的時候，日本的指導者百分之百拒絕引入外資不也完成了嗎？泰國的學生現在說自力更生，朝鮮的朋友們也那樣說，而韓國引入外資進行的近代化我不認為是成功的。接納美國的經濟援助而成功的也不只是日本與台灣，但日本因存留著主體所以容易成功，可這麼說吧。

有關日本與台灣的關係，有「日本在台灣也做了好事」這樣的說法，不是日本在台灣做了好事，而是為了維持日本的資本主義而做的事，結果現在留在台灣而發揮效用，我想可以這樣說。例如為了防範游擊隊，日本在台灣很早即做了戶籍，這個措施留在現在的台灣而有用之類的說法，從這一點來說，日本人對於在殖民地所做的事情還是理解得太淺。

從現代的日本與東南亞的關係來想，有一位我認識的人在泰國團隊中工作，自稱被泰國人喜歡的某商社的人。他說泰國有很多人寄賀卡給他，泰國的朋友來日本就會去看他，不知道為什麼日本人在泰國會不受歡迎。然而我要說問題就在這裡，會寄賀卡來的是有交往而且是有賺錢的人吧！他在泰國交往的對象是什麼樣的人，這是需要去考慮的。泰國人並不是責難所有日本人，但現在所處的狀態我覺得應為他們設想。又有別的商社的人這樣說，我們是在資本主義機制之中拚命努力，而以東南亞做為競爭的舞台，有什麼不對。這種說法很奇怪，日本的丸紅、伊藤忠、日商岩井等，規模多少有差別，他們之間的競爭，與日本企業與當地國的中小企業或轉包（現地民族資本）的競爭其意義是不同的。這是強者與弱者的競爭，兩者根本無法競爭，這是弱肉強食

的邏輯。說是經濟協力、技術協力。哪裡有協力？彷彿是健康人與病人的運動會啊！這不就是東南亞的結構嗎？

日本經濟史（我對日本經濟史不熟悉）之中，發生了叫作高度成長、GNP的傳染病了嗎？只要重視GNP，不引進外資是趕不上的，越引進外資就越發生腐敗與分裂。必須要思考這個狀態，讓我引用毛澤東所說的話：「日本帝國主義那麼樣地傷害了中國的民眾，卻讓毫無氣力、毫無辦法的中國民眾因而甦醒了，關於此我們應該感謝日本軍國主義。」毛澤東不是在雄辯，而是在講真話，我想是以中國知識分子的實際感覺而說。同樣地，日本人照現在的作法做下去的話，當地國的人也會比較快甦醒，若以殖民地的歷史看是有可能的。

關於美國讓我感到驚訝的是，侵略方會有那麼大規模的反戰運動。我對於能啟動如此大規模反戰運動的美國民眾感到驚訝。越戰的情況在過去的歷史中沒有發生過，侵略方能夠有那麼大規模的反戰運動，在過去的歷史也未發生過。是美國內部發覺到錯誤。抱著原住民與黑人問題該如何解決的大矛盾，美國人曾經抹殺原住民，驅使黑人做奴隸，而今卻發覺越戰的錯誤，應會朝向如田中首相所謂的「轉禍為福」而努力吧。這與日本的戰爭體驗是不同的。弱小的越南民族堅忍地抗戰也是世界的一個轉機，不要忘記這個影子落在亞洲民眾身上。從這裡來思考，其實，說過「轉禍為福」的田中首相是否真正理解，我感到懷疑，只不過是引用格言而已嗎？不過對田中首相的態度可肯定的是，當日本國旗被燒，並且遭遇激烈的反對運動時，他的對應是可以給予評價的。

　　有關國旗被燒的問題，日本的報紙沒有很大的報導。關於這點，我問了某報紙的外信部長：是對國旗沒什麼感覺，或是有意識地不寫嗎？他說，中堅幹部對國旗不感動。那麼，這個事件如果是倒過來會怎樣？比如印尼的要人在日本被包圍、國旗被燒時會怎樣？應會展開駭人的反日運動吧。從這點來說，田中首相可說處理得很好。然而他說，日本在台灣與韓國也做了好事，這個就不行。日本人沒有理解殖民地主義。歐美人比較乾脆，他們簡單下結論說，殖民並非慈善事業。所以日本人的態度是感傷的人道主義，認為對殖民地的統治結束，殖民地問題也就終了。但其實並非如此。

　　如同沒有鏡子，就不知自己的臉是什麼樣子一樣，希望日本把遺留下來的東西用精神的鏡子映照出來，好好思考。

　　有人會說「東南亞如果去除外資不就做不下去嗎」？然而我要重複一次，日本在明治維新的時候未引進外資而自力完成了。希望能多思考這個地方。

　　另外，對於日本人我想說的是，可以如此浪費嗎？例如衛生筷，這是日本人愛乾淨的體現，但想一想這也是浪費；例如中國有萬里長城，與其說是防犯外敵，不如說是防止人民逃亡更適切。為了造長城燒磚，當時還未發現煤炭，所以要砍伐很多樹，因為自然遭受破壞，後世的民眾受了多少苦。想想這個例子，希望日本人也能考慮一下，其不經心在做的事產生的影響，這些事將由誰來擦屁股，希望能想想與《大家一起活下去》的精神如何相通。

　　中國話對鄰人的說法有「芳鄰」與「臭鄰」。要做真的好鄰

居，就要認同對方不可。對我而言，不認同對方也即不能理解自己。

結尾

稻村：到底「醫療協力事業」這件事情有可能嗎？

戴：醫療協力被當成美談是有問題，必須防止自己頹廢的同時，排斥當馬前卒的誘惑是很重要的。再者，根本療法醫生做不到，但不能把所有寄託在像貼膠布般的對症療法上，亦即，知道局限且做對症療法這個姿態吧。

還有我想建議各位做白求恩醫生（Dr. Norman Bethune）的研究，他是參加西班牙內戰〔1936～1936年〕的加拿大人，對你們想要做的事會有很大的啟示。

還有前面已提過的克里斯蒂，對他進行更深意義的研究，我想是有益的。總之，希望在內部要更展開討論，這是我由衷的期望。

以上是本年3月25日於東京醫科齒科大學研究室舉行的自由集會紀錄，由小澤負責撰成文，稻村做了補充，文責在於小澤英輔。

本文係未刊稿，會議紀錄時間為1974年3月25日

忠於眞相，提升東南亞研究水準
—— 亞洲報導的課題座談會

◎ 陳仁端・林彩美譯

時間：1974年2月28日
地點：日本新聞協會
與會：山內大介（《每日新聞》東京本社編輯局次長）
　　　齋藤吉史（《朝日新聞》東京本社論說委員）
　　　戴國煇（亞洲經濟研究所調查研究部主任調查研究員）
　　　飯田經夫（名古屋大學助教授）
主持：石原榮夫（共同通信社外信部長）

與亞洲的關係面臨轉換期

　　石原榮夫（以下簡稱石原）：就有關亞洲報導或東南亞與日本的關係來說，我認為現在已經到了一個轉折點或者是反省的時期了。首先，從過去和現在有關東南亞報導談起吧。說起日本對亞洲的關係，不用說曾經有過那次戰爭。

　　就我自己來說，戰後由於戰敗，在某種意義上來說亞洲很快

地遠離我們的時期，我當了新聞記者。後來產生了對亞洲各國的賠償問題。隨著1957年對印度的日圓貸款、1960年代中期的東南亞開發部長會議、日韓問題等，所謂日本向亞洲的經濟擴張迅速進展。今年〔1974〕1月田中首相訪問東南亞六國的時候，在雅加達、曼谷等地遭遇了學生的示威。從這個意義上來說，日本和亞洲的關係已經到了很大的轉折期，從而整個國際關係也到了很大的轉折期。在上述的時代潮流裡，日本人的亞洲報導究竟如何，首先從報導方面來粗略地回顧一下吧。

　　山內大介（以下簡稱山內）：談起東南亞報導的過去，歸根究柢非要回歸到越南戰爭的報導不可。不用說，在第二次世界大戰的時候是附隨於戰爭目的的亞洲報導。戰敗後的海外報導則以歐美中心的報導為底流。使這個底流迅速轉變，而把眼光轉向亞洲的契機可以說還是越南戰爭。日本的各報社都傾全力報導越南戰爭，把它看作與其說是地域戰爭，它更像是世界規模的戰爭，在世界政治裡具有革命性意義的戰爭，因此，當然也從各種角度做了分析。

　　現在，越南雖然還沒有完全恢復和平，但隨著美國亞洲政策的轉變，長期以來如陷入泥沼般戰爭的結束在去年初大致具體化。進而又有中美關係調整的動向，在國際上展現了亞洲的新局面，同時更有牽涉到日本經濟迅速擴展的新局面。今年初田中首相的東南亞訪問進一步具體地觸發提起這個問題，致使日本已名副其實地成為亞洲問題的當事者。從這個意義上來說，比起還以第三者的立場來分析、報導越南戰爭時踩進了更為複雜的局面。也就是說，日本外交的方向已經密切地牽涉到東南亞報導的態

度。從日本本身成為當事國的時候開始，新聞本身也被迫反省應該以什麼立場來開展批判，這就開始進入不易應付的局面了。與此同時，也被迫反省像以往那樣所謂亞洲是一體、是米食人種、同文同種這一類簡單的認識反而會妨礙對問題本質的洞察。

趨向於更深層「底流」的報導

　　齋藤吉史（以下簡稱齋藤）：1955年我第一次去印度的時候，飛機上幾乎沒有日本人旅客。比如說假日裡和聚集在新德里甘地公園的印度人談話，會被質問：「你從哪國來？」或者說：「是從中國來的吧。」而很少人說日本的國名。我感到很失望，就說：「是日本人。」於是對方就說：「日本是美國的附庸國吧。」這就是19年前的情形。

　　後來，出現在東南亞的日本人逐漸增加，日本的影子也壯大起來了。就像剛才山內先生所說，把日本和亞洲結合起來的一個很大的事件可說還是越南戰爭，報紙也由於戰爭而非常注目亞洲。1956年日本加入聯合國，此後特派員也隨之增加。在那之前則是以非常有限的特派員來報導包括亞洲問題在內的全世界新聞。總而言之，大體上是報導外電傳來的新聞。1963年是亞洲歷史的大轉折年，從那個時候開始，日本與亞洲的關係愈來愈加深了。另外一個階段的開始是1970年吧。

　　我個人的印象是，從1955、1956年加入聯合國開始，報紙的報導不僅止於事實的報導，而是有了一些關於事實背後的評論。報紙版面的擴大也與此有關，發表長篇的評論成為可能，同時要

求新聞解說的時代也到了。

1963、1964年以後又回到追求事實的報導。越南的戰爭怎麼樣發展，根據事實報導關聯的各式各樣的消息。記者親自直接看到和體驗到的現場報導成為報導的主流。可是進入1970年代以後，這樣的報導方式也還嫌不夠，必須報導「在那裡發生」的事情的「底流」。而且要比1956年左右開始要求報導的更深層的底流。1956年到1960年代初的評論是，比如說尼赫魯內閣內部的意見的對立及其結果等，所謂具體政策的決定的背景是什麼，在相當狹隘的視野下掌握報導。可是現階段是要求更深入一層的報導。例如，報導評論裡包括：支持東南亞目前政權的是哪些階層、這個報導對象國家的階級結構如何、人種結構如何。做為反日運動主體的學生層、知識分子層的動向，其中的意識形態的對立等各方面的內容與更深一層的解說。

從第三者的關係到關係當事國

　　石原：聽您這麼說我忽然想起，做為越南戰爭之前階段曾經有過韓戰。當時還是在日本回歸國際社會的《舊金山合約》之前，不知道是不是第一次，反正派往亞洲的日本特派員是穿著聯合國即美軍的制服前往漢城的吧。從戰後的亞洲和日本的報導界的關聯來說，很有象徵性的是韓戰也好，越南戰爭也好，正如山內先生所說那樣，確實是從與當事國保持一定距離的第三者的立場來報導，因此有不少優秀、自由的報導。

　　從在打仗的一邊看起來，認為日本是從特需賺了錢，在韓戰

與越南戰爭都可以這麼說。我去越南的時候是1967年，那個時候就已經經常被問到「你是本田還是鈴木？」，可見最近暴露出來的問題根源在當時就已經存在了。可是一般來說，從報導的姿態本身是處於能滿足於中立的第三者立場，我想這就是當時的情況。可是正如山內先生所指出，隨著與日本外交的關聯的變化，也就出現了必須考慮該如何報導的狀況。我就是有這種感覺。

齋藤：我也有同感。最初的1950年代不用說，就是一直到1960年代中期為止，可以不須怎麼意識日本而完全把亞洲對象化來觀察、報導。可是到1960年代後半，也就是1964年佐藤內閣出現1965年以後的日本和東南亞的關係開始變化，排除日本而報導東南亞是完全成為不可能的事了。

我最初去印度的時候，印度和中國的關係非常好。印度和蘇聯的關係也很好。到了1960年代美國接近印度，現在美國又疏遠印度，而蘇聯對印度的影響力很大。時代不同則國與國間的關係也瞬息萬變。現在雖然說是反日，在1960年代後半卻有一種「日本來東南亞援助我們」的期待感。

這一點，對日本和東南亞的關係看得比較清楚的毋寧說是英國。1963年底英國的《時代》雜誌寫了〈等待出場的日本〉，造成1960年代後半的「日本大國論」開端的同樣是《經濟學人》雜誌的「日本特輯」。而現在已經是去掉日本就看不到東南亞的時代了。

山內：過去十年來，美國對日本的外交、國力本身的形象也有所變化。我任美國特派員的1963年前後的時候，聽到的都是恭賀友邦日本的經濟繁榮聲音。五年後再去則出現了日本是自我本

位、豈有此理一類的聲音。從那個時候開始對日本的形象有了很
大的變化。以同樣的型式，東南亞各國也日益對日本的國力發展
提高警戒心。

　　石原：請飯田、戴兩位先生從讀者的角度，就「東南亞報導
的視點」發表意見。

如何理解萬隆精神

　　戴國煇（以下簡稱戴）：剛才從事於報導工作的兩位先生總
結了過去的亞洲報導，從讀者或東南亞研究者的立場來說，覺得
剛才的議論似乎欠缺一些論點。就是說，對1955年的萬隆會議的
精神、萬隆體制，當時的日本新聞界是如何理解的，這是第一
點。關聯到山內先生所說的今後日本外交的展開問題來說，當時
也有日本想加入亞洲各國裡面，或者雖然想也不能加入的問題，
東南亞各國方面也有是否讓日本加入的微妙狀況。另外一點是萬
隆會議以後的社會主義體制和東南亞各國的關係，或者中國和印
度的友好關係，雖然這在中印國境紛爭時破裂了。當時的日本新
聞界是怎樣理解這些事情的，我在1955年從台灣到日本以後一直
主要是讀《朝日》的，就以中印國境紛爭來說，日本各新聞社的
報導都非常混亂。如果不是我的錯覺的話，記得對日本讀者在一
定程度上正確分析中印國境問題的好像是翻譯登在《世界》的
「Monthly Review」的胡柏曼（Leo Huberman）和斯威澤（P. M.
Sweezy）的論文。這是我個人當時的體驗，我有一個研究日本
的印度籍好朋友。當初他非常的親中國，對日本是抱著批判的態

度。可是國境紛爭後他再次來日本時，變成非常的反中國了。他反中國的感情我想我是可以理解的。可怕的是他反中國的論據幾乎都來自日本的新聞，而且連「清國奴」這句話都說出來，這委實使我吃驚。

老實說，同他交際的這個體驗使我了解到日本的新聞不僅是日本人的新聞，有時它有可能跟發行者、記者的意圖毫無關係地被利用。從這個意義上來說，第一個問題是，當時日本的新聞界怎樣報導和理解萬隆精神和其體制以及中印國境紛爭。是不是有必要把它當作如韓戰和越南戰爭之間的一個重大問題來正確地理解，首先我想指出這一點。

還有一點，我想今後恐怕從東南亞各國來日本的留學生會大大地增加。而且在日本報導的事情，兩三天後就會引起東南亞各國的反響。報社是不是考慮到這一點來設計新聞版面？不把互相關係之深遠放在視野裡報導新聞是非常可怕的事。

山內：這一點，在這次田中首相訪問東南亞時我也深深感覺到。不論是商社的人也好，政府關係者也好，在當地所講的話稍微登在日本的報紙上，馬上就在當地反轉過來產生影響。其他地方也一樣，但特別是在亞洲一般大眾的感情跟當地領導層之間有一定的乖離、隔閡，因此其影響也更複雜，我們今後也必須慎重一點才好。

順應歷史的潮流

齋藤：萬隆會議可以說是戰後日本加入國際社會、亞洲社會

的最初機會，新聞界也熱心報導，而且日本也想跟隨亞洲的趨勢。後來亞洲的氣氛發生了變化，這中間還是中印國境衝突也起了一個作用。關於中印衝突，這與中蘇對立的大背景有關，這一點我覺得當時日本的報導並沒有充分意識到。

其次，關於新聞報導會很快反轉過來影響日本，這可以說確實非常快。像新加坡這個地方懂日文的人很多，例如昨天的社論如何如何一類的話題馬上就會出現，兩地的關係是密切到這個程度。新加坡看起來是一個小國，可是那裡也有各種想法。現在的主流想法今後是否還是主流的想法，這就很難說。那麼是不是可以認為這個想法將來會變成主流而忽視現在的主流想法，那也很難。所以說很難。那麼以誰為對象來想才好呢？大致上我以為順應歷史的潮流就好。

戴：理論上我贊成齋藤先生的想法。同時，如同齋藤先生所說，不僅是要報導事實，也要注意如何評論或報導事實深層的背景才好。

齋藤：畢竟還是不要以上層的、現在的當權階層為對象，而是要注意支持當權階層下面的群眾結構，通過狀況分析來判斷一個國家的將來走向。有必要深入分析亞洲，給日本的讀者提供一個遠景。這畢竟也可以說是一種歷史的方向吧。

石原：飯田先生擔任政府計畫工作去過印尼一年，有特殊經驗，在當地和特派員也有來往吧。

標題在東京決定？

　　飯田經夫（以下簡稱飯田）：我強烈的真實感是，比如說在雅加達的日本人特派員日常和我們說的，與他們傳送給東京的報導之間有非常大的分歧。這到底意味著什麼？也許有當地的報導管制，但是我懷疑有另外一個原因，就是在東京的總編輯首先決定了報導的標題，然後當地記者配合這個標題寫報導。

　　我有一個最親密的某報社特派員，前年11月在泰國曼谷發生排斥日貨運動的時候，東京指示他寫這個運動的反應報導，他就寫了一篇稍微不同於日本模式的報導傳真回去。結果報紙上登載的還是限於適應日本模式或者說東京模式的部分而已，其他不屬於這個模式的部分全部被刪掉。他說：「在東京已經決定了標題，所以沒辦法」。我覺得這非常有問題。但這不限於報社的問題，日本社會全體都是這樣。

　　也就是說，日本的社會制度是東京處於金字塔的頂上，愈是處在山麓下的駐外機關的力量愈薄弱，同時駐外機關向東京的回報很難生效。這一點不論官廳或企業都一樣，但是企業的情形稍好一些，因為做得不好會影響到利潤。另外一點是，日本人之中真正切身理解亞洲的人畢竟非常少。我自己也不能說有切身理解，我們學校的老師中，就算有關於發展中國家的專家，實際在當地住過的人極少。隨著使節團或者其他團體去「遠足」回來寫了一本書就可以被評價、被賞識了。

　　同樣地，在東京想的事情偏於概念性的很多，乍看起來好像是人道主義、有良心的樣子，其實距離現實很遠。我想戴先生也

說過，如有什麼事情發生就單方面地反省而陷於自我滿足，就以這種感傷的人道主義模式全部處理了之。這種情形應該設法改善才好，但如果只要求新聞界改善又有一點苛刻，日本的社會不改變是不可以的吧。

不懂亞洲的日本新聞界

山內：這是最近去印尼回來的某大學教授所說的，說當地的日本商社的人會請他做各種分析。說他們似乎有一種成見，「要求我按照即使發生了暴動，當地政權是穩定的這一思路來分析，實在難倒了我。」的確，做生意的商社也許有成見或上頭的指示。但是至少關於新聞社，在有關背景的解說或報導上的分析方面，除了修改形式、邏輯上的缺陷以外，說東京方面抱有成見，不適合他們的看法的就有意識地刪掉，是有一點難以想像的。

飯田：譬如說，報紙經常寫日本商社的壞話吧。事實上商社的確是在做壞事，說他們的壞話是應該的。但非常遺憾的是，特別是在發展中國家，最了解實際情況而又融合當地社會的是商社。如果不利用商社的管道，即使研究者也很難蒐集情報，我想，恐怕報社的採訪也是這樣。

我並不是想要為商社辯護，而是覺得商社或企業以外的日本人是如何地不懂東南亞，或者與東南亞沒有什麼關聯，這是最大的問題。

石原：關於這一點，比如說最近登在《經濟評論》二月號的伊藤光晴先生和阿布達比國家石油公司（譯註：Abu Dhabi

National Oil Company， ADNOC）的松浦先生的對談裡，也是說日本的新聞界不了解現場的實際情形或各種條件。《中央公論》二月號刊登的岡本太郎、司馬遼太郎的對談同樣在質疑日本的記者。司馬指出，總而言之日本新聞界的資訊過於草率，相較之下，商社的分析尖銳多了。所以就像剛才飯田先生所說，商社比較具有接近實際的條件。日本的資訊結構本身似乎非常偏頗。

　　山內：確實有需要反省的一面。關於東南亞的報導必須要以民眾的動向為基本這一點來說，這種面向民眾方面的報導在越南戰爭的報導裡出現得比較多。可是，實際上在當地的特派員怎樣和民眾接觸呢？就曾被派去歐美的特派員經驗來說，不論是美國或歐洲接觸比較多的是以中產階級為中心的所謂民眾。可是東南亞的情形是有這樣一種事實，即一方面由於當地是缺少中產階級的階層社會，是由所謂上流社會和下層社會構成的二重結構，而也有日本人本身在當地不得不過上流社會生活的事實。

　　另一方面有語言上的問題。東南亞的特派員最近懂中文的才比較多，一般只懂英語，在越南懂法語的多少發揮一點作用，而能說當地的馬來語、印尼語和越南語的特派員很少。商社的人則對語言的學習很熱心，並且能融入民眾裡面去。

感傷的・報界之問題

　　戴：我也有擔任特派員的朋友，做為辯解之詞的時候他也常提起語言的問題。但是坦白說，這是具有為自己辯解的一面和擔心送到總社的報導不知會被總編輯如何處理的一面，我想有這兩

種情況。

　　另外一點是正如飯田先生所說的那樣，存在著日本現今制度本身所帶來的問題，亦即比如特派員的報導是有署名的，可是解說報導幾乎都沒有署名吧。因此，稍微帶有挑戰性、提出問題的文章就很難被刊登，報界的一般狀況確實存在此種情形。也就是說不必寫有個性的報導。話題也許有一點跳躍，現在中國進行的孔子批判，在別的意義上也許和批判「日本報界的中庸之道」的地方有些相通（笑）。反過來說，不挑戰而採取中庸之道才比較穩妥。

　　所以這次田中首相訪問東南亞的時候各地發生事件，報紙在報導這些事件的同時，也過分地報導各種「美談」，好像是在向問題的本質潑冷水一樣。這像是在講大話，實在可惜。例如《朝日》登載好幾年前日本醫生大顯身手的故事，以及善意的日本青年活躍的故事。《讀賣》則刊登了日本人在尼泊爾協助製造「和紙」的報導。坦率地說，不但報導的寫法本身的問題意識不怎麼高，登載的時機也不太好。當然，在輕視亞洲的新聞報導的一般情況下，也許以為錯過現在這個時機就沒有機會報導這樣的消息了吧。可是我想這確實表示傾向於中庸的日本社會全體，悠閒自在的氛圍反映在報紙上的一面，但我也認為確實有報導美談的必要。而且我也很了解互相都屬於亞洲的風土或者漢字文化圈，傳統上中日兩個民族同樣喜歡美談。但是，那個時期是戰後以來日本的民眾最想知道東南亞、而且對媒體來說是最能主張自己的千載難逢機會，而偏偏就在那時過分報導美談。正是應該把田中首相訪問時發生的不幸事情轉禍為福，並且讓日本的民眾知道亞洲

的真實面。在這樣最好的機會裡為什麼報導那樣的美談，我覺得非常可惜。到底日本的民眾、讀者到什麼時候才能理解亞洲真正的形象呢？提起美談而沖淡了問題本質的報導，是不是又回到「啊，日本人還是有做好事的」那種感傷的人道主義了呢？

　　還有一點，田中首相回國後第二天，報紙的版面一下子就變了，給我們的印象是好像亞洲不知消失到哪裡去了。關於這次的索忍尼辛〔譯註：Aleksandr Solzhenitsyn, 1918～2008，蘇聯的反體制作家〕問題，日本的報紙也是在拚命地報導。當然，索忍尼辛提起的問題是很重要的，應該寫一寫準確的評論，但是難免有日本的報紙報導得過分仔細之感。相比之下，關於東南亞的報導實在太少了。

　　飯田：關於剛談到的美談問題我也有同感。我曾參加過NHK的一個電視節目裡，也是首先介紹了在當地很受歡迎的醫生故事。我當時說醫生的美談和這個節目的題目無關，醫生到現場去誰都會歡迎是理所當然的事，不能拿來比較。如果是能力和性格與醫生完全一樣的人以商人身分前去的時候將會發生怎樣的問題才是重要的。首先就介紹醫生的故事是偷換論點。商人或實業家到當地去的話，就會和對方國家自力更生、工業化的努力發生競爭，會發生各種各樣的關聯和混亂。既有利害的對立也會引起各種誤會。如不真正和當地的人們做聯繫的話什麼事都辦不好。在那裡會發生什麼，才是重要的問題。

　　山內：有關飯田先生所說的這一點，不僅是新聞報導，日本和東南亞的關係可以說是由伴隨著經濟擴展而前往的經濟、商社方面的人來擔當，其他就是外交官等政府關係的人為中心。日本

對東南亞文化面的關心很淡薄，缺少文化交流。我們對這方面的採訪、報導也比其他方面來得的少。所以我覺得不是介紹美談那樣的方式，而是要考慮更多文化上的交流才好。

在多民族國家的「自由」和言論

　　石原：關於特派員活動的問題，一般來說報導言論活動的意義或型態是因各國而異。在東南亞也是面對著各種政治、經濟問題的狀況下，報導的形勢也隨之受限制。包括對特派員的活動有沒無限制的問題在內，請發表意見。

　　戴：關於限制報導的問題，我想到的是日本新聞是如何報導關於新加坡的《南洋商報》的言論鎮壓事件。日本的報紙熱中於報導索忍尼辛問題和金大中事件——這是鄰國的事情而且是發生在日本的問題，所以要大大地報導，這是可以理解的——可是《南洋商報》的事件幾乎沒有留在讀者的印象裡，完全沒有被追蹤報導。還有關於菲律賓華僑新聞的、親中國的于兄弟彈壓事件的報導怎麼樣了？並不是說于兄弟的問題好壞的價值判斷，而是說新聞性的問題，或者是東南亞的、同樣屬於新聞人的問題，為什麼不想加以報導呢？

　　齋藤：從新聞報導的自由這個觀點來說，還是有很大問題。事實上在東南亞地區是不是有日本人所想那樣的新聞自由，我認為沒有。每個國家都有自己的問題。東南亞各國一般來說，每個國家一定都有做為中心的民族。例如緬甸，緬甸族占60％。馬來西亞是大約45％，印度、斯里蘭卡也是有50％以上的中心民族。

可是新加坡沒有固有的中心民族。占75％的中國系住民不成為中心民族，他們與中國大陸或台灣有關聯，即在多樣的民族構成一個國家的情形下，讓各民族自由發言、批判政府的話，那麼國家就始終沒有辦法統一，這樣可以嗎？是存在著這樣一個問題。戰後亞洲各國從殖民統治獨立以後大約經過十年，大體上採用議會主義，可是國家不能統一起來。從1958年前後到1962年之間政變頻起，變成軍事政權或一黨專制政權。

　　新加坡的情形是李光耀的人民行動黨的一黨專制，沒有反對黨。75％的中國系住民裡有使用英語、中文兩種，現在的領導層是以使用英語的、新加坡大學出身的人為基礎。另一方面使用中文的聚集在南洋大學，以中文報《南洋商報》為喉舌，發表接近於中國的主張。因此，在一黨專制下的議會表面上看起來很穩定，但是言論界的主張是分裂的。在這樣的情況下政府該怎麼辦，存在這種問題，亦即能不能用日本的標準來看待東南亞的問題。可是，同時我也認為新聞自由是絕對必要的。

發展中國家援助和新聞的態度

　　飯田：自從金大中事件以來，出現了許多關於批判韓國，包括言論控制在內的報導。我仍覺得民主主義或言論自由等是一種「奢侈品」，日本就是因為經濟發展到今天這個程度才能夠維持這樣的奢侈品，所以不能拿日本的標準來適用於東南亞，齋藤先生想要指出的就是這一點吧。可是目前只對韓國用日本的標準來嚴格對待。報紙上報導了許多國會批評對韓國經濟援助的議論。

可是，反過來想，不僅是對韓國的援助，這是日本對所有發展中國家援助的共同問題。為什麼只提起對韓國的援助問題而不提對其他國家的呢？這是我的很單純的疑問。

齋藤：從提供援助的國家來看，對所有援助都採取相同的形式。所以對東南亞各國也應該同樣提起問題，但問題在於我們到底掌握了多少詳細資料來追究這個問題。1970年代的很大一個課題就在這裡。要更深入地挖掘日本對泰國和印尼的援助，把資料和問題點提供給讀者，我想是已經到這個時期了。不過之中也有關於我們能力的問題。

飯田：譬如說關於援助，一般地說恐怕是自由主義派的主張最為普遍，經常聽到「要有更多無利息的政府開發援助」聲音。田中首相被示威運動嚇壞了，說「日本政府有必要代替企業更走在前面」，也是同樣的意思。可是只這樣說，我認為還是屬於感傷的人道主義。這種主張當然無可厚非，可是援助的實際情況是：答應的資金實際上往往運行得很不順利，受援助的和提供援助的雙方都對此感到煩躁和不滿。

還有一個類似的問題，就是雖然政治上決定了援助的總額，可是要把具體的援助項目納入這個總額的框架內是很大的問題。不是受援助國家，而是提供援助國家用銳利的眼睛四下尋找援助項目，這種事情凡是曾稍微有耳聞的人都知道。可是這種實況報紙上完全沒有報導，我納悶這到底是什麼一回事，並不是只責備新聞，而是說希望首先從新聞界開始報導這種實況，這點請大家理解（笑）。

齋藤：還有，過去光是追蹤事件就已經竭盡全力了。各地的

特派員也都被留在首都，專門追蹤政治動向。那麼，對其他問題的追蹤就失去信心了。所以我說「盡量到外面去，到農村或其他不同的地方去觀察全國的實際情況吧」，可是實際上很難做到。結果，頂多是去在當天就能回來的範圍內走走看看而已。

山內：特別是在東南亞，一個地方發生的事會連鎖反應式地在別的地方也發生，或者說具有共同地盤的問題，不論在印尼、泰國或菲律賓都存在著。只是因各地方社會條件的不同而表現的形式有所不同而已。菲律賓現在暫時表面上是安定的，可是有些看法認為這只是反對派被迫保持沉默，實際上絕不一定是穩定的。

可是，雖然我們的報導網的常駐特派員是以曼谷或新加坡為起點，像齋藤先生剛才說的那樣，其行動半徑很狹窄。所以，就理想而言，首先設立基站，採取專題性的，例如以援助問題為觀點巡迴採訪各國，或從東京直接飛往的採訪體制。

背離現實的媒體

戴：新聞記者的能力和語言能力的問題，特別是在東南亞的情形是經常被指出的。不說埃德加‧斯諾（Edgar Snow），就看馬克‧蓋恩（Mark Gayn）的例子吧。他報導了1969年馬來西亞的五一三暴動（「華僑」屠殺事件），《每日新聞》把它翻譯轉載出來，像那樣的報導，在我所知的微小範圍內不知道曾經有哪個日本人記者能夠寫出來。我想是寫不出來的。語言能力確實是一個限制條件，但是基本上還是在於日本新聞界的態度，有著不

喜歡具有個性的新聞記者傾向。當然，馬克‧蓋恩不一定是馬來語、華語、泰語都懂吧。他非常客觀地報導了那次五一三事件，並且把屠殺華人系住民的意義放在人類普遍問題的高度來報導。他之所以能寫出這樣的報導，還是由於他具有如同表現在他的《日本日記》〔*Japan diany*〕那種一貫的記者魂的關係吧。

　　我想說的是，要有更能容納記者個性的寬容體制，否則不管有多少辯解問題還是存在下去的。看看這次在國會裡有關商社、企業問題的議論就知道，很明白地，並不是根據新聞社所調查的資料或報導來議論的，是根據政黨的調查和企業內部的告發吧。不用說，在國會議論之前，似乎也沒有看到比國會的議論內容更多的報導。這就關聯到新聞記者，或者我們研究者的問題了，亦即從這裡可以了解到的一個事實是，現在日本的研究條件、媒體條件是非常背離現實。我們被置於不能接近現實的一種狀況或條件裡。從某種意義上說，目前存在著此種狀況，使得研究者從現實裡被隔離開來，新聞記者也被迫不能像以前那樣獨立自主地從事調查。

　　齋藤：東南亞的情形是一個國家有一個新聞記者已經算是好的，而這個人要負責報導所屬國家全部的事情。這是直到1960年代之前的東南亞特派員的一般狀況。因此，如同剛才所說，是很難就特殊問題提出獨到的觀點。

　　戴：不，我不是說要你提出來，而是說目前研究者和新聞記者被置於不能提出來的狀況中。

　　齋藤：過去是一個國家一個特派員的體制就可以應付下來，但是今後是不是還可以這樣就有問題了。譬如說，如何處理與各

國的經濟關係，帶著這樣的主題派常駐特派員，或者帶著特定的問題意識去巡迴採訪等方法，過去也不是說沒有，但是今後就更加有這個必要吧。日本和東南亞的關係不像戰後一個時期那樣，而現在變得非常密切了。在這種狀況下特派員的數量增加了，而量增加了，可是質方面還跟不上來。這是今後的課題吧。

缺少應付狀況的能力

石原：戴先生提起的關於狀況的問題，我想是關聯到日本媒體、報導界的態度和能力兩方面的問題。譬如說，日本國內的社會變得非常複雜。因此，雖然被分配到記者俱樂部，也只能把已相對被處理過的資料予以加工後報導。除開態度的問題不談，上述情形是一般狀況。

現在國民所關心集中在通貨膨脹、石油等問題上，各方面出現過去未曾有過的問題。物價或流通機構的問題等，社會部的記者非常辛苦，從零售店往上追蹤，經常碰壁。援助的問題也有類似的情形吧。

就是說，雖然要重視亞洲的報導，但只有一兩個特派員散駐各國，即使有敏銳的問題意識也是很困難。比起商社來，我們缺少應付狀況的體制和能力。在這種狀況下如何從事報導工作，是個很難的問題。

山內：在這方面我們處於微妙的立場。譬如說過去中國專門的海外特派員懂中文、懂歷史，從一開始就專心於中國報導。但是僅僅這樣就夠了嗎？我認為即使是中國專門的記者也要派到美

國或歐洲，讓他在世界視野上從事工作，然後再回到中國來。東南亞的情形也是一樣的。

　　所以，這是我個人的想法，一方面要培養非常專門的記者，同時，考慮到今後日本和東南亞關係的時候，特派員的派遣首先要從東南亞開始。在東南亞學習，親自在那裡觀察體驗日本的定位，然後再去歐洲等國家。然後又回來東南亞。我覺得需要有這樣的相互聯繫才好。

　　飯田：剛才一直在談論的問題我想並不是記者能力不足的問題。事實上，新聞記者特別是特派員非常優秀，了解很多事情。我也從他們那裡學了很多東西。可是日常在閒談的時候所聊的事情完全沒有在報導上出現，全都變成徒有其表的漂亮話。這是為什麼，我的疑問就在此。

　　把這個疑問徹底追究下去就明白在日本方面有很多問題，同時在對方也有不少問題。那麼，如果寫出實話馬上就會有冒犯之處。如果避開這些地方就會陷於感傷的人道主義。所以，如何克服這個問題呢？這是一點。

　　還有一點是能力不足的問題，就是戴先生所說的背離現實問題，確實是有這個問題。我說的有一點離題，關於石油危機，石油的進口是充分之說在十二月中旬前後就聽到。可是新聞的報導開始變化是在一月中旬。之間一個月的時間差，到底意味著什麼？還有政府發表「經濟白皮書」等的時候，一定有專為新聞記者用的摘要。為什麼要有那樣的東西？不是過度保護嗎？我想莫如拒絕那樣的東西才是新聞記者魂吧。不能只批判別人，恐怕是學者或新聞記者在現今社會變得太偉大的罪過吧（笑）。〔以上

陳仁端譯〕

從「中國系」到「華人」

戴：我常常在思考，我們於東南亞研究領域的落後，有因新聞報導有關的一面，而新聞報導的品質，是受我們研究者素質之低的限制。那種相互限制的問題今後還不知道能不能突破。

齋藤：是有那種問題。

戴：我拜讀了齋藤先生所寫的書，裡頭有「中國系」的表現。從漢字的語彙上，恐怕不只李光耀，就連《南洋商報》那些人也不會覺得愉快。你們日本人的語感也許沒有什麼不妥，可是在東南亞是不同。他們是「華人」。實際上，李光耀的目標是新加坡人之中的做為華裔住民的政治吧。對於他們來說已不是「中國系」、「中國語」，而是「華人」與「華語」。特別自1949年在中華人民共和國成立以降的新變動之中，他們早已不是從過去的中國大陸或台灣到國外掙錢討生活的，而是一直保持中國籍已不能在東南亞生存。在東南亞他們被迫蛻變，同時他們自己也不能不蛻皮。他們對中國的確懷有鄉愁，但現在正拚命地在摸索從「華僑」到華人，或者做為各居住國的華裔住民之路。他們已不能回去中國了。華裔住民的問題，也正是齋藤先生所提出的理念的問題。東南亞的建國，國家建設的一個命題。

然後，華人問題在日本，一直以來以很多人所抱有的華僑概念被硬生生地沿用下來。華裔住民的問題是東南亞在戰後新的世界史階段國家建設中，占了何種地位，扮演了什麼樣的負面與正

面的主要因素。我想正只是這個問題。可是，讀日本的新聞，依然不改其稱華人系住居民為華僑、華商或中國系人。他們只是被定位為在東南亞的日本人合資企業夥伴而已，日本人只抱持這種關心與認識真是遺憾。我們所關注的是在世界史新的胎動中，他們要以什麼樣的形式變動，在這一點，我想日本的華僑論已和現實有很大的落差。

齋藤：這真是很難。新加坡的李光耀的確說「不是中國」、而澳洲的費子智（C. P. Fitzgerald）寫《第三中國論》〔*The Third China*〕，對此李徹底地否定。他說：「我們不是第三的中國，我們是做為新加坡人要建立新加坡國。」然而「華人」這個詞語，如果我提出來，這在日本現今的狀況下也不能通用。

戴：這個我能理解。可是新聞的角色不正是引路人嗎？如果新聞拘泥於已不合現在歷史情勢的詞語，那麼大眾不是會更落伍嗎？例如費子智寫《第三中國論》之後，他現在是駐北京大使，讀他的新書他已提出「華人」的新概念。他自己已在向前走。

有關東南亞國家建設過程中的民族問題，很多人以為只有「華僑問題」。可是齋藤先生的想法不是這樣，我很肯定您，可是一般的日本讀者的理解是「那裡只有華僑問題，華僑才是妨礙近代化的元兇」吧。我以為這樣的認識已趕不上東南亞的新狀況。

在新的亞洲關係之中

石原：剛才飯田先生談有關感傷的人道主義時，有相當嚴厲

的發言。

　　我來談我自己的經驗。第一次中南半島戰爭的時候，在東京完全沒有戰爭當事國的相關資料。美國的特派員電報非常薄弱。也很少人去過中南半島。法國的AFP（法國新聞社，簡稱法新社，Agence France Presse）是戰爭當事國的通信社，因此報導不免有偏頗的一面。在日本就無法知道武元甲、范文同的出身背景。總之，非常欠缺情報，日本的特派員沒有去過。然後逐漸演變，到了1950年代末、1960年代初越戰的時候，反而有資訊氾濫的現象。

　　從前資訊缺乏的時候，講意識形態有點奇怪，但我們不管站在哪一方，都有一種空想主義吧，反過來說從原本一無所知的地方，大幅度地把情勢單純化之後，在當地捕捉亞洲的問題。然而狀況改變的時候，記者不能寫或不寫出真心與知道的事實，又逃入過去感傷的人道主義。我想是這樣的指摘，不知今後能否糾正過來。

　　與剛才齋藤先生的發言有關，我們新聞記者的工作是深入的採訪，努力研究，挖出事實。所以不是報導者而應像是搬運者，我反論地思考著。

　　我以為寫解說之前所掌握的活生生事實，與其報導，必須加強這個地方是一個問題。

　　飯田：我是經濟學者，所以準備去印尼了解經濟前，我會先看統計數字。有很多問題，光看統計數字無法理解，這是老生常談的神話。而統計數字本身，稍微用心推敲一下就不知其究竟，可靠的數字幾乎沒有。因此必須從這個地方出發。

　　所以，要認識到什麼都不知道的事實，再一個個去挖掘出來。我已重複講過這不單是新聞的責任。但是新聞社是非常有能力、有組織的，我們還是很期待新聞能做到，這期待非常大。

　　山內：剛才說逼近真實的問題，今後的東南亞報導是面臨很艱難的階段。簡潔地說，日本企業進入應有的狀態，講極端些，是在東南亞兩個階層社會〔譯註：意即欠缺中產階層的社會〕之中，必然伴隨政治的影響。日本的經濟擴張，被認為是政治性的，田中首相的訪問也被認為內政干涉，所以才以反日暴動而表面化。我想從這裡就出現一個政經分離的命題、經濟擴張應有的狀態本身在有政治糾葛的東南亞諸國的體質之中是談的容易做的難。

　　那麼到底今後我們該做什麼呢，就是說純粹壓縮為經濟擴張，現實卻連「第二倭寇論」都被提出來了。常被讀者說，新聞應有指導力，色彩要分明。新聞的指導性很能理解。但在價值多樣化的現在，新聞性急地根據確定的方向掌握領導力到底是好是壞，對我們來說是有點冒昧。所以，不管如何，把事實深且廣地挖掘出，在確定方向時多斟酌小心，一邊以改善日本在東南亞的形象為第一目標，我覺得目前只有這樣去做。

在廣泛的交流之中追求事實

　　戴：以研究者的立場考慮時，我想把事實與事實之間的關聯性總合起來，包含方向性與在世界史的階段該如何把握。做為觀點，齋藤先生所提出的是民眾。而民眾在東南亞的情形是很分裂

的，存在不知哪些民眾是真的民眾的問題。在此意義來說，做為今後的問題，我們必須恢復現實感，包括我們如何去應付那障礙，我想要思考。

齋藤：問題非常大啊。被截稿追趕而很難下結論時，有時我也會不由得逃入感傷的人道主義啊（笑）。但是已經到了不能再這樣敷衍了事的時期。我自己也把日本與東南亞經濟關聯的各個事實逐漸累積起來，但是老實說不能下總合結論，那背景有日本的急遽進入東南亞。

另外一點是，去東南亞的感受為，總而言之，日本與東南亞各國的經濟力的差距非常大。日本商社的情況是依照所謂的經濟原則在行動，比如訂了玉蜀黍的承購契約在進行開發輸入，而其他國家如有更便宜的東西的話，就會更換到便宜的地方。但是，想想與對象國的經濟差距時，因玉蜀黍貿易吹了，對於該國不單是經濟原則的問題而是死活的問題。對於日本來說只是經濟問題，但以對象國的立場思考的話，不只有經濟的問題，還有宗教、人種等各種各樣的問題存在。

在那意義上，我想1970年代經濟關係還會成為大問題。應持有那種眼界緊急對應。同時我們自己一直只被經濟問題扯住，對其他問題一無所知。在這一點，真的有必要努力去理解那些國家。

飯田：文化交流在某意義上比經濟事務的擴張有更困難的問題。這或許只不過是我個人的感想，如果日本學者大舉至東南亞做調查研究的話，也會引起像企業現在發生的摩擦吧。在日本做學問研究，與在東南亞諸國做研究之意完全不同。在日本，對於

研究，日本人心中就算是感到麻煩，也會供給一些方便。但是學者如以這樣的意識去東南亞，就會引起與企業一樣的摩擦的。

我在東南亞的時候，有日本的學者寫信給我說，想做國民意識調查，請我幫忙。我說做那種調查會引起很大的問題，勸他不要做。從此處就有意識的分歧。如果認為是文化交流就可順利進行，但這種想法我覺得未免太樂觀。

石原：如齋藤先生所說，在經濟關係的一面，呈現大幅度且快速的進展步調，而其他體制跟不上。例如報導體制也是，日本帶給東南亞的影響實際上很大，但日本人不知道那種現實，也有不想知道的落差。極苛刻地榨取了印度的英國，在經歷種種歷史之後，現在又建立起一定的關係。印度人、巴基斯坦人在倫敦居住的有20萬人。所以在印度採訪的《時代》記者是以包含印度人、巴基斯坦人20萬在內相當程度展現出關心的讀者為對象，不能不以相當高的水準報導印度。這種關係，現在的日本新聞卻沒有。

還有，以現在經濟擴張的速度，或應有的狀態，急速改變是否有可能。從這種地方，東南亞的人們觀看日本的眼神是否也有種種不安。我並非帶有玩世不恭之意，至少能做的是看清事實，在被給予的條件中，盡量報導自己認為是事實的事情，我覺得很大程度是這樣吧。

編輯部：長時間的座談就此結束，感謝各位！

本文原刊於《新聞研究》第273號，東京：社團法人日本新聞協會，1974年4月，頁6～19

田中出訪東南亞效應與日韓未來
──傾聽亞洲的心聲座談會

◎ 劉淑如譯

國家利益本位的日本外交

本誌：今年〔1974〕1月，田中首相訪問東南亞國協的五個國家，泰國、印尼所展開的反日運動多少已被預料到，在思考日本經濟的擴張方式及未來東南亞與日本的關係上，促使徹底的反省。

日本人對東南亞各種的實際狀況了解多少？當我們反問自己這個問題時，現實似乎是我們所擁有的只是極為貧乏的知識。

因此，今天我們邀請來自東南亞的各位出席，想傾聽各國政治經濟種種狀況，請大家毫無保留地給予您寶貴的意見。

首先，我想先請教，各國對於田中的東南亞訪問之旅的看法。整個座談會的進行，就交給B先生了。

C：田中首相到東南亞的目的，名義上是為了加強與東南亞之間的友好關係，但實際目的則是為了日本獨占資本擴張到海外時能很順利而調整其條件。田中首相表示，在這個過程當中，日

本會先確保東南亞的資源，然後才在當地進行技術與工廠的經濟開發。這樣的發言在東南亞國協五個國家之間引發非常強烈的反彈，他回到日本之後，表示日本之所以會受到強烈的反彈，原因之一在於經濟的差距，再者是由於相互理解的不足。

　　然而，在亞洲，尤其包括韓國在內這次訪問的五個國家之間的反日情緒或對日本的反彈之所以強烈，原因真的是經濟上的差距嗎？還有，試著思考相互理解的不足是否為原因時，我們發現那不過是一個現象面罷了，那是日本對東南亞所進行的經濟擴張行為的結果，我認為完全沒有直搗問題的核心。

　　問題還是在於當地的日本資本不但掠奪當地的資源，甚至連勞動力也剝奪。聽到田中首相如此的發言，我感到非常生氣。尤其他強調為了彼此的經濟發展，然而實際上都在談只有日本經濟獲得發展的一面。特別是從事經濟合作時，彼此的經濟都必須有所發展，但實際上只有日本的獨占資本得到發展，對於東南亞各國而言，國民經濟真的因為彼此的合作而有所發展嗎？我要大聲高喊不！發展的似乎只是那些國家中的一部分統治階級吧！而這種經濟合作當然也就會使得經濟上出現差距。也就是說，問題是在於為了自己的國家，以及為了自己的國家的資本利益而向其他國家擴張。

　　可能是擴張的方法不好吧！一般日本人也經常這麼說。的確，過去的經濟合作只為了一部分人的利益，但這也不是改變擴張方法就能解決的問題。而且，理解之所以不足，一般認為是因為亞洲人不了解日本，而日本也不了解亞洲，但要進行經濟擴張的人應該不可能不了解那個國家。亦即我們想說的是彼此之間理

解方式的錯誤。

　　E：田中首相先是到歐洲、美國，同時，三木副總理也在中東協商石油對策，將主權問題及石油問題列入討論議題之後，前往泰國等東南亞國協五國訪問，其具體的目的，我認為只是為了日本。田中說是要促進國際關係只是場面話，我認為實際上是為了讓日本生存下去的政策。

　　A：對於這次田中首相在東南亞所受到極為強烈的反對一事，我並不感到意外，且我認為向來所累積的問題藉由這個機會爆發，是理所當然的。日本不太考慮亞洲或東南亞，政策上也不明確。我一點也不認為藉由一次的訪問就能夠解決向來的矛盾。出訪前，原是有必要先將這些矛盾徹底解決，但田中這次的訪問不只是經濟擴張，對東南亞的外交或經濟的相互合作等各種問題都還沒有解決的情況下就前去，因此我認為他會受到反對是理所當然的。原本我以為會有更大的反對聲浪，但情況也沒有那麼嚴重，這可能是因為各國國情不同的關係使然吧！有的國家實施獨裁政權，就算累積了種種的不滿，許多民眾也實在難以發聲，我認為就算這些人只有一點點反對的表現，我們也有必要將隱藏在那些表現背後的不滿看成是很大的不滿。

　　菲律賓實施戒嚴令，一般來說，由於印尼等東南亞各國政府都實施鎮壓政策，所以一般民眾無法自由表現出自己的意志。由於反對運動是在這樣的狀況中發生，我認為我們必須思考當地人不滿什麼。

田中首相學到了什麼

　　B：三位的談話中有一個共同點，就是大家都提出一個論點：日本本身表面上雖然講得非常冠冕堂皇，說什麼經濟合作或文化交流，但實際上不過是在追求確保資源的狹義國家利益罷了。針對這一點，D先生您的看法如何呢？

　　D：總而言之，由於日本的選舉選出那樣的總理，這是非常丟臉的事，而剛才各位的批評我也完全贊同。

　　目前日本的殖民地主義者並非一流的，這是事實，我認為其在世界上是二流、三流、四流的帝國主義者，也就是說，它得和美國的帝國主義者搭檔才像樣。

　　例如，就情報來說，在雅加達所發生的暴動，如果是優秀的帝國主義者，當然就應該要預測到，日本卻做不到。日本在那裡明明有外務省的駐外機構，也有報社記者，卻一點情報也沒有得到。因此，田中首相才會帶著極佳的心情出訪，看到反日運動而感到驚訝！

　　他們現在正努力想從這次的雅加達、泰國的經驗中變「聰明」。結果雖然無法變聰明，但我認為他們打算做一些修正，例如國家資本早私人企業一步出去，從事基礎建設的投資之類，正打算稍有計畫性一些。因此，就這個意義來說，他們是有學到一點東西，也應該對之保持非常高的警戒。

　　不過，田中在印尼也得到他所要的東西，亦即在資源問題上龍目島的原油儲藏基地及天然瓦斯都是。還有，我認為他最糟糕的是，決定要在蘇拉威西島建設30萬公頃的稻作社區。然而，石

油危機即將爆發之際，田中政府卻同意將30萬公頃的日本農地轉為住宅用地，這根本就是為了工業犧牲農業的方針，而這就好像是他印尼之行的總結，想想這是很愚蠢的。要之，在糧食問題吵得沸沸揚揚時，就這樣把日本的農地變成住宅用地。似乎計畫在蘇拉威西島掠奪和它相同面積的土地，將生產物的三分之二帶到日本。印尼最嚴重的也是糧食問題，米的價格暴漲，蘇哈托政權甚至連軍隊都派出來向人民收購米，而田中卻要在那樣的國家進行稻作社區計畫。因此我認為，雅加達的暴動也算是過於溫和的遊行了。

　　不過我想下面這件事是真的。雖然這個情報還沒獲得證實，據說田中回國後，在羽田機場叫來警察，他說：「若變成和雅加達一樣的話就麻煩了，趕緊展開暴動對策！」我認為他相當恐懼。不久，山谷*1鎮壓就開始了。這就是說，當今資本主義經濟出毛病的矛盾已率先出現在山谷暴動事件，因為，發生工作沒了，體弱者死在路邊的情形，他因為知道這些事，所以非常害怕。若在十年前，日本一繁榮，日本民眾也沉浸在繁榮的氣氛中。而亞洲被美國和日本不斷地榨取。不過，現在這個部分稍微有些不同了，也就是說，即使在日本，像田中或大商社等這些榨取亞洲的人也被視為敵人。雖然還不是很充分，但已出現一些條件了。蘇哈托（Suharto）、朴正熙、田中這些人都是一夥的；同時，我認為只要我們日本好好地做，似乎就可以有與亞洲各國人

─────────────

*1 東京都的一個舊地名。1966年後此地名已消失。早於江戶時代就小客棧密集（入江戶必經之地）。現在則是臨時工、外國人自助旅行者多來此投宿。景氣不好時常有找不到工作的勞動者鬧事。

民攜手合作的條件，也就是出現一些希望。

稻作社區構想的問題點

　　B：有關蘇拉威西島的稻作用地的構想，剛才D先生提到，日本內部想要廢除農地，而將之轉嫁到外部，正是日本列島改造論的向外延伸。問題在於接受該構想的印尼政府到底在想什麼。我想恐怕印尼也有各種考慮，其中，從經濟面來說，基本上以印尼為首的東南亞各國在建國的過程中，存在著必須喚醒農村或農民的課題，只是現在許多政權因目前採取從上而下的近代化方式，而害怕由下而上喚醒農村或農民的方式。因此才會有維持農村社會結構不變的從外部導入「刺激」，例如之前的綠色革命或技術移轉的構想。

　　因此，做為稻作社區構想的這面錦旗，其所標榜的乃是在印尼導入新的耕種方法和技術，要之，就是導入近代化的經營方式及機械化，將其產生的一部分效果留在當地，其餘的則接受，也就是說這邊也接受開發輸入，而將技術移轉到那邊去，或者充實其各種周邊設備。

　　有一部分善意的學者教授們抱持剛才我所提到的觀點，肯定這一面技術移轉或教育印尼農民的錦旗而出去或正要出去，我想企業進入時也有相同的想法。日本企業進入主要在都市中心產生其結果。在都市建大樓，蓋工廠，而帶來巨大的衝擊。於是周邊農村部落生活不下去的人向都市集中，各個都市中就出現小日本、小東京。同樣的，恐怕蘇拉威西島稻作用地上最後會出現日

本龐大的近代技術體系，而會將日本農業都還沒嘗試過的型態帶進來。其將導致東南亞的農村、農民的生產、生活基盤就會被弄亂，我認為善意的教授們所認定會帶給當地國家民眾的好處，將會幾乎毫無實現的可能性。蓋因當地國家對於接受的主體條件尚未成立，也消化不了。他們對之不了解是問題之一。

另外一個問題主要與周恩來的日本農業批判，或日本國民經濟的產業架構批判相關聯。以日本目前廢除農業後，將它轉嫁到外部的情況來說，必然製造出孕育軍國主義的土壤，這方面未來要怎麼去思考？原本日本的農業如果能變成歐洲共同體那樣的狀況，應該發生勞動力的國際移動。日本的農民不從事農業後，恐怕韓國或台灣就會有農民進來。實際上這種型態曾經出現在沖繩，即從台灣移入農業勞動者。但從日本全盤的狀況來看，尚不允許這種勞動力的移動。在此狀況下想出來的，就是以農業開發輸入的形式開發，不但可提升那邊的技術和生產力，這邊也有所得，實質上不外是一種新殖民地主義。

日本人膚淺的東南亞認識

B：昭和32、33年以降，日本所有民眾的戰敗記憶不知不覺間完全消失了，大家都被編入高度成長中。明治的榮耀，特別是日俄戰爭中亞洲人戰勝白人的榮耀，直接連接戰後的高度成長，大家都分享和沉浸在愉悅的心情中。不知是否因為如此，即使是批判海外擴張的人，其認知也只是停留在「在國民福祉的犧牲之上；把大餅〔譯註：指經濟援助〕送出國外」，而忽略了將一部

分提高工資的財源依附在擴張所得的收入之事實，成為無法從內部進行查核的狀況。糟糕的是，除了亞洲主義依舊根深柢固的這種心態之外，那些人因為覺得以前幹了壞事，所以必須做些什麼的感覺而將「進入」視同「援助」。由於問題尚未清楚地呈現，因此一般日本老百姓在不太清楚的狀況下，被捲入那樣的情緒裡面。也因此像這次事件一發生，連對雅加達友善的人都認為日本已經援助到這個地步了，他們卻這樣對待日本，既然如此，那麼日本就撤退，並停止援助。對此我感到很驚訝，而有一些大學生也真的認為現在如果停止經濟擴張，那麼東南亞各國可能就會完蛋。的確，或許政權會不穩，但是他們卻沒有理解到，事情並不會演變到東南亞民眾無法生存的地步。

　　製造出這種情緒的，不止是日本的大眾傳媒，包括現代總研的建言，所有的海外擴張都是基於既定的，是理所當然要做的，而且出去也不是為了自己，而是為了那邊的人好的認知在做。因此，之前報紙也報導過，企業中也有一些人由於認為這次雅加達做得很過分，不要管它了，然而從事海外擴張的日本企業中，在我看來，撤退後不會發生問題的，只有少數原本就打算先行投資〔譯註：優先投資〕的，其他大多是不會辦法撤退的。但一般納稅人及日本善良的老百姓並不了解。我認為這次的石油危機正是讓他們了解的唯一或是第一次的機會。另外，藉由這次對田中如此的「熱烈歡迎」，也可以讓日本人的各位了解到原來海外擴張是不行的。以上是我個人對目前狀況的解讀。

　　不過，若以報紙的論調來看，則如果日本內部的矛盾不再激化，我想亞洲就很難得到日本的理解，剛才三位所提到部分也無

法被了解。「怎麼會這麼困難呢？我們已有和平憲法，且不會再幹以前那種事了。」蓋因日本人有這種心情之故。

　　然而，如果從東南亞來看，日本的和平憲法只不過是一張紙罷了。雖然日本人老是說「第九條如何如何」，但請問一起坐在這裡的來自亞洲的各位，您們是否和日本人一樣相信和平憲法呢？這個部分彼此的認知似乎是有差距的。而其中當然我想也會出現類似日本人對亞洲的認識很膚淺，或者我們對日本的認識很淺薄、研究不充分等問題。

泰國的問題狀況

　　E：由泰國學生所發起的針對田中首相訪泰的抗議遊行，它並不是反對田中本身，而是對日本一般的作法，特別是對在泰國的日本人或企業的作法相當不滿。尤其在前任內閣倒閣之後，很多內幕（貪瀆、與日本企業掛鉤）被掀開來了。日本企業中，把泰國副總理的名字巴博（Praphas Charusathien）列為董事的公司有十家以上，他們也擔心日本企業會不會與這些人勾結讓泰國的自立經濟崩盤。

　　日本在日俄戰爭中戰勝了西方人，而泰國也對於那段歷史當中的日本給予非常高的評價。因為我們認為同樣是亞洲人，所以日本人很了不起，且日泰關係史也有將近四百年了。泰國人對外或許可說很弱，但其身段柔軟，隨時處在可以對話的狀態。尤其是日本，因同是亞洲人，且向來雙方已有深厚的關係，而和平相處。我一直認為，彼此互相幫助是理所當然的。到了戰後，發生

很多事，1965年以降，日本的企業就進入了，其中有合辦，也有百分之百的日本公司，對於那些公司的作法及泰國政府統治階級的骯髒作法，一般泰國人極為不滿。目前泰國站出來的雖然以學生居多，不過如果今後一般市民再稍微思考一下這些狀況，問題將會變得更為棘手。

做為整個東南亞共通的問題，有日系企業僱用當地人的問題。大部分日系企業的經營權都緊緊地握在日本人幹部的手裡，當地人沒有一個是上級幹部，有關技術人員可說也一樣。

對此，日系企業則獨斷地認為當地人沒有企業的經營能力，然而，真可以這麼說嗎？日系企業以技術研修生的名義找來當地人到日本後，都在做些什麼呢？我想有必要了解這種現況。日系企業只是一味地榨取當地人的勞力而完全不教導他們應習得的技術。如此一來，就算技術研修生想要學習技術，也什麼都學不到而不得不回國。對於這樣的現狀，技術研修生大部分都很不滿。

B：請讓我問一個問題。報紙上曾經報導，泰國學運的菁英們認為進入日本的企業是可以。但他們有一種感覺是，希望日本企業能再稍微用心一些，這方面您的看法如何呢？

E：我本身認為有必要對直接投資或合辦的企業進入踩一下煞車。希望先培養泰國的民族資本，在此一基礎上再引進技術或資本。但可惜泰國在政府的層級上，還是深受美國想法的影響。

B：我想政府的層級是無可奈何，包括東南亞國協各國、台灣、韓國都一樣，所以這個部分就暫時不談。

E：知識階級也都很熱中於美國的思想，所以，大學老師出現在運動檯面的人非常少。

B：當然是這樣，不過在想法上還是歡迎外國的投資或合辦。不過，有人認為，如果像日本的企業那樣連衛生紙什麼的所有日本製品都帶進去，而且日本旅行者只搭日本航空，只住在日本人經營的旅館，只與日本人打高爾夫球，只在日本人經營的俱樂部玩，一毛錢也沒留在當地就回去的話，可就傷腦筋了。

如果變成那樣，那麼現在來自非日本人的亞洲方面的自我批判就變成迫切的課題了。

E：一點都沒錯，必須在自己國內解決的問題還滿多的，不能說都是日本的作法不好。以企業來說，考慮最大的利潤是理所當然的，但泰國國內的人也都忘了企業的行動基準，而只責備進入的一方，這是不恰當的。今後恐怕泰國的學運也將不再只將日本當作攻擊的對象，他們似乎會對上述事項反省之後才發起學運吧！泰國政府如果真的希望日本和泰國的關係友好，那麼就不要去鎮壓這種運動，毋寧希望泰國政府和日本政府都能予以培育。

欠缺一貫的日本原則

A：進行不順利的最大原因是亞洲各國過去都曾經被殖民地化。殖民者為了便於榨取，於是在當地人中培養協力者。那些人雖然表面上和當地人一樣，但想法不同。例如南越在法國的殖民地時代，就培養出一群協助法國的當地人，那些人就是目前西貢政府的人。雖說是越南人，卻總是和外國聯手欺騙榨取自己的同胞，東南亞的社會就是建立在這樣的歷史上面。一個統治階級及大多數的被統治階級。

　　從外國來看，日本在經濟合作方面仍然是局限於一個思考模式。我之所以這麼說，因為他們不會考慮一般的當地人說什麼或想什麼，最重要的是和目前握有權力的人們聯手的話，就什麼都可以做，他們就是採取這樣的政策。由於這樣的想法，田中首相去之前當地已經出現反對的聲音了，但田中等人只在考慮泰國統治階級安定與否就去了。然而，實際情況則是他們並無法壓制當地的不滿。

　　發生了那樣的事，回國之後有沒有反省呢？以思考方式來說，向來的政策全然沒有改變。畢竟是一種與統治階級聯手的思維。光看記者會也知道，他們還是沒有想到事情的根本，只想強化或援助目前的統治階層。

　　現在的東南亞是相當具有流動性的，向來被榨取的大多數人，必須自己設法守住最低的生活。而要求最低生活的人，則一有機會就站起來。就算被欺騙，也還是會站起來吧！即使可以一時讓他們安定而施行某種方策，也持續不久。藉由日本的援助仍暫時可以維持一小撮的統治階層。

　　例如，在日本的援助下，西貢政權可以暫時維持住自己的地位。然而由於大家都反對，所以總有一天會被推翻。這麼一來，由於這個政權和合作的外國也就是日本，與一般民眾是處於敵對的關係，所以遭到反對是理所當然的。日本如果真的要與各國在經濟面及文化面合作的話，就必須順應大多數人的願望，考慮彼此的利益，以相互平等的立場合作。不然，當地可能會不斷發生暴動。就像我一開始說的，日本對東南亞的政策欠缺一貫，是伺機考慮得失而作因應。然而，還是秉持一貫的原則實行才好，否

則不但會有困難，且會變得愈來愈困難。

目前日韓關係的特質

B：韓國如何呢？

C：就目前韓國與日本的關係觀之，過去日本侵略韓國所採用的，用今天的話來說，就是根據舊殖民地主義式的手法。1910年簽訂《日韓合併條約》之後，日本人蜂擁闖入韓國，成立朝鮮總督府，展開對韓國人的榨取。

現在的手法，如同剛才B先生所說的，是採取新殖民地主義式的入侵方法。說得再誇張一點，田中政權與朴政權的關係可以說就是過去日本本國與朝鮮總督府的關係，過去是軍隊直接進去，而現在則是以提供軍事費用的經濟援助壓迫韓國的民眾。

B：用部分專家的說法，並非剛才所提到的田中政權和朴政權，有人分析田中首相雖然在國內提倡日本列島改造論，但實際上福田派則是在韓國進行日本列島改造論的韓國版，您的看法如何？

C：如果是這樣的話，就不只田中政權了，韓國稱日本的勢力為新軍國主義勢力。這些勢力包括田中政權，這個稱呼指的就是那個意思。

B：即使在自民黨政權中，利權也各不相同。泰國的副總理是否與日本企業結合？或者是否要獨自一人與日本內部的整個綜合商社結合？或者是否會出現與不同財閥的各種結合？例如，以舊中國來說，不同的軍閥與日本的結合方式就會不一樣，或者中

國過去也曾經出現與英國或美國結合的國際性利權的種種組合。

C：我們指的主要是所謂韓國院外遊說團的部分。

B：這點很重要，因為想要把日本列島改造論帶到東南亞的一派，現實上是有的，這方面我們這邊也必須分析和因應。研究日本時，不能不分青紅皂白一概而論，一定要更加細微地觀察，否則就無法提出具有說服力且有效的因應對策，我就是基於此才提問的。

C：去年金大中綁架事件後，我們就一直與日本方面針對救援運動進行協商。日本的自民黨中也存在著以宇都宮德馬為首的勢力。我們與他們談了後，知道那些人真的對目前日本進入韓國一事表示憂心，而不同意這種型態的勢力儼然已開始擁有勢力了。這一點我們也知道，包括這個部分在內的一些連帶關係，將會成為未來的課題。

有關現在新聞炒得正熱的以青嵐會*2為中心的韓國院外遊說團的部分，金大中事件發生時，他們稱金大中為賣國奴。儘管他們根本沒有理由這麼叫，但其表現可知，他們已涉入韓國的政治領域甚深。

日韓「經濟合作」與利權集團

B：讓我再提問，各位知道國際勝共聯合會（International Federation for Victory-over-Communism, IFVOC）吧！盛傳它的錢

---

*2 1973年在自由民主黨內橫跨派閥的鷹派眾、參兩院年輕議員31名結成的政策集團。

是韓國的財閥所出的，您的看法如何呢？

　　C：您說得沒錯。所謂的勝共聯合，就是類似從前以內田良平等人為中心所組成的黑龍會。它的資金與其說是出自韓國財閥，不如說是出自日本企業，不過我認為，說它是出自韓國院外遊說團會更確切。

　　B：可以說日本有各種利益集團，所以其進入東南亞的方式才會有所不同。

　　D：韓國與泰國、越南的情況和理由不同。以韓國來說，幾年前的矢次方案就照樣在進行，其定位就是經濟一般狀況吧！所以在韓國，日本和韓國的政治發展到什麼地步，幾乎分不清，似乎已都混在一起了。

　　例如經濟擴張也是一樣，日本的資本未被看成是外資。像麗水的石油聯合企業，日本一下子出資，一下子又撤資。要之，端視中東局勢而定，油有進來就煉，沒進來就不煉。還有，像巨濟島的造船廠也一樣，雖然現代重工決定進行一項工程並展開，但是其他部分目前日本政府則是按兵不動。這所傳遞的訊息是歐洲造船與日本造船競爭市場占有率，而日本則擁有壓倒性的造船能力。歐洲對此向日本提出了警告。在那樣的狀況下，如果韓國建造巨大的造船廠，將招致歐洲方面的責難。也就是說，韓國的造船廠被視為是日本的，因此，在日本與歐洲的關係上，甚至涉及是否在韓國蓋造船廠之事。

　　泰國和日本的關係畢竟還是屬於國際關係，但是以韓國和日本的情況而言，日本對韓國蠶食鯨吞的現況甚至已經到了做為國內關係來處理的地步。然而，其並未忠實暴露在日本人面前。

　　C：矢次一夫以前曾經發表過日韓長期經濟合作試行方案，即所謂的「矢次試案」。當時好像正好召開第六屆韓日合作委員會，由於正在召開閣僚會議，所以當時便引起韓國人極大的憤怒。因為矢次直截了當地說，韓國和日本的關係必須創造出屬於亞洲的EEC（歐洲經濟共同體，European Economic Community）。一般歐洲經濟共同體各國都想以平等的關係進行經濟合作，但他所講的亞洲的歐洲經濟共同體並不是平行關係，而是垂直關係，且其中韓國南半部的經濟包含在關西經濟圈之內。現在已不只是那種想法，還包括那種政策及進入。例如在韓國的馬山設置馬山輸出自由貿易區域，進駐當地的企業，將近百分之百都是日本的企業。日本的企業在馬山主要是從事原料加工貿易，是屬於由日本進口原料，在韓國招徠勞工的勞力密集型產業，由日本企業將該地生產出的產品拿到日本去銷售型態的經濟關係。矢次先生等人乃稱這種經濟關係為國際分工，而實際上說它是「租界地」也不為過。

1965年之後劇增的經濟擴張

　　C：日本對韓國的經濟擴張是1965年韓日條約簽訂之後才真正開始。最初，日本進入韓國的型態是貸款型態，日本以無償三億美元、有償二億美元的請求權資金做為誘因在韓國投入資本，從此大舉進入。

　　上述請求權資金的內容非常狡猾無賴，其中還附加了許多限制。用這些錢能買到的是日本的製品；還有搬運這些東西時，也

是使用日本船隻。此外，有關請求權資金的使用途逕則是與日本政府取得共識後才得以使用。一個國家的經濟被置於別國的經濟統制之下。

B：剛才所提到的，也包括日本方面的要因，另外一個則是保稅加工區，這個部分台灣似乎是典型吧！台灣是模仿香港，韓國則進一步模仿台灣而引進。

我想說的是，1965年是具有象徵性的一年，這與越南有關。似乎說是越南特需，由於從美國本國運來的物資無法充分補給，因此在台灣或韓國進行調度。另一方面，相對來說台灣和韓國都是勞力過剩，僱用的機會相對少。如果考慮勞力輸出的話，那麼若不是保稅加工區，當時日本的資本就無法安心地進來。同時日本也是大約從1965年前後，勞動力市場就急速產生結構性的變化。過於膨脹而相對的不足。因此，有關勞力密集的部分，只得求助於韓國、台灣或香港，以及其他國家。

所以，問題不只是台灣或韓國的政權，實際上民眾的生活非常艱苦。因此，如果日本的企業進入保稅加工區，或者外資的工廠一旦進來，那麼當下就能夠獲得僱用的機會。因此，就有一部分人可以得到滿足。接下來回到泰國的問題。事實上泰國、台灣、韓國也存在著要接受進入是可以，但如果把錢全都帶回去的話可就傷腦筋了，所以要求留下一些的這種邏輯。因此我想我們不但不能夠忽略這一點，也有必要將它看成是接受進入那一方的民眾方面問題。不過，未來它將如何進化及分裂，以及剛才D先生所提到的日本國內矛盾又將如何呈現，其彼此間可能會出現對應關係吧。就某一意義來說，我們是在所有越南人的犧牲中獲

利。韓國則是將總共五萬人帶到越南去，那也是一種透過軍隊的特殊型態的勞力輸出。台灣的情況則是儘管國府當局拚命地想派遣，但美國就是不接受，因為美國擔心如果接受的話，中國就有可能會出面。不過倒是有以軍事顧問團或農業技術顧問團的名義進去，藉此換回美元、借款、賠償，為的就是要設法從事由上而下的近代化。韓國的情況則是因而與農村之間的差距增大，這就是現狀。不過，儘管如此也無法充分吸納農村的階層分化*3所造成的剩餘勞力。因為無法全部吸納，所以才會有現在朴政權的非常措施。

接下來我想請教D先生的是，美國是不得已才接近中國，之後日本也與中國恢復了邦交，相對於這種狀況，這次東南亞包括越南的停戰在內，菲律賓實施戒嚴令，馬來西亞則是之前就實施了，新加坡則是鎮壓共產黨等。印尼在九三〇事件中擊潰了共產黨。換句話說，整個東南亞發生一連串的鎮壓。韓國則是南北對話的同時，也採取了非常措施。對於這些狀況，究竟未來各位日本朋友要怎麼去參與加入呢？

D：美國仍致力於貫徹最大的帝國主義。在此框架之下，日本則是極盡使壞之能事，蓋因日本是站在完全不負反革命責任的立場。的確，最後日本或許會考慮發動自衛隊，或許會如此，不過我認為日本帝國主義無法像美國那樣壓制整個亞洲。有關這個部分，在日美關係中，亞洲各國若沒有基本的協調，那麼恐怕無論在哪裡都沒有辦法做到，而且實際上若就印尼觀之，由於美國

---

*3 這裡指農民階層因經濟情況惡化，富農變中農、中農變小農、小農變佃農、佃農變農工的情形。

是壓倒性地強大，因此要從這個地方擠進。為了要擠進，於是賄賂的金額不得不增加。也因此而造成更加腐敗的結果。

不過，韓國的情況似乎有一些不同吧！就算沒有美國，它也會去做的架勢。因此，這個部分就必須回溯到歷史的問題去思考。但之前田中總理很過分的朝鮮善政的發言還言猶在耳，絕對不會改變，即便是在談請求權等之時，也有人講出很過分的話。

C：是椎名先生，還是高杉先生講的。

知識分子政策建言的問題性

B：政治方面，之前大野伴睦曾提倡包括韓國、台灣在內的聯邦論。不過，有趣的是，最近才出版，由京都的市村真一先生等人所寫的《東南亞之我見》（《東南アジアを考える》）一書，其中，動搖亞洲的兩個原因中，如何區分亞洲一事非常有意思。一是東北亞（日本・朝鮮半島・台灣），中日已恢復邦交了，還只有這種程度的感覺。然後二是蘇聯（西伯利亞・外蒙古），三是中國，四是東南亞，五是南亞（巴拉圭・印度・斯里蘭卡・巴基斯坦），六是西南亞。這本書就是以這種形式來思考日本的亞洲利害關係。因此，有關韓國、台灣，實際上一些學者教授綿延不斷承襲大野伴睦以來對韓國、台灣的想法。以這個為原型，即使在東南亞，同樣的想法也存在一些學者教授們的心中。市村先生在印尼遭到了批判。他是一番好意，同時因其過去評論美國的亞洲政策如何或日本的知識分子與亞洲的關係如何時，他說，「已經不能只是停留在批判他人的行為或言論，而必

須表示自己的構想，唯有知性的努力先行，才能正確掌握日本的
經濟或政治的動向的舵。」也就是說，市村先生認為日本的經濟
或政治的動向他可以掌舵，這表示日本的學者教授已經步入不能
只停留在批判，必須提出不同提案，否則就會感到不安的階段。
如果是要準備不同提案的話還可以理解，但他們並未掌握權力，
卻還要提出不同提案。

　　這種狀況要怎麼看呢？由於這本新書不只日本的財界、商
社、政府的動向，甚至連泰國學運所引發的政變也都寫進去，也
由於這個團體是京都大學東南亞研究中心的團隊，所以，這似乎
是一件非常可怕的事。

　　這位市村先生是日本經濟論出身的，正因為如此，我才擔
心。他的著作有《日本經濟的結構》〔《日本経済の構造》〕、
《站在試煉中的經濟大國》〔《試練に立つ経済大国》〕、《如
何掌握現代》〔《現代をどうとらえるか》〕，他就是這種傾向
的人。一個京都大學經濟學部畢業的人，一個研究日本經濟的人
已開始有這樣的發言，而且他還是東南亞研究中心的所長。

　　稍後，我打算討論到宮崎義一先生，他是日本資本主義論的
專家，這次現代總研還準備刊出以他為中心的〈有關日本企業的
海外擴張之建言〉〔〈日本企業の海外進出に関する提言〉〕。
對於這樣的情勢，我們該如何去思考？這一點我想向日本人D先
生請教。然後，對於日本的學者專家不只停留在批判，他們甚至
已開始提出要自己掌舵，顯現積極的不同提案與建議的狀況，非
日本人的亞洲人應該如何去理解，也是我想試著提出的問題。

　　D先生對日本教授認為不能提出代替方案的批判是無意義

的，因此我想請教，對於他們想自己挑起帶頭的責任的這個狀況，我們該如何理解？又該如何因應？

E：泰國人不太了解日本。之前我常常聽說，日本人還不是很了解東南亞，但我認為並非如此。日本的政府及學者、企業在各方面對東南亞做詳細的研究，只不過那些研究的目的都在於如何賺錢，亦即不過是圖私利、私欲罷了。是否互相幫助，或者要怎麼做才能對那些國家的發展有所幫助的研究，則全然未做。由此看來，新殖民地政策是很可怕的。相對的，我們也必須將相關的種種資訊提供給泰國。

D：例如以越南來說，日本政府在南方是支持阮文紹政權的，而北越政府則算是承認。前陣子有一些人去見大平外相時，他表示日本人對阮文紹政權的援助中，其實也包括了對臨時革命政府的援助。聽到這樣的話，我感到很驚訝，總之這種問題在外交政策方面，只要知道日本的外交政策會如何變化，就會清楚了。例如他可以說，大家就承認臨時革命政府吧！因為如果承認的話，就是一種前進。但如果經濟問題也包括在內時，就不像外交那麼清楚了。我想韓國也是一樣的，屆時如果韓國或越南成立了最令人期待、屬於大多數人民的政權，那麼這個政權究竟應該要向日本要求什麼？這個部分今天如果能夠討論的話，我想應該是有幫助的，同樣的事也適用在我們身上，但不是剛才所提到的那種代替方案。不過，在同一個區域以及一定的關係中必要生活下去，而且對於我們也必須是喜悅。不過，它的原則究竟是什麼？這點有必要去釐清。剛才A先生談到日本的外交沒有原則，所以希望日本做得有原則一點，但這個原則的內容是什麼呢？我

認為包括經濟在內都非常重要。

《巴黎和平協約》＊與日本的危險選擇

　　A：與越南的和平有關的《巴黎和平協約》，是去年1月27日簽訂的。越戰有美國的介入，也就是侵略，卻不見發動驅逐美國侵略的解放戰爭之議論。在《巴黎和平協約》簽署之前，很遺憾地，日本一直違背越南人的願望，反而和美國聯手參與所有的侵略戰爭。在《巴黎和平協約》簽訂的時點，正好也是日本須重新考慮的時點，因為該項協定中明白記載著不管有任何理由，美國都不能再介入越南。而且，它是以越南的和平、越南的獨立為前提的和平協定，這個原則不只是越南，東南亞每個國家都希望自己的國家的獨立能夠獲得承認，且不受到侵略，這不管在哪裡都是普遍的原則。

　　還有，協定簽訂後的那一時期，我是希望日本能停止參與美國的政策，而與越南締結友好關係，並認為那是最恰當的時期。當時是有那樣的局勢。要求設法與越南民主共和國（北越）恢復邦交的輿論高漲。一般日本人也都認為不與北越恢復邦交很奇怪，這樣的狀況無法忽視。因此，日本政府就姑且去做了。形式上是恢復了邦交，輿論也因此平息下來，實際上則全無進展。沒有進展的原因為何則必須究明。因越戰還沒有結束，且目前戰爭仍持續中，與之前完全沒兩樣。而對於日本，越南的問題情況則

＊　即1973年1月27日簽訂的《關於在越南戰爭結束、恢復和平的協定》。

更加嚴重。之前美國是全面參戰，當時美國是最強勁的敵人。因此反美成為越南人民的最大目標，越南也沒有多餘的時間和力氣去反對其它參與越戰的國家（例如日本）。但是，這次美國遭到了驅逐，之前間接參與越戰的一些國家，現在越南人也看到了。應該說，日本現在已經站到前面了。今後日本必須將政策訂定清楚，蓋因之前是政策模糊的狀況。由於美國進駐越南的關係，不過，現在美國已經遭到了驅逐，所以日本還是必須清楚地表明到底參不參戰、侵不侵略。日本若再這樣拖拖拉拉地繼續援助西貢政府，那麼情況恐怕會變得更加艱難。在越南，就像我剛才說的，戰爭還在持續當中。何時要回到全面戰爭狀態還不知道。如果今後日本還要繼續援助西貢，那麼在西貢的日本企業甚至有遭到攻擊的危險。

另一方面，日本與北越恢復了邦交，而日本政府也表示將會遵守《巴黎和平協約》。此協定的精神就如同剛才所說的，是希望國家之間不要互相侵略。這一點不只是越南，我想任何一個國家都一樣。就像《巴黎和平協約》上所寫的，在南越若要為越南帶來和平，就必須認同當事者即西貢政府和臨時革命政府雙方的存在，且兩造當事者即西貢政府與臨時革命政府雙方必須互相對話，舉辦大選，選擇和解政府。否則戰爭終究會持續下去，和平也不會到來。然而，儘管日本政府表明要尊重《巴黎和平協約》，但是它到現在還是認同西貢政權是唯一的正統政權，而且現在就如同大家在各種新聞上面所看到的，西貢政府完全不尊重《巴黎和平協約》等，也不釋放政治犯，同時仍然強化軍隊，加強鎮壓。並逮捕全數的反對者後，送回臨時革命政府那邊。而且

還全面鎮壓自己區域內的反對者政策。目前還有二十多萬名的政治犯被關，其中只有數百名獲釋，這畢竟是日本政府所要求，其他則幾乎未獲釋。

　　因此，日本政府在想什麼呢？有一段時期，日本是在觀察越南政府目前的狀況如何，也就是西貢政府是否安定？會不會長久？它只觀察這些。後來《巴黎和平協約》大概過了一年，日本發現阮文紹政權還能維持，於是便予以援助，對於日本政府而言，一般的越南人怎麼樣都無所謂，他們在乎的只是阮文紹政權，如果這個政權安定，就對它進行援助。因此日本政府後來就決定對阮文紹政權提供5,000萬美金的經濟援助。

南越的經濟結構

　　Ａ：問題就在於那筆錢。名義上日本是站在幫助戰爭的難民等人道的立場去援助的，然而，在援助之前，對於越南人而言，最大的願望就是實現和平。至於要怎麼做才能帶來和平呢？終究還是必須實施《巴黎和平協約》。這就表示阮文紹政權必須承認各種人的自由，然而其並不承認這個自由。因為阮文紹一旦承認自由，就無法維持自己的地位。阮文紹維持自己地位的基礎是金錢和槍。槍是從美國拿到很多，即便是現在，這項援助也沒有減少。目前還是有與《巴黎和平協約》之前同等數量的槍進來，但美國的經濟援助則是逐漸減少了。美國國內不想再支持越南的氛圍已成為主流，即使尼克森政權再怎麼想援助越南，也難以獲得議會的通過。於是經濟援助逐漸減少。加上西貢政府也變成一個

不靠自己生產的消費社會。因此，才會產生每年6至7億美元的貿易收支赤字。也因此才需要6億美元的外幣。因此阮文紹政權對日本目前最注目。今年5,000萬，明年比這更多，以趨勢來看，將逐漸增加，否則阮文紹政權就無法維持下去。因此，日本一旦涉入，就會愈陷愈深。從美國涉入的過程來看就是如此。

　　日本將援助西貢政權使它能夠繼續維持下去，且未來也將朝保持現狀的方向走。但我懷疑這可能嗎？日本政府似乎堅信阮文紹政權過去能夠維持，未來也能夠維持。目前當地日本大使館的大使所提出的報告說，西貢政權很安定，他們現在正努力想要使經濟獨立並復甦。

　　然而，南越的經濟系統，一言以蔽之就是生產性非常低。為何生產性低呢？因為它缺乏從原料到成品的一貫生產系統。工廠幾乎都是最後加工手續的工廠，也就是說，它是在輸入外國的半成品後稍微加工，而後變成製品的系統。比方說，鍍鋅工廠只是向日本購買鐵板，在西貢裁切，裁切完後進行鍍鋅加工，然後再拿去賣，只是這樣而已。牛奶工廠也一樣，是先跟國外買奶粉，在當地進行溶化之後再去製成煉乳，情況大概是這樣。因此，問題就在於，是誰同意半成品的輸入？又是誰獲得這項許可？答案是，提供輸入許可的是政府的高官，為了要得到這項許可，就需要高額的賄賂。因此，只有與政府有關係的人，或者只有能送出高額賄款的人，才有辦法經營這些企業，這就是腐敗生成的原因。另外，因為半成品所課的關稅非常便宜，而成品的關稅非常高，因此無論國民同不同意，他們都被迫用高價購買國內半成品工廠的產品。而且一個產品的輸入許可只核發給一兩個企業，這

是政府的意向，因此，最後就變成具有獨占性的價格。也就是說，目前越南的經濟結構是一套對權力者及其周遭的人最有利的系統，因此，這個問題是討論政治上安定與否之前的問題。

B：剛才A先生所講的意思就是，這麼一來，最後日本民眾與越南民眾的銜接點並非阮文紹政權安不安定的問題，而是希望日本民眾能夠了解一般越南民眾未來要選擇的歷史方向或時代精神，日本必須先理解這一點，然後再以建構新的連帶關係的方向去接近問題。若按照目前日本政府或商社、資本家的所作所為，恐怕問題是不會獲得解決吧！

A：我想說明的是，西貢政府內部的經濟若按照這個現狀來看，是無法維持的。雖然它的工廠很多，但畢竟都是最後加工手續的工廠，因此若以經濟的觀點來看，它是非生產性的企業。所以需要大量的外幣，因此，要是不輸入半成品，現在的工廠將全部倒閉。赤字是西貢政權的潛在問題，雖然從外部來看很好，但內部則完全沒有生產性。因此，我認為西貢政府未來要維持現狀將會非常有問題，也會變得很艱困，要解決這個問題，可以由日本，或者由日本與美國共同增加援助金額，要不然就是停止援助，實施《巴黎和平協約》。

不過很遺憾，現在日本政府選擇的是設法援助西貢政府的這個方向。

與日本市民運動的銜接點

B：這一點我想請教D先生，請問日本朋友打算要如何透過

市民運動，找出以越南為首的東南亞各國的銜接點呢？

　　D：以程度來說，與其說是新的連帶關係的出現，倒不如說是創造連帶關係的客觀條件較從前多出一些。例如過去只要一提到在三菱商事工作，日本人之間就會說這是很了不起的事。但現在好像就會覺得臉上無光。總而言之，現在辱罵商社豈有此理，或者田中是什麼東西的形勢已經形成了，不過，假設同一家商社在朝鮮遇到了困難，那麼日本人是會覺得活該呢？還是會說朝鮮人豈有此理？差別就在這裡。在日本國內，如果敵人非常清楚的話，那麼這個敵人是朝鮮已看得出來，在越南也可以。因此，對我們而言，在雅加達發動暴動的人應該是和我們同一個陣營的這一點，也就變得容易思考。當然，我想光是如此是不會自動有所進展。而這仍是因為我們一直是在帝國主義下受教育的關係，也由於我們在高度經濟成長期患了健忘症，我們完全忘記了。我們便認為過去這種東西本來就不存在。

　　B：這麼說，八一五的悲慘記憶已經化為烏有了嗎？

　　D：連那個記憶也沒有了！也就是說，敵人是其中一個問題。另一個問題則是，日本的政治已經忘了理所當然的事，或者說改變社會的事。

　　如果真的想要改變社會，就一定要由體察到現在這個社會已不行了的人民去掌控一切，否則就無法改變，且如果不這麼做，日本就無法與越南或朝鮮的人民之間產生連帶。目前在日本，與韓國關係最友好的似乎就是青嵐會吧！雖然有些諷刺。也就是說，他們是有連帶的，我們這邊則沒有。我這麼講可能有點草率，不過老實說，需要相當長的一段時間去經營，蓋因在韓國，

韓國的人民除了掌控韓國，讓共通的敵人浮出檯面後與他們大打一架之外別無辦法。屆時就可以與韓國的市民建立新的關係，現在就是要進入思考、摸索的時期，這是第二點。

日商岩井說要開挖克拉運河，那種商社對日本人民而言是不需要的。怎麼說呢？因為同一家日商岩井在日本國內壟斷收購、囤積，已經成為眾矢之的。日本的人民需要工廠，需要辦事處，但我想企業則是不需要的，我們自己做就好了。

B：也就是說，必須採取站在民眾這邊的手段化。

D：不需要的東西馬上讓它消失，雖然這不是今天、明天馬上就可以辦得到的事，但最好像這樣把問題釐清，看看現在要做什麼。

我認為至少在中國實際在做事的人是有力量的，因為決定事情的，都是製造東西的人。所以，就算把三菱重工叫到中國去，他們還是具有不受侵略的力量。當然，我想三菱重工方面是有侵略意圖的，只是事情不會如他們的意。

不過，日本被日本人民掌控之後，屆時商社或許會存留下來，但也就像他們說的，他們並不是要去侵略，而這並不表示他們沒有那個能力。因此，搞不好也有可能會發生那種事。但現在就必須先大致決定這個部分，否則我們永遠只是在對結果做抵抗或發出抗議而已。在這個脈絡下，我認為無論是越南或韓國的問題，我們都要去思考要如何發起能夠針對不同議題的個別運動。

B：剛才您提到了中國的問題，所以我想請教，曾經有一段時期出現這樣的說法，即過去周恩來歡迎三菱重工，因此包括日本新左翼在內的一些人以及美國的CCAS的人便認為，這是周恩

來的背叛。關於這一點，我們要用什麼樣的形式結合剛才D先生您所講的一起思考呢？

　　D：我剛才所說的，應該是中國目前的自力更生這個政治方針，而非外交政策吧！我想它仍然是一股強大的力量，因此，我認為如果周恩來是朝著要讓自力更生在中國消失的方向走，那麼就是背叛，這種事情是有可能會發生的。如此一來，自己不要的東西就不買，即使買了，也不會受到賣方的控制。所以如果以A先生所提到的南越目前的經濟條件，那麼只要不阻斷金錢的流向，進來的錢確實就會進到統治者的口袋中。錢並沒有附帶意識形態，雖然錢進來，意識形態也跟著一起進來，但錢本身都是一樣的。無論它是什麼錢，一旦進到阮文紹的口袋，就會變那樣，所以只有阻斷它了。

　　B：這一點就用包括日本的市民運動在內的一些運動來遏阻。這是日本方面能夠提出來的銜接點，而我們這邊也要讓民眾自己去建立銜接點。

　　D：我想是的。

　　A：如果實施《巴黎和平協約》，成立和解政府，則由於這個和解政府是國民所選出來的政府，屆時就與日本對談，然後再訂定援助計畫，對此我們完全不反對，因為現在的阮文紹並非由任何人所選出來的政權。

將南北分裂固定化的日本資本

　　C：以韓國的問題來說，就好比越南，韓國也同樣是一個南

北分裂的國家。以我國來說，要談怎麼處理和日本的關係之前，南和北要怎麼統一，怎麼協調，這些問題要先解決。在這個過程中，要怎麼處理和日本的關係的問題自然就會出現。若從這個前提來看目前與日本的關係，可以發現由於日本投資韓國，所以使得南和北在所有方面的合作都受到阻撓。也就是說，我國民眾是以統一為志向的，他們是反對分裂的。但是日本投資以韓國的情況來說，它是在將分裂固定化的方向，是在反統一的方向。在思考如何設定將來的韓日關係，以及朝鮮半島與日本的關係之前，我認為應停止像現在所進行的反統一的，以及將分裂固定化形式的投資，是一個先決問題。

今年1月4日，韓國的基督教青年們發表了反日救國鬥爭宣言，這具有非常重要的意義。日本對於東南亞及韓國出現的反日論述有種種一針見血的見解，其中之一是，那些人之所以反對日本，是為了要打倒他們自己國家的政權，所以才去利用它。田中從雅加達回來之後，蘇哈托政權就面臨相當大的政治危機，於是有人就抓住這一點，提出某個意義而言的「國王的新衣」的論述，並說當地民眾似乎是為了要打倒蘇哈托政權，所以才反日。這樣的一個面向確實存在，但現在所處的並不是那樣的階段，而是更深入的階段。在韓國，反日問題是本質問題，它已經超越了手段、戰術的範圍。剛才我說，現在的朴政權目前正扮演朝鮮總督府的角色，因日本的軍隊無法直接進入韓國，這個角色現在是由韓國的朴政權扮演。因此，日本的資本目前正提供這項援助。也就是說，日本的經濟侵略目前是被視為完全和朴政權鎮壓國民屬於同一個層次的問題被提出，這個情況已發展到進退維谷的地

步了。

　　就在那樣的狀況中，出現了反日救國鬥爭宣言。若將這些事做一個綜合思考，那麼今年春天最大的反日鬥爭發生的必然性就十分充足。屆時日本國內很重要的，還是必須發動由日本人自己策劃的「反日」鬥爭，就像越戰時美國輿論反戰的呼聲高漲那樣。

　　這個課題尤其在思考東南亞和日本，以及日本和韓國的關係時，是非常重要的，其條件究竟是否已經完備了呢？就我們這邊來說，是已經做好隨時都能戰鬥的姿態了。

殘留禍根的明智派知識分子的建言

　　B：您剛才提出的意見非常寶貴，就這個意義來說，外務省隈谷集團的一連串文化交流的建議，或是宮崎義一先生等人的現代總合研究集團的建議，綜合今天的談話來看，終將成為政府或進入企業的尖兵機能。

　　例如現代總研的建言是分成五個項目進行，就非常瑣碎的部分來說，在投資方面，他們提出下列建議，即「必須給予當地51％以上的資本市場占有率。如果當地最初在資本、技術、行銷等方面產生經營管理的困難，就承認以20年為最高年限的fade away（階段性轉讓）的方式。此外，要尊重當地國的主權，並公開當地的國民經濟計畫所需的基本企業資訊，進而制定以當地所要求的因應技術移轉等為內容的民間投資憲章。還有，對於違反該憲章的企業，政府除了以金融、稅制或其他措施加以規制之

外，也要設立取消海外投資認可等罰則」。

　　這主要是經濟方面的建議，就某個意義來說，這個建議中存在著一個前提，那就是日本的企業進入是理所當然，是沒辦法的事。另一個則是，隈谷集團信任現在的政府。例如剛才我提到要設立取消海外投資認可等罰則，然而現實的問題是，日本的企業甚至利用這次的石油危機引發趁機漲價等一連串問題。也就是說，連日本內部也無法控制的實況下，何以日本當前的體制能夠控制到海外投資時的一些問題呢？我不得不認為提出這項建議的人，是站在能夠控制或者檢驗現今政府的前提。

　　另一項是對違反憲章的企業，要以金融、稅制，或者其他的措施來加以規制。這一點與取消海外投資認可相關聯，但這種事實際上應該是行不通吧！然後，另外一項是以20年為最高年限的階段性轉讓，根據我稍作調查的結果，日本國內的工廠平均償還年限是七、八年。

　　D：不過像化學工廠等是三年。

　　B：像台灣或韓國也是三年，聽說差不多兩三年投資就能回收。

　　D：三美電機三年就回收了，太過分。

　　B：這些明智派的教授們究竟是天真呢？還是不知道實際情況呢？況且宮崎義一先生是日本企業的研究專家，也是很認真的教授，所以我們才擔心。如果以七、八年做為回收期，則回收兩次以上之後，企業方面就會說就把它轉讓出去吧！不過，這裡有個敷衍，那就是這個想法本身只標明「最高年限」而沒有規定「最低年限」，這就是它的獨到之處。如果有建議最低年限是幾

年的話，還可以理解，但最高年限的表現方式，就和現在標準價格的設定一樣，這種建議以泰國為例，他們怎麼看呢？這東西一出來時我就認為，教授們提出這個建議時，是把東南亞的經濟學者當成不懂經濟的人。教授們似乎認為日本人以外的經濟學者是沒有能力的，不知各位的看法如何？

　　E：這個前提還包括東南亞必須實施工業化。

　　B：工業化是要用什麼樣的方式進行呢？例如，是不是要用自力更生的方式，也就是靠自己的雙手改變內部的經濟結構，讓它取得平衡之後，再形成國民經濟的方法進行？或者當前我們的政府，我們高高在上的政府要採取由上而下的近代化方式呢？問題有以上兩個，我認為基本上無論東南亞要不要繼日本之後進行工業化，工業化的課題仍然存在，即使它被拿出來當作前提，我也不認為有什麼特別。

　　A：有各種建議，根本的問題還在於到底能不能遏阻他們與當地的腐敗政府合作而採取各種榨取政策。在技術上，這是不可能的，事實上東南亞有很多腐敗的政府，加上日本的經營方式是採取喝酒決定的經營方針，所以很快就能與腐敗的高官達成共識，助長它們，並一面維持那個腐敗政權，一面以相互利益為考量，與那些政權緊密地結合。

援助果真是必要的嗎？

　　B：剛才提到的問題，最好分成兩部分來思考。我們的腐敗政權，只能由我們自己來推翻，只是還有一個問題，那就是援助

本來就會衍生腐敗問題。這一點想請日本那邊幫忙遏阻。

　　A：其中一個阻止的方法還是不要有援助。一般日本人的想法認為，援助是幫助有困難的人。援助用的應該是稅金而不是政府出的錢吧！它應該是來自每一個日本國民的口袋，而非自民黨出的錢。而且，之所以會有人想要援助，是因為有可瓜分錢的內幕。例如，如果援助一億日圓，那麼日本方面的援助負責人就可拿到幾成佣金，接受援助的一方也可從日本拿到回扣。這對雙方的統治階層都有利。因此，管它是什麼工廠，都讓它進來吧！我們想援助，而對方也想接受，如此的利益關係。因此，對於繳交稅金者，也就是對於援助國的國民來說則是很浪費的；對接受援助者而言，只會助長腐敗。國民經濟是以後的事，所以是完全沒有影響，例如南越得到各種援助，農業的機械等也漸次引進，但根本都沒有使用，被放在沒有屋頂的地方生鏽。現狀就是如此。

　　B：您剛才所說的，現在的中國共產黨執政之前的國民黨時期正是如此，從美國引進的拖拉機就是被放在角落生鏽淋雨。然而美國的納稅人卻誤認為援助了中國。

　　E：援助這個名稱雖然給人非常溫暖的感覺，但實際上是一種借錢的形式。現在所談的援助只對統治階級有利，由於它是一種借款，因此過幾年可能會生出利息。這些利息將來是我們要負擔償還的義務。目前泰國年輕人認為，他們必須採所謂自力更生的中國式作法以自力救濟。我也這麼認為。老實說，援助這種東西根本沒有必要。我還聽說過日本有人以援助為名用600萬日圓去援助二手且只值100萬日圓的東西。

　　C：這次田中首相的訪問到底為了什麼而被興師問罪？他被

責問的，並不是企業的進入方式如何之類的問題，而是那樣的進入本身是對還是錯的問題。因此，討論時如果避開這個問題，將落入權力者巧妙設計的陷阱中。這次田中首相回國之後說，在東南亞，他們要的不是國家之間的援助，而是民間層面的援助，不過因韓國向來都是民間援助，所以這次他們才會說想要在國家之間進行。但無論如何，這都是一樣的，援助本身由民間去做也好，由國家之間去做也罷，實際上都是在國家的支援下，以及許可下進行的。

另外，剛才有人提到工業化的問題，也就是究竟經濟的課題是否只有工業化的問題？的確，工業落後的結果，以國民經濟的發展來說，勢必要求工業發展。但建立在犧牲農業的工業化不過是一個欺騙的東西罷了。農業人口占60%以上的韓國及東南亞，我認為工業化仍須在思考如何發展農業的前提下進行。

此外，有關援助方面，接下來我要說的，與剛才提到的進入是對或錯的問題有關。也就是說，由這個援助，日本國民的意識中就會產生幫助他人的念頭，但實際上與此正好完全相反的是，它也為援助者帶來龐大的超額利潤。接受援助的一方只有統治階層拿到好處而已，幾乎都變成國民的負債而必須償還。韓國目前就有將近40億美元的負債，而還的錢從哪裡來呢？只能從接受援助國的國民稅金，或者從榨取勞力中產生。

B：對一般民眾不但沒有好處，且負擔變大了。

C：因此，並不是援助沒有援助到國民，而是因接受援助而使得國民遭到榨取的結構。舉個例子，這是去年九月在日本國會的預算委員會上被提出來的問題，也就是對韓國的車輛援助。這

些車在日本國內買的話，要3,000萬日圓。而日本的企業以多少金額賣給韓國呢？答案是6,500萬日圓。而且那些車子在日本國內已是不能用的。實際上就是有這種事情發生，也就是說，援助本身的本質似乎不外是援助、投注資本，而向當地民眾吸金。

若要再追究的話，究竟如果沒有援助，目前正接受援助者是否就無法生存下去呢？若沒有援助對國民來說還比較容易生存。無法生存的是進入者方，亦即援助具有進入者方無法生存的結構。

Ｄ：無法生存的並不是進入者方的人民。

Ｃ：是的。另外還有一點是，日本所進行的新殖民地主義式的進入與被進入的一方必然伴隨著買辦的經濟結構具有互為表裡關係。缺一方，進入即不成立，買辦也不成立。因此，如果援助是在平等的國家之間進行的話就沒有什麼問題，但現狀則完全不同。

平等互惠與獨立自主才是原則

Ａ：我並不是排外主義者，所以我認為國家之間有必要保持合作平等的關係，雙方都理解之下同意，也都要能夠接受。若只是自己單方面接受外國的援助，寧可不要。現在時代已經不一樣了。不過，雙方都能夠同意的條件是當地的政府必須是受到國民支持的政府，而且日本政府也必須對那樣的政府展現積極合作的態度。很可惜，目前還沒有達到那種狀況。

越南民主共和國其實是想與日本加強經濟合作或文化合作等交流，但日本方面全然是消極的。原因在於日本很難與北越政府

做生意，因日本無法暗地裡操縱和支配，北越不願當傀儡。由於日本有這種想法，所以將來與北越的關係勢必會變得更加艱難。

日本必須與中國及北越加強關係。但日本的企業認為這樣不會賺錢，因而沒有興趣，蓋因他們無法操縱。由此觀之，日本如果不改善與海外的關係，就什麼都不會改變。

日本的原則是否真的想要創造親善、平等的關係呢？我想這正是問題所在。日本因為不採取這種政策，所以與中國恢復邦交之後，已經過那麼長的時間，關係還是不好。與北越的關係也是一點都沒有進展。究其原因，在於日本一直把眼光放到容易操縱的地方，然而這完全是錯誤的。因為中國有八億的人口，是日本的好幾倍，所以日本必須像考慮東南亞那樣去考慮中國。

越戰過後，東南亞各國的人民也慢慢有自覺地站起來了。這麼一來，獨裁政權就無法維持。時代已經變成如此了，處於弱勢的人也開始認為自己也是有力量的。國家的獨立要靠自己的雙手決定，是這樣的時代。

Ｂ：因此，越南人民的抗爭帶給我們非常好的教訓。弱者不會永遠是弱者，即使是弱者，只要有所自覺，也可以站起來。

Ａ：我今天都沒有談到日本。因為我想日本的事情就交給日本人。南越現狀如何？越南人有什麼願望？如果日本人想與越南人連帶，未來會順越南人之意嗎？答案是他們不能逆行。我希望大家了解到越南有這樣的現況，也希望你們的運動可以改變日本政府現在的政策。如果不先做到這些，那麼什麼事情都不會順利進展的，這是很可惜的事。對日本民族及越南民族來說，真的是一大損失。不能合作是非常可惜的事。

　　E：就像剛才D先生所說的，日本的企業做了各種骯髒事，但日本國民的反彈很少。內部不太出現反對聲音，可見日本國民很能忍耐。日本國民之所以沒有反彈，原因之一是因為日本國內的人不太了解海外日本人的行為。然而，那些企業人的行為雖然對企業盡了義務，但是對日本國民則是沒有。還有，日本人以個人來說，很多人在泰國也受到尊敬，不過一旦變成集團，就會變得強勢而容易為所欲為。也不太與當地人往來，就算有，也只是少數人。日本人一般都會和日本人聚集在一起，即使與泰國人有來往，也只限於那個泰國人與自己有利害關係的情況。我希望日本人也能多與一般泰國人來往，了解泰國的文化、社會制度，以期能使他們的行為有所改善。日本人常說要入境隨俗，我在日本生活時，也時常有人向我提到這句話；不過日本人前往外國時，卻完全忘了這句話。由於大多數的泰國人將在泰國活動的日本人理解成一般日本人，所以一旦那些日本人沒有小心翼翼地行動，他們就會對日本產生不好的評價。

如何克服危機的時代？

　　D：我剛才說的有些樂觀，因為我認為一旦悲觀地看待問題，如此一來什麼事都變得很悲觀。我也希望將來可能會變成像A先生所說的那樣。關於這個部分，尤其朴政權今年春天會變得如何似乎是問題吧！這麼一來，由於這已相當程度變成日本政治的一部分，所以包括自民黨各派系在內都已經擁有一些關係了。如果不小心的話，我想當權者一定會說，日本一黨獨大下統領政

黨的派系利害已經不行，而說成彷彿這個利害就等於是日本人民的利害一樣，然後所有奇怪的事情，也就是像日本人之間因帝國主義所擴散的對朝鮮民族蔑視的感情，或各種煽動將整個流行的時期可能會來臨。所謂危機的時代就是那樣的時代。所以，我們要不要用反日的說法是另一回事，我們不能對整個日本應戰，因我們也是日本人。然而，對日本目前的統治制度，E先生說日本國民很能忍耐，我則認為其實最好再多忍耐一些，蓋因有些人動不動就發怒。不過我想漸漸可能會變成不能忍耐的狀況吧！屆時也不要走向奇怪的方向，就以青嵐會為例，屆時如果隨著青嵐會的煽動起舞的話，我想這個時代就會變得很糟糕。那麼能夠忍住嗎？不只是要忍住，相反的，我認為能否在那種危機的時代開啟真正的共同鬥爭，已經漸漸變成一個問題了。

　　C：關於進入或國家彼此的關係，以前我們時常與日本的人士談起，結果他們說不知道已到那個地步。然而，田中首相就是因為這樣才遭遇到反日暴動。還有，金大中事件當中的韓日經濟關係的黑暗面，有不少部分去年在日本被揭開。而且日本人對進入或國家彼此關係了解的條件不斷出現了。現在已不是一句不知道就可以帶過，想要了解的努力是很重要的。要是不了解，就不能批判。如果在不知道的情況下繼續前進的話，那麼就像剛才D先生所說的，當危機的時代來臨時，將無法應付。或者說，如果隨著統治者的煽動起舞而誤以為那是日本國民全體的危機，而不針對日本的擴張勢力，反而針對韓國人或其他國家的人，那麼或許可能發生像1923年關東大震災時流言滿天飛的狀況。

　　雖然我認為未來有那樣的危險性，但另一方面我也想向日本

的從政者說，如果日本認為他們可以像以前那樣的大東亞共榮圈的構想下統治亞洲的話，是癡人說夢。1945年以前的亞洲是因力量不足而屈服，但1945年以後的亞洲民族的戰爭已漂亮地戰勝了入侵勢力。這一點在越南、柬埔寨等國已經獲得證明。如果日本對此沒有反省，還抱著想要像以前那樣的大東亞共榮圈的構想下再度統治亞洲的話，終究只是癡心妄想。

　　就日本來說，對於日本政治未來的動向，我們的態度是只要日本現在仍大肆進入韓國，那麼我們就不得不留意。就如同剛才D先生所說的，誰也無法保證當海外發生危機時，日本不會派出自衛隊。在韓國常常聽到有人說，看看日本歷任的首相就知道，戰前是戰犯的人，還能回鍋當一國的首相。在德國，納粹的希特勒曾取得政權，但1945年以後的德國，納粹本身則未曾再回鍋過。即使是現在的工廠也大概都是一些抵抗或鬥爭納粹的人。也就是說，在這方面我們已經灌輸自己一個觀念，即還不能完全消除對日本可能造成危險的防備。

　　A：最後我對日本有個請求。我不太喜歡反日之類的字眼，而且觀察各種動向後我也發現，其實那些並不是反日。它們並非反對日本而純粹是反對侵略。如果這樣理解的話，那麼現在就是最好的時機，必須利用這個機會改善過去奇怪的關係。這是一個解決種種矛盾的好機會。

　　一旦接受反日的情緒而變成奇怪的民族主義或排外主義，將非常可怕。例如最近我們可以看得到日本也出現一股高揚排外民族主義的動向。那是很愚蠢的，因為不論在東南亞或日本，一旦變成排外民族主義，真的會導致民族與民族之間悲劇的發生。現

在正是徹底以反對侵略的態度去思考該怎麼做，才能創造沒有侵略、真正平等關係的寶貴時期。

　　E：以日本來說，一旦出現國內危機，就會在外頭搞侵略，中國和韓國就是例子。還有像大地震發生時，日本不但怪到韓國人頭上，也沒有保證這種事不會再發生第二次。小小的日本為什麼那麼想要統治世界呢？日本國民也必須重新思考。

　　C：這裡面包含我剛才提到的危險性。最近尤其透過金大中事件，我認為即使過去在日本被稱之為進步勢力的部分，的確他們對韓國國內民主勢力的了解是不夠的。不過，雖然很緩慢，但現在大家對韓國內部為追求解放、獨立、民主主義而戰的勢力有了正確的認識。以自民黨最近的動向為例，一方面青嵐會正在抬頭，另一方面在以AA研（亞洲・非洲問題研究會）為中心的勢力中，阻擋日本的擴張，或者不只是阻擋，還積極對抗它，並企圖改變日本目前的政治潮流的勢力已經形成。這麼看來，未來我們韓國的民主勢力並非沒有能夠並肩作戰的基礎，而是這樣的基礎不只在形成，且未來我們也必須讓它往更好的方向發展，這樣的課題已經出現了。

唯有相互的自我批判才是連帶的關鍵

　　B：日本一般民眾有非常多善良的人，他們對於東南亞，老實說不太了解。因此，我們這些非日本人的亞洲人未來必須聯手好好批判那些寫文章的人、學者、東南亞研究中心、亞洲經濟研究所等的亞洲學者或報紙記者等。日本一般民眾比我們還信仰鉛

字，出版成書，或是出現在報紙上的，他們都相信。正因為如此，我們在一面強化日本研究，一面加深我們這方的認識中，也必須請各位日本朋友加強對東南亞實際的認識。當然其中也是有善心有餘、細心不足的人，或者甚至有一些報社的資深記者帶著亞洲主義式的天真，自謂自以為很了解亞洲，或者說因就住在隔鄰，所以很了解亞洲。然而這是令人困擾的。另一方面，我們這邊就像剛才E先生所說的，泰國的菁英、學者，尤其是研究經濟的人，恐怕大多是留美的，其中也有人信仰類似羅斯托〔譯註：W. W. Rostow, 1916～2003，美國經濟史學家〕理論的東西。因此只得從我方內部揭發，實際上這種近代化終究只是畫餅充飢的事實。

　　尤其有部分看法是將這次的田中「歡迎」比喻成中國的五四運動，我認為共通點當然是有，但基本上如果不確認目前越南的衝擊是被東南亞年輕一代接納的話，將產生錯誤的認識。擺脫對美國民主主義的幻想、外資導入、借助外力，靠這些基本上是無法解決問題的，我認為有一點很重要，那就是有同樣切身感受的一代，他們本身就是目前在檯面上活動的人。這姑且不談，我們試著痛快地批評日本也不好，因此，我們自己內部一面自我批判也批判日本。積極提供資訊給在日本與我們建立連帶關係的地方及能夠連帶的人，未來也要繼續從事能協助D先生等人的工作。這些將是今後的課題。

　　　　本文原刊於《經濟評論》第23卷第4號，東京：日本評論社，1974年4月，頁62～88。係為匿名座談會，署名為B者，應為戴國輝

「亞洲」論的前提
——青木保vs.戴國煇

◎ 陳仁端譯

時間：1974年7月17日
對談：青木保（文化人類學研究者）
　　　戴國煇（農業經濟學研究者）

曖昧的詞語「亞洲」

　　青木保（以下簡稱青木）：從1965年以來大概有五次吧，我以泰國為中心旅行了東南亞地區。最近一次（1972年3月～1973年12月）去了泰國大約二十一個月，主要從事於宗教的學習和研究，這期間遇到了政變等事情，從各方面來說這一次旅行是很有意義的。還有，我在泰國期間反日運動很盛行，令我吃驚的是從日本來的人非常多。這就像猛烈的洪水一樣，特別是在1972年秋發生最早的反日運動以後，來的日本人反而更多。現在看起來，反日運動愈是盛行，相反地愈是容易申請到出差旅費吧。在某一方面來說，反日運動被當作一種演出看待，沒有被看成可怕的

事。在被媒體吵嚷以及沒有恐懼的實際感這兩點上，觀光客以外的日本人，很多人用各種名目到那裡去視察。

還有一點是，回國以後發覺有關所謂亞洲問題的議論非常流行。這些議論我不一定全都讀過，也沒有參加議論，但是看到在現代的日本，「亞洲」這個詞語被當作閒談對象的時候，總覺得非常虛偽。亞洲這個詞語本身也許是授予於西歐的詞語，而詞語所包含的內容非常曖昧，每個人都以不同形象來使用它。日本幾乎大部分人說到亞洲的時候所浮現的形象，我想也都是各不相同的。在詞語上沒有成立共識。亞洲是不同於歐洲或美洲的，不過是這個程度而已，至於到底什麼是亞洲？亞洲指哪些地域？那就模糊不清了。首先是詞語的內容完全沒有統一，而且說話的當事人也沒有充分理解所指為何。常說亞洲的聯合之時，首先亞洲這一詞語的內容非常空虛，再加之以連帶就愈覺得內容虛無了。

這不光是說詞語曖昧，是說我們現代日本人意識的曖昧。也就是說，能使用亞洲這個詞語滿不在乎地寫東西、又能漫不經心地處理國際關係。相應地，過去我們也沒有感覺到有必要認真思考亞洲的內容。我想這很清楚地表示著我們對亞洲的態度。而且依舊曖昧地、連意識激進的人也漫不經心地在談亞洲人會議什麼的。我覺得這是非常具有象徵性的事，同時也感受到一種讓人受不了的空虛。因此覺得好像事情總是始於瞎起鬨，並且又以瞎起鬨告終。

戴國煇（以下簡稱戴）：青木先生說得對。不過，我認為歐洲人所造的名稱也好，說它是地域概念也好，在我們這邊也有巧妙利用和適應它的一面。適應它的一面最明確地表現在第一次世

界大戰後美國威爾遜（T. W. Wilson）的民族自決，以及隨之高漲的亞洲大陸意識。舉個例子，那時中國的中文雜誌《新亞細亞》裡的亞洲範圍非常廣，包括印度以東的所有地區。為什麼呢？總而言之，其中存在著同是被歐美列強侵略的共同事實，是對應於這一事實的一種表現罷了。這就成為一個基礎，用現在的說法就是對連帶的共同願望吧。被壓迫民族應如何面對侵略和壓迫，有了這樣的同感，一些知識分子或獨立運動家就倡導了亞洲意識。

因此，最近我這樣想。這兩三年來1930年代的問題被提出來。這裡說的1930年代一般指的是像西班牙戰爭那樣的「外部」問題拿過來的比較多，而我們自己的1930年代是怎麼樣的觀點就稍微薄弱一點。本來，在日俄戰爭時總之日本人（即黃色人種）戰勝帝俄（即白色人種），這具有推翻亞洲人對白人自卑感的一面。由此進而和俄國革命、威爾遜民族自決的提倡相結合，形成了亞洲各種各樣從殖民地獲得解放的意識。所以我想，亞洲人所理解的亞洲概念包含著比較濃厚的、要從歐洲列強獲得解放的意味。本來，亞洲這個地域名稱或範疇一般都由實施政策的一方事先給定的。與此相應地，做為施政對象的一方該如何對應之，這就聯繫到我們的1930年代問題。最近的狀況是要以比八一五體制更進一步的新形式出現，我是這麼想。

把思路這樣整理的話，問題就在於日本人怎樣對應這種狀況了。首先要從歷史的脈絡裡如何重新解讀脫亞論、興亞論的問題，同時，如何正確評價當時如頭山滿、玄洋社*1等一連串日

---

*1 頭山滿（1855～1944）為日本20世紀初亞洲主義者的首腦，支持中國革命黨建立中華民國；玄洋社為其於1881年建立的組織。

本的亞洲主義者所走過的軌跡問題。其次，做為其對立面的共產主義者們情形又是如何，也必須弄清楚。關於共產主義者，如以共產國際來代表它，那麼他們究竟是怎樣看待亞洲的？這一點意外地不明確。毋寧說他們想的是世界革命，並不怎麼考慮到亞洲的問題。即使考慮到，當時共產國際的領導是從世界革命的觀點來考慮哪裡是帝國主義或資本主義最弱的環節，從而以印度革命和中國革命的形式提出問題，似乎不是以整個亞洲的形式去對應的。各國的共產黨當然是做為共產國際的一個支部而成立。此外，最近我覺得有意思的是，在某個時期實質上存在著南洋共產黨。南洋的範圍到底包括哪些地域？勉強可以說是相應於剛才說的亞洲，這也許是反映共產主義者對亞洲地域觀的唯一事例吧。當然，在八一五以前，南洋這個名稱，除了共產主義者之外，在中國、日本也相當流行。南洋共產黨在歷史上究竟具有什麼意義，這是很有趣的問題。南洋共產黨在某種意義上說，在我們思考民眾方的亞洲是什麼的問題時，南洋共產黨可以給我們提供一個線索。我最初提出的問題，就是相應於歐美列強對東南亞的侵略或進入而形成的，亞洲民眾這一方的「亞洲」範疇就浮現出來了。

那麼，歸根究柢，亞洲這個名稱流蕩於時潮，回到青木先生所說的那樣曖昧模糊而不清楚，頂多不過只有民眾方面的亞洲。一言以蔽之，怎樣推翻殖民地統治，這樣一種淡薄的共鳴存在於學生、知識分子、解放運動家們的意識裡。在這個意義上，孫文、甘地〔譯註：Mohandas K. Gandhi, 1869～1948〕、荷西・黎剎〔譯註：José Rizal, 1861～1896，菲律賓獨立運動家〕、泰

戈爾〔譯註：Rabindranath Tagore, 1861～1941〕等以支持他們共同願望的象徵性人物雖各有些許差異出現在他們面前。那麼，問題是，當時的日本人或者日本的知識分子和民眾究竟處在何種位置？由於不在現場的證明很明確，八一五以來有良心的日本人因此而覺得心痛，而另一方面自從日本成為經濟大國以後突然改變態度、將錯就錯的人也很快地增加起來，這就是目前的狀況。日本人對於上述兩種情況，都拘泥於倫理上的問題而忽略邏輯上的問題，心情上覺得日本人應該成為亞洲的一員，一直到現在還抱著這種心理壓迫感的人還不少。但實質上的狀況是，或者說從日本資本主義的展開過程來看，日本的民眾被捲入與亞洲民眾完全相反的方向去。這種日本的狀況，戰前和現在〔1974〕都沒有多大變化。

青木：做為歷史上的說明，戴先生整理得非常明白易懂，不過結論是曖昧這點仍然是一樣的。當我們思考亞洲這個概念的時候，對於日本人來說，亞洲這個詞語如果具有什麼積極意義的話，一直是具有一種侵略的意義。一般大眾的理解經常是曖昧的，說起亞洲，就以為好像是相同的東西的一種意識上問題。比如說現在我們日本人去泰國的時候，是帶著一種亞洲的概念去。可是在泰國問起泰國人的話，亞洲這個概念就不成立。當日本的知識分子說起亞洲的時候，就意味著亞洲是一體，亞洲互相之間具有共同性，所以一起來行動吧，具有這樣一種意味。這種情形如果往壞的方向使用的話，就變成帶有侵略性的意義，同時批判侵略的人也是這樣使用亞洲這個詞語。同一個詞語，即使立場是兩極端的人，也共有著相通的範疇。我在泰國或者東南亞和當地

人談話的時候，幾乎沒有使用亞洲這個上位概念的機會。在那裡，泰國就是泰國，新加坡就是新加坡，印尼就是印尼。雖然有大泰國主義，但是要把它擴大到柬埔寨、寮國、緬甸或中國的想法幾乎沒有。在沒有那種想法的地方，我們抽象地說亞洲就幾乎沒有什麼意義。當然，由於國際環境很嚴酷而沒有揮舞上位概念的大旗去思考事情的餘裕，這個原因不是沒有，但是總覺得好像本來就沒有這種概念。

戴：不知道說是民眾的代表者是否適當，啟蒙運動家想用被壓迫者這樣一個共通性來概括亞洲概念，這是歷史上的事實。結果，日本的亞洲主義者自己陷入其中，或者後來就背叛它。當然亞洲內部也有分裂。在這個意義上說，在民眾方面有沒有亞洲概念呢，又好像沒有多少的樣子。頂多有的是運動家或者新聞記者、學者、學生們。日本的情形很特殊，媒體很發達，中產階級的階層比較厚，因此雖然曖昧，亞洲這個地域概念一般性地存在著。但是從亞洲各國的民眾來看，在某種意義上說，有些像單戀一樣吧。但是有一點值得注意的是，最近在亞洲各國的知識分子當中開始出現一種傾向，認為個別地應付日本對亞洲的進入顯得勢單力薄，因此互相聯繫起來追究日本進入各國的實際情況以及其相互關聯。

青木：也就是說，就聯繫到戴先生在著作中談到的，對日本人的亞洲認識批判。對於我們——指的是現代日本人，亞洲是一種幻想吧。只要是抱著幻想去格鬥，我們只不過是在幻想上面展開邏輯而已，而與現實愈離愈遠。這在日本資本主義進入背後的意識形態裡存在著，在所謂的革新陣營的意識形態裡也存在著。

尤其是住在泰國或東南亞比較久以後回到日本，就特別覺得議論的空轉。現在的我好像是陷入空轉議論的衝擊之中，感到很刺眼。一方面是源於我們對亞洲的理解，由於亞洲這一詞語的曖昧而來的空轉議論，一方面至少又是當前的我們不得不與之日益密切往來，然而不知實際上是否存在的對象──亞洲。於是我想需要有一種能填補我們空轉概念空隙的東西。不這樣做的話，再怎麼說亞洲人的連帶，也就會變成我們這一方，也就是現代日本人的一種自我滿足罷了。

脫亞論批判的陷阱 ── 倫理與邏輯的混淆

　　戴：我總覺得是情緒論而不是邏輯。以這種問題做為話題的人一般都不能區別倫理與邏輯的差異。所以一方面在倫理上覺得同樣是亞洲的一部分、是夥伴，因此應該想想什麼辦法才好。例如福澤諭吉的〈脫亞論〉裡也有這樣的說法。因此就必須謝絕鄰國的朝鮮和中國。福澤〈脫亞論〉裡面的亞洲只有中國和朝鮮兩國，於是，是否等那兩國變成文明國家以後再來一起復興亞洲呢？他是這樣提出選擇題的。福澤的立論有被倫理觀牽扯的部分，而在邏輯上可以說是灰心了吧。歐洲文明有積極面和消極面，而積極面比較多，這就是它的文明觀。盡早闡明這一點讓日本民眾理解，以便想辦法應付，這就是他的主張。所以奉陪鄰國是受不了的，他這個想法沒錯，做為中國人的我也能夠理解。他又說正因為是鄰國，所以不需要抱著什麼特別的倫理觀致意。這是福澤共21卷的全集裡面僅僅不足三頁的時事論文而已，然而一

直被當作為惡的元兇受到攻擊。我覺得攻擊它的一方也不具邏輯。

　　在這裡我必須說的是，以一個令他想脫亞國家的中國人來讀，也會覺得這在邏輯上是非常合理的想法。並不是什麼惡的元兇，反而非常有先見之明。他說中國、朝鮮如果不從內部出現志士的話就會亡國，就會成為列強的犧牲品，這正是先見之明。只是沒有明確指出犧牲這些國家的世界文明國裡也包括日本，這是美中不足的地方。我覺得戰後日本的進步文化人，或左翼的先生們攻擊福澤諭吉的方法是很奇怪的。福澤諭吉是明治維新以降日本新興資產階級中有影響力的輿論領袖，可供他選擇的只能是那樣，這本來就不足為奇吧。因此，以福澤的階級地位或者當時下部結構*2的反映來看，我覺得他的說法就有一定的道理。問題在於批判的方法偏於倫理性或情緒論。批判者自己也站在和福澤一樣的立足點，而說他豈有此理，這是不對的。從大局上著眼，可供日本民眾的其他選擇是什麼，日本民眾有沒有能力做別的選擇？我覺得你心裡隱隱作痛，這並非壞事，但不能把期待擴大到福澤，移入感情這就可議了。他寫這篇文章是在明治18年，日本占領台灣的十年前。這好像是硬要以不存在的東西，把福澤拉下來攻擊，是把邏輯和倫理混淆在一起。我要說那樣的福澤批判是完全不恰當的。

　　青木：這一點，從那個時候以來到現代對所謂的脫亞論──

---

*2　上部結構是指政治、法治與意識形態，而下部結構是做為上部結構基礎之社會經濟結構。

我認為日本的當權者總是立於脫亞論的系譜上——的批判也有同樣的現象。現在進行中的多數亞洲連帶運動也同樣是倫理的而不是邏輯的性質。以倫理觀攻擊別人，所以互相不能對話。一邊是以力量壓倒對方，對此，怎麼樣用感情應付它也沒有用。沒有用的意思就是說，光是在日本國內可以通用是不行的，必須是具有普遍性邏輯的運動向外擴展才行。

　　戴：對啊。借用青木先生所說普遍性邏輯這一句話，福澤諭吉在明治18年的當時寫〈脫亞論〉這個小小的論文、隨筆的時候，他所想的普遍性原理就是歐洲的近代文明吧。所以在某種意義上說，是站在做為新興資產階級的輿論領袖的他的立場，把他所想的普遍性邏輯與日本的具體狀況結合起來罷了。與此相反的是現在的中國共產黨，所想的普遍性原理是馬克思‧列寧主義吧。把這個普遍性原理與中國的具體狀況結合起來進行中國革命這是反命題。把民眾或無產階級所想的普遍性原理和自己的狀況結合起來，推翻歐洲列強，這是一種立場。這與是好是壞完全無關。福澤先生在當時追求的原理是歐洲近代的原理，資本主義所代表的普遍性原理，把這個原理與日本的狀況結合起來，以推行明治維新的發展這一理想。所以說，攻擊福澤的那種方法是把倫理和邏輯混淆起來，我覺得這是不恰當的。

　　青木：今天的亞洲各國走的路是一種合理的近代化論吧。所以我們去那裡生活，就會隨時隨處感覺到他們想把歐洲的積極面引進消化的那種氣息。特別是現在的保守政權想把它當作金科玉律來推進。同時，一般知識分子階層的反應是嚮往歐洲的近代。就這一點來說，雖然沒有說是脫亞，但是脫亞論的系譜，其邏輯

的骨格也是被現代的東南亞當作普遍性邏輯繼承下來。但是，這是不是表示和近代日本同樣的發展過程，又是另外一個問題。這對我們來說、又是看不見亞洲的一個原因。

　　戴：我們從外部看日本的時候，覺得日本人總是將國家與個人混在一起，即看起來似乎體制與個人是混在一起。而「看起來」是指就連行動也是如此。這就是剛才說的導致邏輯與倫理混淆而展開的原因。所謂普遍性原理則是，比如說基督教所設想的或者伊斯蘭教徒所想的普遍性原理，是各不相同的吧。同時，從階級的層面來說，資產階級所想的又和無產階級所想的是不同的，二者互相對抗，哪一方能奪取輿論，這樣的關係才是邏輯的關係，是邏輯結構。由於沒有明確搞清楚這種關係，才會隨便把福澤諭吉拉出來，把區區三頁左右的文章當作惡人來攻擊，而毫不自覺自身的陷阱，這實在令人受不了。可是，被攻擊的資產階級、日本的近代化論者也抱著被攻擊也是不得已的倫理感，這點使人感到非常奇怪。由此可知日本的狀況是個人和國家的關係實在不清楚。

　　關聯到這一點，我想提出最近發生的問題來做為話題，就是說當貿易自由化，日本以近於資本自由化的型態進行資本輸出，可是沒有實行勞動力移動的自由化。而現在日本以總評為首的工會不能從內部牽制日本的資本輸出。另一方面，拒絕資本家從外面引進一切勞動力，因為他們有一種恐懼感，怕外國人勞動力被當作產業預備軍而引進，壓低自己的工資。由於很難公開反對，結局是以歧視的形式表現出來。再稍微順著邏輯追究下去，自己工作的一部分大企業將資本輸出了，當然，在進入國那邊是以勞

務輸出的型態，在那裡賺取利潤。然後把它看成向本公司的匯款，在春季鬥爭〔譯註：勞資雙方以提升工資為主的攻防或交涉〕時從公司全部盈利裡贏取提升工資。那麼，譬如新加坡的工人到日本來工作，他們應該有權利要求工會保障他們享受與日本的工人同等的待遇，在包括工資等各種工人權利方面平等對待他們，在邏輯上應該是這樣。可是這一點很不明確。自己在春季鬥爭上拚命，但是對各個資本進入國的工人問題則置之不問。所以說，亞洲人的連帶在什麼基礎上才可能構築呢？從東南亞的工人方面的立場來說，他們是想找更好條件的工作。按邏輯上講，日本的工會既然不能牽制資本的輸出，就應該容忍外國的工人自由地來日本，以同等的工資、同等的勞動條件一起工作，這才是真正的連帶基礎。當然這只不過是在邏輯上追究到底的話，應該是這樣的意思。

青木：不管怎樣，這只不過是日本國內的邏輯而已，完全不想擴大範圍。例如，有一間很大的汽車公司，在曼谷、馬來西亞都有它的分公司。在該公司工作的工人完全可以互相呼應行動，可是日本的工人、工會完全沒有那種意識。過去不論在日本人的思想裡，或者實際的運動裡，從來就沒有把日本以外的非歐美地區住民當作必須明確把握的對象，也就是課題來思考。過去和現在的社會科學者從來就不曾想到亞洲去碰一碰自己所不能解決的問題，完全沒有想去發現須拚命解決問題的那種態度。地位高的社會科學者是有人去東南亞周遊，他們以為要理解東南亞的時候，以他們在日本或美國所受的教育就能完全理解，是抱著這樣的想法去的。所以，對於自己所受的教育和所具有的知識是不適

於理解東南亞的世界這一事實完全沒有反省。因此，在東京受教育的人到東南亞當地時，自以為除了語言以外，其他問題全都懂。政治、經濟問題、宗教問題、社會問題，這一切都能用自己的知識來理解，以這種想法為前提出去周遊。然後指出有這樣的矛盾、有這樣的壞事、有這樣的社會問題等。而這些就變成日本的知性社會的常識。

我想，存在於東南亞的問題，是不可能用自己已有的知識體系範圍來消化的。亞洲從來就沒有被看作它的存在是逼我們徹底反省自己所受的教育或自己的所處的知性環境。對中國則在一定程度上是有這樣的反省。對歐洲則大家都有這種反省。可是去亞洲的人，從一般人乃至社會科學者都沒有這種反省，所以都以為能夠用自己的知識來消化。在工人的意識裡沒有亞洲的問題也是一樣，在日本，亞洲沒有真的被對象化。剛才說的皮膚的顏色、情緒、感情上的問題等，或在知識或理解問題上，甚至於進入到科學的領域。

所以，對亞洲人會議一類的東西之所以會感到疑問，是因為那種問題的提出方式，不一定非是亞洲不可，拉丁美洲或非洲也都可以，美國也可以。且不一定是要特定的亞洲，世界也可以。以日本之外的民眾和日本人的連帶方式提出問題，首先就應該對高舉亞洲這個名稱產生根本的疑問。不然的話就會把亞洲這一地域特殊化，這個問題對於拉丁美洲也是一樣的。亞洲問題的提出方式，會使扭曲了的意識表面化。

這就是戴先生所說的「他分」的問題吧。戴先生說的時候就具有現實感，我完全感同身受。從以上所說的看起來，我想在現

代日本不可能有以「他分」的形式來看待亞洲。反過來說，在現代的日本肯定是看不見亞洲的。首先是在語言上看不見，也沒有什麼真實情況，所以完全看不見問題。我是這麼想。

「亞洲」認識的深化和少數民族問題

戴：我沒有那麼悲觀。認識的展開是，如果接觸面不擴大的話就不能認識。非常不幸的是日本和亞洲發生關係的方式，包括其幻想的部分，實際上一般只有軍隊或經濟關係吧。經濟關係在戰前還不怎麼深，最近軍事面的關係總算少了，而以經濟面為主。這樣的話，青木先生說的宗教問題或者「他分」也當然不能認識。逼著日本人去認識的也許是資源民族主義和海洋法的問題。

　　我非常感興趣的是，譬如怎麼樣思考海洋法的問題。日本的官僚和法律專家考慮的幾乎始終都是法律的解釋。總之，忘記了所謂國際法是怎樣產生的。因為它是存在著，是有效力的，所以要適用它，只這樣想而已。在國際法和海洋法產生的過程中，到底現在屬於第三世界的人們是否有發言權？那是為了要束縛第三世界的人們的法律，同時是列強於再分割殖民地的過程中，為了使列強互相之間的摩擦最小化而寫的，這就是國際法。現在的狀況到了要重寫國際法的時候，所謂第三世界的人們，強烈要求以第一世界為中心的第一、第二世界的人們承認有「他分」的世界吧（我曾經主張應該確立做為「自分」的對立概念的「他分」概念，在承認亞洲各國人民是和自己平等、同一資格的基礎上互

相往來。詳細請參考拙著《日本人與亞洲》，新人物往來社）。那麼，固然麻六甲海峽生命線論不值一談，總之做為現實問題來講日本的油輪必須通過這個海峽。從前的話可以派軍隊消滅反對者，但是現在不能這樣做，否則終究對自己也不利，所以只有要如何去承認對方的存在了。還有，日本的農業像現在的狀況崩潰下去的話，那麼只有兩個選擇，一個是日本人吃的東西在東南亞或者包括中國在內的外國生產，然後進口日本──這樣做如果覺得不安全的話，就只有把外國的農民引進國內來，如同法國或EC（歐洲共同體）所採用的型態。如此一來，開始出現該怎麼辦的問題，隨之認識也就會深化，進而很可能隨著今後接觸面的擴大與深化而成為可能。關於這一點，我們研究者有責任預先把問題描繪出來才是。然而遺憾的是，現在大部分研究者非常遠離實際，最接近實際的是商社、進入企業等的有關人員，毋寧說是靠近體制一邊的人。可以說研究者是在其外圍，一般老百姓則被置於更外側的地方吧。派到東南亞的新聞記者頂多是一國一人甚至更少，採訪以大都市為中心的動向以及選舉情況就忙得不能脫身。本來新聞記者是最接近現實的，可實際上卻離得很遠。但還是要寫東西，如此就不可能搶先了。要他們報導民眾的動向委實太勉強了。

　　青木：以東南亞為例吧，我們所接觸的資訊是非常片面的。商社的人可以說比較具有接近實情的實用知識。不過問題在於他們掌握資訊的方法，只是當作經濟法則的一個環節來掌握。因此，小小的現象或者細緻的日常體驗方面的資訊全都被篩掉，只剩下有關大法則的東西。不管商社的人怎麼辛苦，辛苦的部分完

全不能表現出來，而只管賺了多少利潤來做結算。這和在最前線工作的推銷員談話，就知道他們之中有很多優秀人物，有認真蒐集資訊的人，也有遠比研究者和新聞記者優秀的人。但是在日本只是代表企業的立場而已。他們的體驗和資訊都無法聚集起來，資訊的線路被關閉了。

　　還有一點，如同剛才所說，像日本這種國家和個人互相一致的情況，在東南亞是無法想像的。代表國家的政府，不能說在民族、文化等各方面都代表國家，那只不過是一小撮統治階級露骨的繁榮而已。包括華僑在內的所謂少數民族存在於東南亞國家的任何一個地方。除了新加坡以外，就語言上來說泰國是最統一的國家，即使如此，此國泰語通用的地方大約是百分之六十。其他地方分布著很多華僑以外的越南人、柬埔寨人、馬來人或山地民族。在這些人的頂上存在著政府，因此從那裡所能得到的資訊只能說是代表全體的一部分而已，這是不言而喻的。這樣想起來，東南亞這一詞語的意義其實也就有所變化，泰國人、泰國政府這樣的表現方法也有困難。我以為必須認真對待這種複雜機制的存在與作用被當成問題的時期已經到了。

　　戴：我也認為如此。在過去，中國人也是以漢族為中心的思考方式支配著。後來在中國革命的過程中才明確理解到少數民族的問題，恐怕是在長期苦鬥的歷史過程中才注意到少數民族的存在，從此才意識到了「他分」吧。我不知道這種傾向今後是否還會繼續朝前發展下去，不過好像有否定大國主義邏輯的強大主張，同時對華僑問題也不承認雙重國籍，採取鼓勵盡量歸化於居住國，和那裡的人民一起從事國家建設的政策。現在我對這方面

的資訊比較生疏、不大清楚，如果不折不扣地接受現在的中國不求霸權，永遠不追求大國主義的聲明的話，問題就在於是否能夠在其內部建立起內省的制約機制或者反饋自動裝置。總之，可以做為一種檢驗的例子是對國內的少數民族採取怎樣的具體政策。不妨礙他們少數民族的發展，且援助並培育他們的語言，徹底地承認他們的主體性，我認為如果不採取這些方面的具體政策的話，很有可能墮入只不過是口號的危險。傳統上中國人把周邊民族看成是夷狄；到了現代，公開承認中國是多民族國家，我認為這是一種進步。

　　日本人現在還在說日本國是日本人的國家。「日本人」在一般人的意識裡是不包括愛奴族吧。去北海道時我個人的經驗就是這樣。大部分日本人所認同的日本人範疇是不包括愛奴的。我說愛奴和蝦摩合起來就成為日本人，愛奴學者自身就吃了一驚，可見問題的根源是很深的。所以，有「他分」世界的這種想法或看法很難進入他們認識的射程範圍內。可是也不必過於悲觀吧。莫如先不談是好是壞，在頻繁的接觸後，當接觸面的擴大和深化，同時要求承認「他分」的一方施加壓力平行出現的過程中，這種認識有可能深化。所以如同青木先生所說，其實現在東南亞各國正處在建國的路上，同時也面臨著必須揚棄殖民地遺制的課題。在其內部有宗教、少數民族、語言的統一等問題，非常錯綜複雜。如果只用我們自己的尺度來理解這些問題的實際狀態，是很不好的。

　　所以，最近我提起這樣一個問題。我們總是被囚於近代國家是「一民族一國家」的神話。我們想像中的歐洲近代國家大體上

是單一民族單一國家吧。實際上並不是那樣。捷克斯洛伐克、南斯拉夫、英國等都不是。所以到底是不是可用過去的近代形象做為模式來從事今後亞洲的新國家建設呢？以既有的歐美、日本的尺度是不能掌握實況，也不能深化認識的。

青木：這二十多年來在東南亞進行著山地的平地化。平地民族是統治民族，相對於此，不論在越南、柬埔寨、寮國、泰國、山地民族是被壓迫民族。本來就沒有什麼國境、從中國南部到緬甸、泰國、寮國等國家的北部一帶分布著自由居住的人們，也就是說這些人被圈在所謂的國境區劃裡面。而且隨著平地近代化的進行，政治上、經濟上對山地的進逼也開始了，出現非常壓迫的因素。被逼陷入困境的一方就起來反抗，例如拉夫族的反泰國政府運動在這幾年來就發生了。這種抵抗運動必然成為很大的國內問題。

戴：這就關聯到對民族主義的想法、所謂的民族主義問題。日本人由於戰前的痛苦經驗，年輕人非常抗拒民族主義。這有它相應的歷史背景，是可以理解的。另一方面，左派人士看到在中國革命中民族主義占有很大比重，不知不覺中把五四運動以來的民族主義的內容不加質疑，就是說不加以檢驗、比較這個民族主義到底是不是像青木先生剛才說的彈壓少數民族的民族主義，或者是不是漢族中心的民族主義，總之是不是接近普遍原理、開放的民族主義，或者是否有可能聯繫上國際主義的民族主義，而自我陶醉於民族主義的詞語，把它看作是先天就是善的。可是實際上，現在東南亞的民族主義含有各種夾雜物。比如說印尼的民族主義，說得極端一點就是爪哇地域主義；菲律賓的情形毋寧說是

地方加上宗教問題，對南部的伊斯蘭教徒有一種由上而下施壓的、優越民族的強烈志向。所以說，對現在掌握政治權力的優越民族，或者說優越部族比較適當吧，以此為中心的民族主義，不問其內容而予以全面肯定，這是否妥當呢？如此就忘記了到處都有陷入於肯定日本愛奴族所處狀況的危險。對於愛奴的問題，不管社會黨或共產黨，一直到最近才正式規定為少數民族，大有即將滅亡才被承認「他分」之感，但是其內容似乎還很不充分。泰國的情形也是，反日那一部分的民族主義到底有沒有同時也是壓迫少數民族的，這個問題也有必要更細緻地觀察。

青木：這必須要多層次、多元地觀察。

戴：先天地就認為民族主義是善的，碰到反日運動就說必須理解亞洲人的心，必須理解亞洲的民族主義，這仍然是情緒性的接近而沒有什麼內容。說亞洲人的心，有從李光耀的心到工人、農民的心，其幅度是非常大的。

青木：對，概括得非常粗枝大葉而不問其詳細內容。

近代化的多樣性與認同

戴：談起近代化，不只是日本人的看法是如此，正如青木先生所說，亞洲現在的領導人也仍然一直抱著對歐洲文明的濃厚幻想。原因之一當然可以推想是來自於對共產主義恐懼感的反作用，此外，還是由於東南亞各國知識分子的主流大多是留學歐美，可以想像在他們那裡西歐文明的神話還是根深柢固的。不過，歐洲式近代化亦即歐美加日本式的發展模式由於越南戰爭的

影響而開始受到懷疑，而摸索獨自發展形式的新變化。固然這是由於全世界規模的公害之衝擊，其他還有少數群體的權利問題，例如在美國的原住民和黑人的解放運動等影響也是不可忽視的當前狀況。這一連串問題的提起在逐漸改變對歐美型近代國家的形象吧。

青木：大約從十年前開始到處都在談論近代化的多樣性或多種形式。毋寧說我想結合剛才談的民族主義來思考，Nationalism這個詞可以翻譯為國家主義，也可以翻譯為民族主義，它包含這兩種意義。可是實際上就以東南亞為例來看，不可能是國家和民族是一致的。所以說民族主義這個概念在該處就會破裂，因此必須小心細緻地對待它。

還有一點，現在說近代化的時候，官僚和統治者所追求的近代化在某種程度上以歐洲、美國以至於日本的模式為目標。但是，反過來說，他們也很了解自己的局限，泰國就說重工業方面的工業化不是他們的目標。製造船舶或鋼鐵等的近代化，在泰國是不可能與歐美和日本同等的規模去做的。從這一點來看，技術上的，或者資本主義的近代意義已經不能在同一水平上實現了。還有，到了今天的階段，近代化已經不可能是直線性的形式了。就是說，我想東南亞各國政府不得不認真全力以赴的重點是社會主義。緬甸、斯里蘭卡已經轉移到一種社會主義吧。毋寧說沒有引進社會主義性質東西的國家在減少。實際上越南是這樣，寮國是一半社會主義。柬埔寨在西哈努克（Norodom Sihanouk）時代是相當推行社會主義性質的政策，至少口號上是這樣。問題是未來如何在目前已經達到的近代化階段上，如何消化社會主義的因

素、如何脫胎換骨，不使現代的保守政權結構落空，因為他們經常大肆宣傳來自北方的侵略。要表面上防止來自北方的侵略，而實質上轉移到社會主義。我認為問題就在這裡。從去年開始，泰國發生學生顛覆政府等各種問題，可以說在泰國，社會主義思想已經成為共同的課題。

戴：說到社會主義，不論在緬甸或者在印尼，都表現為和宗教結合的型態吧。該如何看待這一點？

青木：其實我就是想談這一點。比如說以泰國為例，泰國大多數知識分子都說社會主義是當然的事。泰國雖然有3,000萬以上的人口，據說泰國的全部財產被大約20萬的人所占有。就是說那麼一小撮人占有著一個國家。所以說其他3,000萬以上的人們實際上沒有什麼財產。這樣的社會在東南亞也是罕見的，只有菲律賓和泰國而已。有這麼大的差距，再加上今後的人口增加，據說再過10年稻米就將不再是出口品了。那麼，無論如何社會主義就會以激進的形式登上舞台。為了防止這樣的局面，就要在現今體制的框架內實質上消化社會主義的問題。我想，現在東南亞的知識分子正在注視著蘇聯型和中國型的社會主義。

他們說佛教和社會主義是互相不矛盾的。他們的說法是如果不把自己一直保持著的一個指導思想，或者說世界觀、人生觀和新的、外來思想的社會主義結合起來的話，社會主義就會搶先獨自往前跑。並說佛教本來就有把人們從種姓制度裡解放出來的教義，具有很濃厚的救濟宗教色彩，強調有可能和社會主義結合起來。不過，如果沒有那樣著想的話，比如說想光把社會主義的意識形態借過來是不可能的。還有，不能忽略的一個現實的問題

是，佛教已經變成像空氣一樣的東西了。因此，宗教是鴉片的說法是完全沒有意義的。實際上，如果說剝削的話，佛教完全沒有變成剝削的對象。由於佛教沒有和階級結合在一起，它不一定會和社會主義的理想有矛盾，這樣的心情每個人都有。毫無惋惜地對別人施捨的行為，這種行為如果橫向推廣出去，自然就變成社會主義的思想，這樣的想法至少在目前是很濃厚的。

在斯里蘭卡或者在緬甸，姑且把社會主義做為招牌，其背景之一是想通過佛教這一種共同的意識形態做為媒體，使社會主義不產生矛盾地滲透進來。背景之二是以為由於有佛教，即使是社會主義也不至於是中國化或者蘇聯化的社會主義。對自己傳統主張的自豪是很強，但實際上毋寧說是有這個傳統做為最後依靠，才可能有引進外來思想的態度。畢竟社會主義是外來思想。要不然就會變成衛星國家，而事實上也有可能。所以，在那樣的國際環境下，社會主義化就意味著有可能被編入中國或蘇聯體系之中。對此，有人主張把佛教和社會主義結合起來就能創造出獨立自主的社會主義國家。既不是中國型，也不是蘇聯型或歐洲型的社會主義。做為結合他們的自主性和社會主義外來思想的重要媒介，還是需要依靠宗教。

戴：對宗教我不大清楚，但是一直在想著愛護傳統的事，比如美國的黑人認同的是什麼呢，最後還是歸於「黑就是美」（Black is beautiful），其他就沒有了。有一天發覺從言語到所有的一切都被剝奪了，剩下來的只有皮膚的顏色。「菲律賓人就是美」（Filipino is beautiful）的情形也是一樣，可以說是尋找自己的原點或者傳統的結果，所到達的一種口號吧。所以，拚命去找

屬於我們的到底在哪裡也很難找到，東南亞的宗教問題也好像有將錯就錯的面向吧。一旦將錯就錯以後才能和普遍相連。總之殖民地主義遺留下來的影子和罪惡是多麼深刻啊。為了奪回自己的尊嚴、民族或自己國家的尊嚴，當前能依據的是宗教，就是這樣的邏輯。菲律賓的中上層很大程度是混血的，呈現著雜種文化的模樣。所以只能說「菲律賓人就是美」，而宗教的問題也不會從主流那一邊被提出來。與此相反，南部的伊斯蘭教徒就以宗教為命題向呂宋的主流派造反。還有，比如說伊斯蘭教，在馬來西亞已經國教化，在印尼很難國教化但有當作國教看待的傾向。這種趨勢的內在動力在於對歐洲文明，或者對歐美的殖民地統治的反動，表現在尋求自己的認同。做為認同的基礎而比較能居於上位來主張的其實只剩下宗教而已。今後各國的領導人、知識分子，或者學生該怎樣突破舊有的體制、社會組織重新組合起來，創立自己選擇的社會制度，我想這只好用長遠的眼光來看了。

　　關於宗教問題，在一個國家裡也有各種不同宗教，在日本認識這一點的人比較少，這是應該留意的。宗教的問題和他們的語言是非常多元的，少數民族問題也不限於華僑問題，這是整個東南亞地域的現實，而且承認少數群體的權利已經成為當今世界的新思想，所以說歐洲的近代國家形成的範例已經有了破綻也不為過。過去是優越民族中心的建國，可以說好像是以優越民族的指向來用壓路機壓平路面的形式。其原理是以肯定基督教倫理或者進化論的優勝劣敗的倫理為前提才行得通，現在則行不通。而且過去沒有表現出來的意見現在開始發言了。同時在優越民族內部也有不該像過去那樣的反省，或者有內部告發的情形。而且，本

來做為對西歐近代的反面命題或者揚棄而提出的社會主義之路，
也發生各種分裂而呈現極為混亂的狀況，在東南亞目前也不一定
有明確的方針而處於紛亂狀態中。

　　譬如說，語言問題和文化創造的問題，從長遠的歷史的觀
點來看，勉強制定國語這件事到底有沒有意義，對創造今後世界
的共同文化來說，這樣的作法是不是對的正遭到質疑。換一個想
法，抹殺所有的語言、方言等，強迫用優越民族的語言做為單一
國語，就知道這是沒有意義的。不過，前提是必須沒有大國從外
面侵略。我們總熱烈希望形成國民國家、民族國家和統一語言，
這是由於曾經有過經常受來自外部多管閒事壓力的歷史，而民族
國家的形成和語言的統一可以做為頂回壓迫的條件、團結的基
礎。沒有這樣主張的國家，例如瑞士與安道爾共和國（Andorra）
是緩衝國家吧，所以他們可以從容地把西班牙語和法語，或者德
語和別的語言搭配起來，完全沒有必要把優越民族的語言當作國
語來強制使用。在這個意義上說，今後東南亞各國的國家建設課
題在於，怎樣根據各國的具體狀況把潛在的能源搭配發揮出來。
我們總喜歡以我們的判斷框架、用過去的尺度來強加於人，這真
是冒昧、不自量力。莫如靜靜地耐心注視著才不會犯錯。

　　我有時會受邀請講演有關華僑問題或華人問題，我總是否定
庸俗的漢民族優秀論。華僑方面的說法，或者為他們辯護的人們
很多都主張華僑是「刻苦耐勞」才締造了今天的日子。提倡庸俗
理論的包括日本有名的學者在內，他們動不動就說原住民不行，
比如說對數字的概念不行，而華人或華僑是優秀的。其實問題只
不過在於：東南亞各國的原住民不像我們那樣，是處於不需要太

多依靠數字過生活的狀況裡，特別是歐洲列強實行殖民統治時，如利用這些人賺取殖民地利潤，其效果太緩慢；碰巧在同一個時期中國處於內部崩潰的過程，農民流亡當苦力，做為黑人奴隸貿易被禁止以後的代替「物」華工，加上印度工人一起被引進而已。由於華僑和印僑介入在中間，原住民受訓練的機會就被剝奪了。不擅長於數字是理所當然，只要他們的生活本身停留在自給自足的狀態裡，最低限度的數字就夠用了。若給機會的話他們也是會的。問題在於你們想盡快賺取利潤才利用華僑而已，說他們優秀這不外是膚淺的觀察。華僑方面的說法是刻苦耐勞賺的錢，可是在資本主義社會裡，真的認真工作就會賺錢嗎（笑）？

青木：確實是這樣。

戴：華僑方面進一步辯護說，自己不像帝國主義那樣用砲艦外交來殖民地統治，我們毋寧說是被強制帶來的。這是可以理解的。的確，在這個意義上說歷史上是有受害者的一面。但是現在明明是位於中產階級的地位，其所得容或因職業而不同，一般說來平均所得高於原住民。但是這個本身，其實在經濟上是位於做為他們對立物般的加害者地位，起著剝削者的作用，他們很難認識到這一點。這個例子也可以見諸地主制度。的確，地主裡面也有開拓地主。但是到了地主制度起著作用的階段，他們已經不再是開拓農民而不得不成為農地改革的對象了，我認為在邏輯上忘記這一點是很不好的。這一點很難被理解。討論優秀性、劣等性的問題時，忽視這個邏輯或歷史的經緯而進行，實在很糟糕。

做為不可理解存在的「亞洲」

青木：這一點我也贊成，可是日本人到了泰國說泰國人不工作，到東南亞就常說馬來人不工作。這是因為以自己的尺度來說話。工作始終是日本人不可或缺的需要。不過，泰國或馬來西亞的體系裡，在日本人看起來好像是不在工作，可是當地人卻感到滿足。完全忽視這種體系的差異，我們就專橫無理地進去那裡，以我們的尺度來為工作或不工作等善惡、優劣下價值判斷。

我想說的是，擅長於技術和計算、生產上花的時間速度快慢等，日本人總喜歡以這些為基準抱著優越感來面對他們。可是在人的整個生活裡那只不過是一個尺度而已，不過是我們的生活環境和知識體系使得我們擅長於這些方面罷了。泰國人享受生活的智慧遠超過日本人。宴會的時候他們非常善於營造良好的氛圍，領會人心的技術非常敏銳。所以，日本人表面上再怎麼高唱親善友好和援助，馬上就會被看穿真意。反過來說，沒有比日本人更短視的，僅僅從言語、工作等看得見的東西來判斷事物，而對方在想什麼，或者對方的想法在他們社會裡具有什麼意義，對方的整個行動在他們社會裡受到怎樣的評價，所有關於這些事情很少日本人能予以理解。

而且，事實上有這樣的情況。就是說在某種意義上日本人在東南亞確實被視為有錢而驕傲。從日本人這方看起來對方是懶惰、生產力也低，有各種各樣的缺點，因此就對他們抱著優越感。可是這畢竟是站在近代技術上的優越感而已，而在政治方面日本人無論如何也不是泰國人和印尼人的對手。在政治上的討價

還價方面日本人不是他們的對手。就算是田中首相和大平外相也只能空轉，國際上日本人的政治技術是非常低的，這在最近日本的外交上面全部得到證明。政治上對方遠遠是專家、熟練者。還有，在東南亞常見的是日本人在集體行動時確實很強。當日本人以集體的形式在公司或官廳的時候，中國人和泰國人是敵不過他們的，他們在那裡很威風。可是當一個人一對一面對泰國人或中國人的時候，日本人就表現得很弱小。總的來說，日本人在經濟上的大框架確是在剝削，可是比如在泰國賣東西或住飯店的時候，日本人卻很吃虧，完全被任意擺布，智慧鬥不過人。所以他們在精神上完全不尊敬日本人。這是因為在日常生活上日本人是好對付的傢伙，不善於看穿對方的心，在對方看起來日本人就像是一種巨大的石頭吧。

反過來說，在經濟上或國力方面雖然是個小國，但是能任意擺布大國日本，因此總算維持著平衡。這一點日本人完全不能理解，而誤以為經濟上處於優越地位，所以政治上也一定處於優越地位，並且以個人為單位來說也是處於優越地位。可是，東南亞的人們對人的評價是更細緻的。他們不單是從語言和有沒有錢的觀點來評價對方。富翁必須是願意施捨的才會被認為是富翁，富翁有做為人的責任，這在泰國被認為是理所當然的事。不給寺院或僧侶捐獻的人，即使是大富翁也不會被看作富翁而受到人們的尊敬。與此相反，日本人完全不施捨。所以是與富人不相稱。只要你身在泰國，說日本人不是泰國人，這種邏輯是說不通的。日本人一點都不懂這樣的內部的邏輯，所以日本人的態度總是不能被理解。對這種內在的邏輯不理解和不在乎，正可見於日本的

外交官或知識分子，以至於一般觀光客和商社的人們身上。所以說，思考東南亞的時候不能單純地以語言的問題來理解，也就是不能單純以合理的加減計算的速度問題來理解。就是說，如果我們的社會是1＋1＝2的社會的話，在東南亞這有可能是3或1。在這種社會裡我們硬是要以1＋1＝2堅持到底，因此引起不良影響。

戴：以往的研究，戰時以軍事經濟關聯的交流為主，或者說是為軍政服務的研究。相反地，要認識到大家都是鄰居，或者也許今後在資源問題上、在各方面要一起生存下去，所以要多研究他們的生活、習慣、風俗、文化、音樂等，研究他們產生哪些文學，要為認識這種形式交流的必要性傾注精力。不這樣的話一旦發生問題就號召舉行日本留學生同學會，可是有心人誰都不會響應的。以為有了經濟力，在其他一切方面也都處於優越地位，這是很大的誤解。

青木：還有，就像是亞洲這個詞語，不經過任何真正的、本質上的檢討就自以為已經知道了亞洲的問題，這樣的態度存在於日本的所有的體制裡面。勉強依偎在這種體制，如同戴先生說的「依賴的結構」那樣的存在於亞洲的理解裡面。所以那不會是真正去理解。現在需要的還是要培養真正理解東南亞的社會、文化各方面的研究者和實踐者。拋棄自己的偏見、理解對方內部的邏輯、納為己有，否則永遠不能互相交流。這看起來好像是徒勞的事，但是值得以長遠的眼光，花金錢和時間慢慢去做。非以幾十年的長程規劃去做不可。

說得更極端一點，有必要的話最好不去使用亞洲這一詞語。

至少要加一個括弧才能使用。我有一個主張，如果要使用亞洲這一詞語就應該排除日本、印度和中國。把除此以外沒有先進工業或核武器的小國看作是亞洲，也許有一定程度上意義。

這個問題今後還需要更深入思考。另外一個是必須承認我們完全沒有理解亞洲的問題，現代日本必須要有不能理解亞洲的前提。我們有必要把這個前提當作一種常識。有了這種意識，對亞洲問題就不能隨便發言了。要有不能發言的氛圍才好。實際上不懂，就像我親自去到該地也還是真的不懂，總有以自己的觀點來理解亞洲的傾向，很難從這種傾向逃脫出來。比如說在泰國被稱為佛陀的，不經意會以為和我們在日本說的佛教相同。可是事實上是完全不一樣的。只因為日本也有類似的東西就斷定是相同的，這一點對中國在某種程度上也是有的吧。

戴：是的。所謂「同文同種」。

青木：所以糾正我們對亞洲認識的偏差，需要從根本上做起。

戴：過去我說的「依賴的結構」，也是想指出妨礙日本人對亞洲的認識或對亞洲各國的認識，亞洲的知識分子也要負責任，是想說雙方都互相姑息的結果使問題變得模糊。在最近的「文化交流金澤會議」上來自東南亞的出席者說，用英語是不可能進行民眾層面的交流，這樣的問題提出是很自然的，聽了使人感覺到一種新鮮感。只要想一想在民眾的階段到底有多少人說英語，就知道這樣提問題是當然的。交流的差距存在於我們和他們之間，也存在於各國民眾之間，更存在於各國菁英和民眾之間，如果不確認這個事實就一步也不能前進。最好是民眾之間互相交流，但

事實上這很困難，所以各國的專家要嘗試脫離只靠英語來交流的狀況，否則不可能深化互相之間的認識。

　　青木：還有一個很大的問題，關係到剛才提到的一點為：東南亞語言是世界上少見的多樣。東南亞是世界的三大多民族、多語言地域之一。當然能用各自的語言交流最理想，但非常困難。

　　戴：我並不是想否定英語，而是覺得東南亞的人提起的問題是個新的萌芽，即必須打破英語能解決一切的常識。當然，認識英語的局限不等於否定做為手段的英語。

　　青木：那是很重要的事。就這一點來說，問題不在於用泰語代替英語就算了，是這以前的問題，我想，有必要營造出沒有英語和泰語也能互通心意的交流形式。那是以對別人的心情和對方處境的深入理解做為前提的交流。我們總是習於從文字上或言語上的層次來理解事物，很難做到去除言語也能保持互相的關係。可是，不能做到這點就不可能和東南亞的人做到真正的交流。

　　戴：特別是語言問題，自己的語言或者民族語言以外的語言，比如說曾經的宗主國語言很多情形是帶著價值觀的。如不先把它對象化，重新組成為手段化的東西就很難逃脫出來。在這個意義上我對福澤諭吉的〈脫亞論〉也想作如是解釋。總之，拘泥於曾經是親戚的中國和朝鮮也不是辦法，先把它對象化吧，我想福澤諭吉的〈脫亞論〉包含著這樣的提議。

　　同樣的道理，曾經受過殖民地統治的知識分子覺得能說英語、荷蘭語和法語是很體面的，反而欠缺和自己國家民眾對話的手段，而又想治理國家，這種人也有，這就是東南亞的現狀。那麼無論如何也不能和民眾一起建立獨立自主的國家吧。我覺得他

們開始注意到這個意思了。

　　青木：前年到去年的石油恐慌為止，日本成為所謂的GNP大國，景氣很好，相反地美國相對地景氣變壞。由於這個原因，美國對東南亞的援助也在減少。於是，好像該輪到日本出錢了。而且向日本做各種工作，日本人很會浪費錢，加上日本的資訊蒐集能力很差，也就是缺少對實際情況的理解，因此花錢的方法引起很大的矛盾。東南亞部分知識分子當中正在形成日本院外活動集團。這是怎麼一回事呢？批判日本是一件賺錢的事。不是在自國有錢賺而是日本政府慌了，馬上來邀請他們，日本的各種接納機構請他們來日本演講關於反日批判。問題在於這種現象變成了日本人的一種自慰行為，特別是媒體和知識分子的自慰行為。我想將來會成為一個大問題，成為扭曲日本和東南亞各國關係的原因之一。因為現在日本邀請來的演講者在其本國是純粹的菁英，正是統治階級。

　　戴：一小撮的。

　　青木：對。正是這些人的大部分和自己國家的民眾關係還不如與歐美和日本的關係密切。這些人以腦子批判，而日本人將之當作批評而以非常反省的姿態自慰接納，有可能變成一幅諷刺畫。

　　戴：所以那就是我說的「依賴的結構」存在於雙方，是一個陷阱。

　　青木：對日本人來說被批判是最大的奉承。奉承會受到歡迎，這表示讚美日本意外地其沒什麼反應；批判了日本就反應熱烈。這也是日本人一種曲折心理的表現吧。

　　戴：一個例子明顯地表現於印度戰後以來的建國路線上。哄

騙美國及蘇聯，從雙方能拿多少就拿多少的方式。不過也許正好相反，是被兩個大國任意擺布吧。結果不知不覺地造成了民族精神的荒廢。這是只為保持自己政權的短視近利作法。不是向美國一邊倒，也不是向蘇聯一邊倒，始終堅持自己的主體性，防止自己的荒廢、政治的荒廢、民族精神的墮落，在執行這樣的政治基礎上，把外國好的東西當作一種手段引進來，不採取這種方式就不能自立。日本會給的、發牢騷就會給更多的，近來這種風氣如果滲透到民眾裡，是很大的墮落。

　　青木：而且從那裡產生出來的對東南亞的理解，肯定是被扭曲的理解，對東南亞的人們來說，日本的真實情況也是被扭曲的，互相只不過圍繞著批判來回兜圈子，最後以日本方面的自慰告終，實質上沒有什麼反省。東南亞的人們也完全沒有展開出自於自己國家的實質性批判。我想應該不是感情和倫理，而是當作邏輯的問題來進行批判。要互相能夠構築有效的相互理解，實現不只是政治、經濟方面而且是文化方面的實質上參與才對。這一點，毋寧說很多問題將隨著把亞洲對象化而發生。於是真正認識到我們並沒有理解亞洲的時候，才有可能認真對待亞洲。我希望日本的發言者與其追求亞洲的幻影而偏向於「連帶」，不如把上面說的當作常識深植心中。

　　戴：這一點我完全贊成。

7月17日，於東京
速記：加藤美智子

本文原刊於《展望》第189號，東京：筑摩書房，1974年9月，頁32～52

中日關係之回顧與展望

──恢復邦交兩年的歷程座談會

◎ 李毓昭譯

與會：鮫島敬治（《日本經濟新聞》編輯委員暨評論委員）

　　　戴國煇（亞洲經濟研究所調查研究部主任調查研究員）

　　　波多野宏一（《朝日新聞》和平問題調查室）

　　　三好崇一（《朝日新聞》評論委員）

　　　渡邊德二（三菱瓦斯化學常務董事）

主持：嶋倉民生（日中經濟協會調查課長）

恢復邦交的因素

嶋倉民生（以下簡稱嶋倉）：為了紀念恢復邦交兩周年，我們決定將編輯委員的自由發言刊載在會報上，所以首先要談的是，在這兩年期間，日中之間有什麼進展，而在正常化之後又有什麼好處。

A：首先，由於恢復了日中應有的樣子、應有的狀況，日本的外交也就得以在戰後首次取得稍微穩定的位置。

　　第二點，也許這會變成精神或思想上的問題，但日本有機會重新思考日本歷史的歷程，尤其是1930年代之後日本對外或對內該有的作法等。就這方面來看，不僅是外交，對日本自己本身應有的作法，也具有非常大的意義。舉例來說，思考日本的外交時，雖然沒有明顯的情狀，但不論是對美外交還是對蘇聯外交，要是沒有實現日中恢復邦交，像戰後1950、1960年代那樣的情勢會持續下去，日本就不得不繼續受到大國強烈的影響。

　　B：是對於日本的外交中，戰後缺漏最大的部分能夠填補起來的意義，給予高度的評價。可是邦交正常化過了兩年，再回過頭去看，日中恢復邦交真的是日本本著國家意志在主體性與自律上的完成，或推動進行呢？這是尚未完成的課題，在思考以後要面對的問題時，必須再充分深入挖掘。這麼說是因為如果在那時候，日本自主而自律地行使國家意志，其後兩年的歷程一定會顯得更正面，不會遲滯不前。對於由一國宰相出去表明，做為共同聲明的文件其內容也明文化。然而，負有責任的執政黨內卻出現與該共同聲明背道而馳的言行。與其認為如果沒有恢復邦交，就會受到大國政治力的擺布，而處於更淒慘的景況，我覺得有一個層面是不能忽視的：是否正因為被大國的政治力所擺布，在戰後已超過25年的期間，有著仰望華盛頓上空，心想只要「仿而效之」，日本的外交就能平安無事這種習性，才會實現日中邦交正常化？這方面我想必要徹底推開，觀察之後再重新思考。

　　A：我贊成這個意見。我也認為這方面留下很多問題，但是我覺得首先必須要釐清的是在日中恢復邦交的狀態下，具有什麼積極正面的意義？因此我特別要強調具積極的正面意義。

　　Ｃ：兩位的意見，我完全贊同。日中邦交正常化不僅對戰後的日本外交，對明治維新以來的日中關係也有劃時代的意義。尤其是在戰後的冷戰結構中，日本展開的外交主軸是與美國協調，但是在日中邦交正常化之後，就有展開多邊外交的可能，光是這樣就擴大了選擇外交的範圍。大平前外相說：「由於日中正常化，日本外交的範疇擴大了。」我想指的就是這個意思。

　　可是，反過來說，日中關係在世界流動的國際關係中究竟要如何定位？日本外交選擇的走向又是如何？從這種清楚的觀點來看，不能說政府和自民黨都有定論。如同剛才的發言，由於受到一些因素的激發，例如美中親近，而且是尼克森總統沒有先打個招呼就發表的情況，使日本受到很大的衝擊，再加上中國方面對日中恢復邦交的態度積極，日中能實現正常化，或許與外在因素不無關係。因此，確實日中邦交是藉著共同聲明開始正常化，但是就完整意義的正常化，或往應有狀態接近的意義來說，還有許多不充分的地方。回顧兩年來的進程，至少已經簽定了《中日貿易協定》，以及《中日航空協定》。這方面雖然也經過許多波折，但如同中國方面的說法，大致上進展順利。但是反過來說，是否能再加快腳步，盡快簽定剩下的海運協定或漁業協定，進而往簽定《中日和平友好條約》發展，我認為還有相當多的問題。

　　嶋倉：各位的意見有一個共通點，就是日中恢復邦交的實現不知該說是伴隨美中親近產生或是被設定的，這是不能忽視的一點。因為有這種外在因素，而不是由日本獨自促成的這一面，所以必須重新思考。

　　就美國來說，位居國家最高位的尼克森能一舉改善美中關

係，不見得有國民的支持、國民的熱情在推動。

　　可是以日本來說，在那之前，由於政府對日中關係的態度消極，雖然長期以來都有國民的熱情推動，這份熱情美國不能與之相較，在這種背景下恢復邦交的，所以事實上日本還是在恢復中日邦交上，擁有些什麼東西也是事實，我想可以給予適當的評價吧。

　　E：現在的話題焦點是兩國政府之間的關係，但如果考慮到民間氣氛、民間交流，這兩年來日中兩國的交流非常大，範圍也很廣。中國方面對這方面相當肯定。以美國來說，與其說是美中邦交正常化，不如說主要是開啟了針對重大問題討論、對話的管道，這是尼克森政權的目的，幾乎沒有民間交流的實績，也沒有像日本這樣的輿論。因此，實現的美中親近程度，與此日中邦交正常化的現階段、政治性階段，有相當大的差異。日本早在邦交正常化之前，這方面就有非常強的輿論，而且有民間的交流，而在復交後也有非常大規模的民間交流，進行的範圍也很廣。考慮到日中兩國以後長遠的未來，我感覺一定會變成很大的好處反彈回來。

　　B：從內政問題來看，至少從1963年開始的備忘錄貿易是以什麼為目的展開，要基於什麼原則促成恢復邦交，每年都透過哪個管道確認公報，尤其是1970年代之後的公報內容，實際決定了邦交正常化的方向，明確指出為了達成正常化，原則上非克服哪些問題不可。就這方面來說，具有對一般國民啟蒙的作用。但儘管是這樣，還是花了那麼長的時間，最後是等到尼克森訪問中國之後才實現。這時候，在國際政治的框架中，解決越戰是美國內

政上的大問題，如果尼克森就是為了這個原因而必須訪問中國，那麼可以說越南改變了美國，改變了世界，而在其中，日本也是間接因越戰而改變的國家之一。沒有這方面的認識，難免會產生日中邦交正常化還未完成的答案。

各種協定的簽定和台灣問題

嶋倉： 民間交流在這兩年有相當大的進展，政府間層級的交流也有相當大的發展。農林方面的技術交流、通產省、郵政省都有，尤其是最近有人提出，在簽了多種實務協定累積之基礎上，就可以往和平條約的方向走，但也有意見認為，即使實務協定還沒有簽完，也可以同時進行，準備擬定和平條約。另外還有議員聯盟的訪問中國、公明黨的竹入〔義勝〕訪中團，這些人也開始談論和平條約的問題，這方面請各位提出看法。

C： 在實務協定裡面，貿易協定和航空運輸協定兩項已經簽好，海運協定和漁業協定這兩個還懸而未決。

漁業協定到現在已經延長了兩次民間漁業協定，一直都無法順利簽定。中國方面的基本態度是東中國海的漁業資源是日中共同的財產，要以互相珍惜資源的立場撈捕，日本方面基本上沒有異議，但一談到具體上的資源保護問題，雙方就有相當大的歧見。中國必須考慮中國沿海漁民的立場，日本則有現實中漁獲量比民間協定的時代少的問題，何時會再展開談判，依目前的情況，很難在今年內解決。

尤其是聯合國第三次海洋法會議上，出現200海浬的經濟水

域設定問題，日本對此採取反對立場。從世界局勢來看，這是幾近孤立的狀態。這麼一來，東中國海的漁業資源在這條線明定的情況下，就確實屬於中國的了。在這意義上希望日本方面能認清世界局勢再去談判。

接著是海運協定的問題，這不像航空之類的協定有那麼大的政治性，但還是牽扯到台灣問題。日本方面打出天空不同於大海的主軸，海運本來就有船籍無差別的原則，不論有無邦交，任何一國的船隻都能自由進出港口。現在，沒有邦交的北韓也有船進來，而以前沒有邦交時，中國的船也會進來。可是，中國方面還是會為台灣問題，而要求符合《中日共同聲明》，例如保證不讓台灣船和中國船同時入港是其中之一。有這種問題糾葛，即使有相當大部分的意見一致，關係到原則性問題時就會產生再交涉的情況，似乎還看不出能在今年內解決。

在這種情勢下思考和平條約的展望時，確實會出現兩種不同的看法，一種是把實務協定簽好後再往和平條約發展，另一種是可以先採取準備會談的形式，即使實務協定還沒有談妥，還是可以討論和平友好條約的問題。中國方面的意思比較接近後者，給人有積極往這方面發展的感覺，只是這也是日本的政治情勢給了非常大的影響。參議院選舉中，保守與革新的差距縮小，自民黨被逼到相當艱苦的境地。不僅如此，由於三木副總理、福田藏相辭職，內閣進行改造，而出現新變化，從中國的邦交正常化以來一直在努力的大平外相改任藏相，由木村就任新外相。木村新外相的外交路線雖然逐漸明朗，但對中國的態度還不清楚。與大平外交會有什麼不同，我想這個問題就要看自民黨內的所謂「氣

氛」，因為和日中邦交正常化時有很大的差異是個問題。我們當然希望能盡快簽定和平條約。

嶋倉：歸根究柢，就是對台灣的態度應該怎樣，日本方面的認識還模糊不清，不夠充分。這會不會對目前中日關係的各種問題造成影響？

A：誠如所言。總而言之，《中日共同聲明》的重點就在於台灣問題，恢復邦交之前的最大障礙也曾經是台灣問題，對這方面的認識非常模糊不清，在此有說不上懸案解決已踏實的本質。舉例來說，在簽定航空協定之前，大平外相去了中國，並在簽協定時提出外相的談話才解決了問題，我想這才是在本質上，簽定海運協定的最後關頭成為妨礙問題的焦點。

C：台灣問題模糊不清的說法，我想是有點語病的。在《中日共同聲明》中清楚寫著，日本必須理解、尊重中國清楚陳述的主張，也非常清楚地表示，根據《波茨坦宣言》放棄台灣。《中日航空協定》中，更不承認台灣飛機上的青天白日旗為國旗——這些大平外相的談話可看出來，航空協定因此能夠簽定。我認為基本路線已經確定了。

A：你說的沒錯，但我要說的是對確定的基本路線認識，日本的認識還太粗淺。

C：與其說是日本方面對基本路線的認識，明確地說是自民黨裡面有人明確認同這個基本路線，但也有人不認同，事實上在《中日航空協定》的問題上，就有兩派人激烈對立。可是，從《中日航空協定》的最後國會決議也可以清楚看出，那時出席的各黨議員全部贊成。雖然以青嵐會為主的部分自民黨人士因為抗

議該協定而缺席，但至少出席的各黨議員，不論是執政黨或在野黨都是贊成的。因此，在這方面，究竟國民支持的是哪一邊，我認為要對台灣問題劃清界線，照著《中日共同聲明》中確定的基本路線前進。只是除了自民黨內的問題之外，政府這邊因為在日中邦交正常化之前，與台灣方面簽有條約，基於這段歷史，有關那份《共同聲明》的解釋，確實有模糊不清之處。這種模糊不清在陸續簽定實務協定的過程中，也會成為問題的根源。我剛才說過，自民黨的情況有問題，但戰前的日本政治也曾因五一五事件、二二六事件、青年將校的政變，而變得逐漸右傾。青年將校發動政變時，表面上他們是少數，但實際上那場政變對日本政治造成很大的衝擊。我們看現在的日本自民黨內的情況，青嵐會的勢力並不大，其實是居少數，但是，那樣的活動還是對自民黨造成相當大的衝擊。我想就是在這種氣氛下，木村新外相才會在首次的記者會上提出要努力恢復日台路線。

D：雖然是層次較低的問題，但與本質性的問題成為表裡一體，對政策決定有很大影響的，就是日本給予台灣的政府借款、圍繞民間投資台灣財政界和日本財政界的黏連，說穿了就是日本部分政界的動向是藉著其中的利益以伸展自己的政治生活，這種事情讓正面的政策很難進行。我認為這方面的勢力其實相當大。

A：無論如何，日中恢復邦交是因為有日本國民熱烈的鼓吹，田中、大平內閣至少對台灣問題有明確的態度。由於能努力消除模糊不清，加以解決，才能恢復邦交。要是對台灣問題還有不明確的地方，或許就不會恢復邦交了。一小撮人的影響出乎意料地大。

　　D：我有點不贊同。我覺得並不能用一小撮人來形容。恐怕日本人的心裡對台灣有情感上無法切割的一面。在邏輯上，美國人就表現得很清楚，把台灣當成遠東政策裡的一顆棋子，比較不含倫理與感情的東西，在反共的層面上下功夫，或是在生活中投資一清二楚。日本人就不一樣，有些人認為台灣在傳統上並不是中國，或是因為自己曾經統治過，而非常模糊不明。所以日本即使是執政黨內部，也有一些人說想要在台灣建立共和國，一方面是要報答蔣介石的恩德，一方面也是要為台灣人以台灣居民為主的民族自決助陣，或是融合以上心理，希望台灣與中國切割。如果是這樣，就不會只有一小撮人。以情感、情緒方面來說，執政黨因保守與改革接近的危機意識，以及想要與台灣保持關係者的危機意識，在本質上是很接近的。

日本的國家利益和中日關係

　　嶋倉：我認為剛才的發言非常有意義。對日本外交最重要的終究是更仔細去看什麼是真正的國家利益，也就是national interest。而且，能讓人發現真正國家利益的外交論爭也是非常需要。如果是所謂的經濟動物的國家利益，或盲目的民族主義之類的東西，就傷腦筋了。

　　C：現在可以說處於勝海舟熱潮。我聽江藤淳先生在電視上說過，這是第三次的勝海舟熱潮。第一次是勝海舟過世的明治32年左右，第二次是昭和初期，第三次是這一次。想一想就知道，這三次都是日本站在岔路上苦惱的時候，明治時後期轉向軍國主

義化，打起日俄戰爭。昭和初期是為了克服不景氣，還是往軍國主義化的道路走。這次究竟會往哪個方向前進呢？就某方面來說，國民很難摸索出穩固的進路。勝海舟的思考方式是超脫德川時代以藩為中心的觀念，改以較大的日本思考，把視點放在那裡。

如果照這樣去想，在現在這個時期，我們不能只把價值尺度放在日本上，而是要放在更大的亞洲或世界上，再由此去思考日本的國家利益是什麼，日本的外交應該怎麼做。我覺得這地方非常重要。

A：我認為要思考日本的國家利益是什麼，歷史上的現今是非常好的時期。因為中國說現在的國際情勢是世界大亂天下大亂。中國所說的天下大亂不是指非常頭痛的狀態，而是良好的趨勢。如果照我們的方式來解釋中國的意圖，就是國際政治、國際關係來到了以之前受欺負的第三世界意圖「復權」的動向為主的本質轉換期，正符合歷史前進的方向。目前第三世界追求「復權」的局勢，亦即來自那裡的與既成勢力和舊統治階層之間起摩擦的狀況，看起來就是天下大亂的情況，這是在國與國之間國際政治的層次，我的意思是，國際層次的天下大亂在人類或個人的層面上也是一樣，第三世界追求「復權」是現在國際政治的象徵舉動，亦即確立各民族或個人的基本人權，要求平等人權的舉動。像這樣思考時，現在的國際情勢在政治和人類層面上的動向，可以視為完全一致。

思考日本的國家利益時，雖然要考慮到經濟，但考慮到政治、思想層面時，就不能不顧及天下大亂的情勢吧？從這個觀點

來看，不僅是政治、經濟層面上要追求國家利益，在思想和人的層面上，也要找出追求日本國家利益的方向吧。

B：不用說天下大亂的情況，從十全大會周恩來以政治報告展開的演說來思考，說到與日本的關聯，就是美國以美元與核武器的全球優勢隨著越戰逐漸崩潰。美國從亞洲倉皇撤退，現在往維持現狀的方向在重整崩潰的事物，其中一部分是石油危機，與現在美國內部給人的感覺。這時，日本也直接蒙受石油危機。就某方面來說，日本在戰後處於和平憲法下，大致上說並沒有弄髒手。現在面對著多重危機，或者該說是錯綜複雜的危機狀態，正是日本不再繼續弄髒手找出活路，或者如與中國恢復邦交時最先出現的問題確立了全權處理的作法，已經來到了要以什麼形式在這裡共存，要如何為世界和平盡力的方式重組的十字路口。或許是我想太多了，但光是一個台灣問題，我就覺得執政黨內部的認識太粗淺了。

嶋倉：會變成非弄髒手不可嗎？

B：這方面我就不知道了，但我希望這會是一個轉捩點，但說到要如何掌握……

A：為了跨越轉捩點，我們眼前有一條繩索，就是日中關係。要在政治上、思想上超越危機中的轉捩點，說什麼也要去充實中日關係。

D：就像美國現任駐台大使在演講中說的，我們和中華人民共和國的協商與大家的利益一致。明明沒有在進行彼此的邦交正常化，美國還是說得出這種話。儘管如此，我並不清楚日本執政黨內部是否了解這一點。令我意外的是，《中央日報》破天荒第

一次直接寫出「中華人民共和國」。這意味著什麼，完全沒有說明，但依我的解釋是，大使的演說意義很大。

交流兩年來的歷程與未來

嶋倉：在經濟問題上，出現大型生產設備、石油輸入、原料炭輸入等復交前沒有的動向，但這方面日本財界是基於結構上必須長期持續發展的思考而採取的作法？還是中國表明了他們要發展獨自的石油化學工業所以不輸出資源的原則，才會變成這情況？總之，請大家談談日中經濟交流兩年來的歷程和未來的展望。

E：大致說來，從日本輸到中國的東西，第一種是鋼材，第二種是化學肥料，第三種就是產業機械。這種貿易結構從邦交正常化一開始，就是一種附加價值，出現以大型生產設備為軸的各種計畫。這與其說是附加價值，不如說是這方面會在此後的日中經濟合作上占有很大的分量。就買方來說，雖然暫時有東西賣給那個國家，但從那個國家沒有東西可以買進來，相反地石油變成極大的戰略商品，中國也逐漸明確定位，採取長期採購計畫的付款手段。這種模式做為一種貿易結構，能夠持續多久？或是不會持續？我認為現在是提出這個問題的適當時機。

說到日本經濟從戰後到現在，以石油化學工業為主，達成高度成長的產業領域中，日本究竟有多少獨步全球的技術系統？問題焦點恐怕就在這裡。因為在10年、15年前，一般認為日本所具有的獨步全球的技術是倉敷嫘縈公司的乙烯基生產設備，化學肥

料方面則是尿素生產設備，但現在還很突出的也只有這兩項。其他不論是乙烯生產設備，還是氨的合成生產設備，或聚乙烯、丙烯腈之類的生產設備，基本技術幾乎不是從美國就是從歐洲引進，然後在日本琢磨加工，產生專門技能，成為輸出生產設備時的最大賣點。雖然在中國以百花齊放的形式展開，但仔細看實際的狀況就知道，畢竟原始技術是來自別處，日本對中國和其他國家輸出時，必須先與原始技術所有者談妥明確的同意事項。不須要辦這種手續的只有前面提到的乙烯基和尿素。但由於尿素要和氨的生產設備成套輸出，還是需要取得氨的「本家」Kellogg（家樂氏）的認可。考慮到這方面時，不論是前陣子新日鐵的稻山先生簽下的鋼鐵生產設備，還是在日本戰後的、日本傳統經濟營運中，拚死拚活擴大批發資本、商業資本、金融資本的占有率，都對研發獨自的技術系統過度輕忽。反過來看與日本的產業機械、各種生產設備激烈競爭的西德，機械廠商是德國整個近代化過程中的推動力。

在機械產業中開發的所謂新系統或技術體系，因為受中國著眼之故，因此向日本要求大量變更規格，而在逐步交涉中，估價單重擬之後，又發現物價波動而買不下手，這就是大家所認為的川崎製鐵敗下陣來的原因。

光從這種價格競爭力來看，今後的日中之間、亞洲各國與日本經濟交流、技術合作等方面的未來，都無法有那麼光明的展望。如果說日中邦交正常化正好彌補了日本外交領域上欠缺的部分，如果日中之間的經濟交流無法成為日本在研發技術時培養獨有技術、獨有技術思想的寶貴墊腳石，以現在這種多消費資源型

的經濟營運為背景，再繼續單純以為只要能向中國或亞洲各國繼續賣出鋼鐵或化學肥料、加工產品就好，我以為已不能那麼樂觀了。雖然同樣要輸入，中國身為第三世界的一員，但是與日本經濟交流時，是站在支持對資源主張主權的國家立場上。從這種觀點來看，如以可從中國買到便宜的資源，抱此展望思考的話，還是免不了會碰到新的障礙。

　　追求既得權利、既成秩序等東西的變革與這方面有關，這種潮流如果是用現在的「天下大亂」來形容，那麼要如何處理向來被忽視、排斥者，當然兩國之間，或多國關係的情況都是必須考慮的。

　　日本國內也嚴格反省了一味追求擴大占有率的經濟姿態，這時要是不營造能研發專有的寶貴技術的條件或環境，只顧追求量的擴大，就不能開拓品質上的新層次，不是嗎？我一口氣把大範圍的東西歸納出來，我想大體說來，這不也會形成一個轉捩點？

　　D：我對石油問題很有興趣，先假設一下，最近有報紙報導說，中國在1976年的生產量可望達到一億噸。與此相關聯，中國不也可以強力推動對第三世界的外交，包括物質面和經濟外交在內吧。

　　這也是一個假設，當然會在生產設備上付出代價。在生產設備上，中國人口多達八億，畢竟這個國家的幅員廣大，可以先在內部重製，再把改造出來的東西輸出給第三世界，以經濟外交的形式輸出。中國不是已經開始在進行因應天下大亂的外交嗎？我覺得他們是在同時追求這種可能性。

　　說到其中的關聯，中國會在這十年繼續從以日本為首的先進

國家積極引進生產設備，然後進行改造的工作。不過這只是我的假設。如果不是，現在中國當局挑戰所謂的兩大國獨占或多國企業看不到形象的帝國主義的實質證據正在減弱，中國的文革已經劃下句點，現有的批林批孔不知道會如何展開，但只要相關的部分順利發展，當然中國當局也會這麼想吧？這麼一來，對日本的經濟交流將可望愈來愈順暢。

　　B：只是看看中國今後推行工業化政策所需要的先進技術或先進設備內容，如同之前所說的，有些東西並不能從日本購買。例如飛機、利用太空衛星的通信設備、開發海底石油的設備等等，都不能向日本買。就算零件、附帶的東西買得到，原始技術還是屬於美國或歐洲。剛才說過，日本產業界能積極向中國推銷各種生產設備的優勢是售後服務非常周密，由於日本人的體格和中國人相似，教導操作時，技術比較容易轉移，但光是這樣，日中之間的經濟交流就能夠在未來繼續擴大嗎？當然可想而知，中國會積極活用美國或歐洲的產品，何況在貿易結構中，不僅要考慮到使特定國家的占有率過大的危險性，也要想到安全保障，就這方面來看，我覺得中國會給日本特別多的想法，是不是太樂觀了？

　　E：日本引進技術的過程，和中國引進的過程有什麼差異，在形成近代社會的過程中是非常大的重點吧？

　　以日本來說，技術發展是在自己本身的社會中進行，克服引用近代技術時與社會產生的摩擦，把技術推往新的方向。我們看企業的動向也是一樣，為什麼技術都是借來的，從美國買來就可以在日本開創事業是不對的，日本也是經過自己的消化，採取獨

特的型態。

　　以中國來說，重點是要抱著什麼樣的問題意識來引進技術。以日本過去的形式，任意引進大型生產設備，有沒有可能引發破壞中國社會體制的問題？這一點，我覺得大有可能。所以中國要解決經濟計畫方向中出現的問題，如果引進技術時不去配合這方面，對中國就沒有意義。舉例來說，任意引進石油化學生產設備的基本部門，對中國是否適當？不是大有問題嗎？要是基礎生產設備所具有的精密性或與相關部門的關係，連同資本主義社會所具有的整體性一下子全引進來，我想會留下許多中國現在的社會無法消化完的東西。我認為可能會與現在的體制發生衝突。感覺這方面也和批林批孔問題有什麼關係。

　　日本引進技術時，日本化學工業的資本基礎與資源的獨占結合在一起。起初是水力電源的獨占，後來是煤炭資源的獨占，在這種結合下發展化學工業，再加上引進美國和歐洲的技術，才在日本壯大。而在農業方面，在不破壞社會體制的情況下提高生產力的勤農改革方式，是統治階層以非常強烈的意識推動的，例如有使用化學肥料的強大基礎，日本的化學工業體系才能在這條件上面穩固發展。終究要配合社會的要求，技術才能存活。我想中國也會有自己的問題，要是不意識這一點只引進技術，然技術是會死的。

　　E：從日中貿易的關係來說，日本自己不是也面臨以石油危機和公害問題為契機，不得不大幅度轉向的局面嗎？近來發生的產業結構變動，也是因為與中國交涉的日本改變了條件。

　　日本的化學工業技術幾乎無一具有原始技術。從現在看來，

沒有原始技術也已發展到現在，是因為善於拼湊便宜的資源，能夠扮演自行吸收社會落差的角色。取得便宜的電力，將電力變成別種物質，再便宜供給。這種作法到了現在已經行不通了，因此不去做與歐洲和美國出現新產業時一樣的作法，日本就會面臨無法做下去的局面。就這方面來說，與中國的交往方式不也是非改變不可呢？

　　其實前一陣子，針對肥料的輸出問題，有很熱烈的討論。畢竟中國方面只要買進13套生產設備，經過三年就會生產過剩，不再跟我們購買，而日本屆時將無法突然轉向，因此有人認為應該配合日本的情況給予削減。可是，我認為這種想法不對。中國方面的會有什麼走向，不要以這邊的資本主義眼光去看，中國方面的經濟計畫的轉換方向是應該有的，所以日本這邊要隨機因應，有彈性地依對方行事才是正確的。這些事大家討論得口沫橫飛，但感覺論點有點跳躍。有人說從我們這邊來看，那邊的情況應該會變成怎樣，但也有人說，最好停止只看那麼一點。這種討論，我覺得過於跳躍了。這方面的討論也一直無法取得共識。

　　B：剛才您說的日本化學工業的發展條件，就是獨占資本、以金融資本為頂點的市場占有率、將擴大的市場占有率視為既得權，持續享受其中的優勢，直到現在。要繼續確保結出的果實或既得權的態度，對外以企業聯合的模樣表現時，他們能繼續企業聯合呢？還是會碰壁呢？我想現在肥料業界對於接觸中國的方式，也會針對兩種選擇而展開討論。

　　E：日本企業家必須努力去讀取社會主義體制本身的運動軌跡。

Ａ：這是事關經濟交流的基本理念問題。

嶋倉：到底與社會主義國家在經濟面上正常交往時，要採取什麼方式呢？

Ｅ：我想沒有一定的模式。資本主義社會走過的路——以市場經濟來說，我們是在市場的引導下運作。中國方面則是以計畫代替市場的功能。置換成這個計畫時，雖說是計畫，但並不是在白紙上畫圖，在獲得的條件中應該要有汲取的步驟或手續，不能隨便跳躍。我覺得日本在這方面如何讀取，做為接近的方法，就是營造最好商談局面的基礎。

本文原刊於《日中経済協会会報》第16號，東京：財団法人日中経済協会，1974年9月，頁16～26

譯者簡介

李毓昭

1961年生。中興大學社會學系畢業。曾任出版社編輯，現爲專職譯者。譯有：《銀河鐵道之夜》（晨星）、《顏面考》（晨星）、《霍去病》（實學社）等。

林彩美

1933年生。中興大學農經系畢業，日本東京大學農經系博士課程修畢。旅日長達40年，中華料理研究家，曾主持梅苑中華料理研究室（日本）二十餘年。致力於梅苑書庫的保存與研究，長期投入《戴國煇全集》的編譯工作。
著有：《中菜健康瘦身法》（文經社）、《新灶腳的健康料理》（文經社）等；主編：《戴國煇文集》；策劃：《戴國煇全集》等。

陳仁端

1933年生。中興大學畢業，日本東京大學大學院農學博士。曾任職於台糖公司花蓮糖廠、日本大學教授。譯有：《土地利用の経済的研究：台中（台湾）地域における》（東京：農政調查委員会）等。

劉淑如

1970年生。淡江大學日文系畢業，日本北海道大學文學研究所博士。研究領域爲日治時期台灣文學、日本近代文學，現任南台科技大學應用日語系助理教授。譯有：《夢境366天——現代解夢手記》（遠流）、《透析企業價值組合策略》（遠流）等。

（以上依姓氏筆畫序）

日文審校者・校訂者簡介

◆ 日文審校

吳文星

1948年生。台灣師範大學歷史研究所博士。曾任美國哈佛大學及史丹佛大學訪問學人，東京大學、京都大學等校外國人客員研究員及招聘外國人學者，歷任台灣師範大學進修部教務主任、歷史學系主任、文學院長，現爲台灣師範大學歷史學系教授、台灣教育史研究會會長。 研究專長爲台灣近現代史、中日關係史。

著有：《日據時期台灣師範教育之研究》、《日據時期在台「華僑」研究》、《台灣史》等；〈東京帝國大學與台灣「學術探檢」之展開〉、〈日本統治前期の台灣實業教育の建設と資源開發——政策面を中心として〉等論文一百餘篇。

林彩美

（簡介略，見前述）

張隆志

1962年生。台灣大學歷史系碩士，美國哈佛大學歷史與東亞語言研究所博士。現爲中央研究院台灣史研究所副研究員。研究專長爲台灣社會文化史、平埔族群史、比較殖民、台灣史學史及方法論。

著有：《族群關係與鄉村台灣：一個清代台灣平埔族群史的重建和理解》；《坐擁書城：賴永祥先生訪問紀錄》（合著）、《曹永和院士訪問紀錄》（合著）；〈殖民現代性分析與台灣近代史研究〉、〈殖民接觸與文化轉譯：一八七四年台灣「番地」主權論爭的再思考〉與 "Reimagining Histories from Different Shores”等中英日文學術論文多篇。

（以上依姓氏筆畫序）

◆ 校訂

許育銘

1965年生。政治大學歷史研究所碩士，日本立命館大學文學博士。曾任
交通大學、政治大學兼任助理教授，現爲台灣國立東華大學副教授兼系
主任。研究專長爲東北亞史、中日關係史、台日關係史、日本史。
著有：《台灣史重要文獻導讀》(共同編著)、《汪兆銘與國民政府：
1931至1936年對日問題下的政治變動》；〈從「宋子良工作」看抗日戰
爭期間「和平工作」與「特務工作」之交錯〉、〈戰後台琉關係再建的
過程：以1975年前後爲中心〉等。

國家圖書館出版品預行編目（CIP）資料

戴國煇全集. 18-26, 採訪與對談卷／戴國煇著.
－－ 初版 .－－ 台北市：文訊雜誌社出版；遠流
發行, 2011.04
　冊；　公分
ISBN　978-986-6102-01-1（第1冊：精裝）.－－
ISBN　978-986-6102-02-8（第2冊：精裝）.－－
ISBN　978-986-6102-03-5（第3冊：精裝）.－－
ISBN　978-986-6102-04-2（第4冊：精裝）.－－
ISBN　978-986-6102-05-9（第5冊：精裝）.－－
ISBN　978-986-6102-06-6（第6冊：精裝）.－－
ISBN　978-986-6102-07-3（第7冊：精裝）.－－
ISBN　978-986-6102-08-0（第8冊：精裝）.－－
ISBN　978-986-6102-09-7（第9冊：精裝）

1. 史學　2. 文集

607　　　　　　　　　　　　　　100001715

戴國煇全集 21
【採訪與對談卷四】

著　作　人　　戴國煇
策劃／總校　　林彩美

編 輯 製 作　　財團法人台灣文學發展基金會
　　　　　　　10048台北市中山南路11號6樓
　　　　　　　02-2343-3142
編 輯 委 員　　王曉波　吳文星　張錦郎　張隆志
　　　　　　　陳淑美　劉序楓（依姓氏筆畫序）
主　　　編　　封德屏
執 行 編 輯　　江侑蓮　王為萱
美 術 設 計　　不倒翁視覺創意

出　　　版　　文訊雜誌社
發　行　人　　王榮文
發　行　所　　遠流出版事業股份有限公司
　　　　　　　10084台北市中正區南昌路二段81號6樓
　　　　　　　（02）2392-6899
　　　　　　　http：//www.ylib.com

排　　　版　　浩瀚電腦排版股份有限公司
印　　　刷　　松霖彩色印刷事業有限公司
初　　　版　　民國100年（2011）4月
定　　　價　　全27冊（不分售）精裝新台幣16,000元整
ISBN　978-986-6102-04-2（全集21：精裝）
　　　　978-986-85850-4-1（全套：精裝）